Frank C
Im Schatte

CW00410535

Frank Goldammer

IM SCHATTEN
DER WENDE

Kriminalroman

dtv

Von Frank Goldammer
sind bei dtv außerdem erschienen:
Der Angstmann
Tausend Teufel
Vergessene Seelen
Roter Rabe
Juni 53
Verlorene Engel
Feind des Volkes
Großes Sommertheater
Zwei fremde Leben

Originalausgabe 2022
© 2022 dtv Verlagsgesellschaft mbH & Co. KG, München
Umschlaggestaltung: zero-media.net, München
Umschlagmotive: Brian Harris / Alamy; iStock.com und
FinePic®, München
Satz: Fotosatz Amann, Memmingen
Gesetzt aus der Minion und der DIN Pro 11/14,4´)
Druck und Bindung: CPI books GmbH, Leck
Printed in Germany · ISBN 978-3-423-26318-4

»Absitzen! Aufstellung!« Der Befehl kam hart und schnell. Unter der Plane des G5 Pritschenwagens entstand Bewegung. Tobias Falck, der gleich hinter der Fahrerkabine saß, weshalb er während der Fahrt fast nichts hatte sehen können, musste warten, bis seine Genossen von der Ladefläche gesprungen waren. Dann stand auch er auf, lief geduckt zur Laderampe und sprang, wobei der ungewohnte Helm, der an seinem Koppel hing, der Schild und der Gummiknüppel schwer an ihm zogen und ihn einknicken ließen. Doch nicht allein das Gewicht war es, das seine Knie weich werden ließ. Er hatte Angst.

Es war der 9. Oktober 1989, und das erste Mal in seinem Leben hatte er wirklich Angst. Alles, was ihn früher mal geängstigt hatte, sei es als Kind, als Jugendlicher, als NVA-Soldat beim Manöver oder auch als Polizist, war nichts gegen diese unterschwellige Übelkeit, die jetzt in seinem Magen waberte, und dieses Herzklopfen, das so schnell und heftig war, dass er meinte, jeder müsste es sehen, wäre es nicht so dunkel.

Keiner sprach, alle gehorchten sie Bergers Befehl und sortierten sich in einer Reihe. Der Motor des Lkw sprang wieder an, und im roten Schein der Rücklichter sah Falck die Besorgnis im Gesicht seines Leutnants. Dessen Latein schien mit diesen beiden Befehlen schon am Ende zu sein, denn nun sah er sich um, versuchte sich zu orientieren, zwischen den dunklen Häuserfronten und angesichts der Hundertschaften von Sicherheitskräften, die sich hier sammelten. Beinahe erleichtert wirkte er, als er einen ranghöheren Vorgesetzten entdeckte.

Selbst mit Knüppel und Schild bewaffnet, lief Berger diesem entgegen und salutierte. Besorgt beobachtete Falck den Leutnant. Dass dieser sonst so souveräne Mann offenbar nicht wusste, wie er mit der Situation umzugehen hatte, bereitete ihm Sorge. Und vermutlich würde sein Vorgesetzter auch nur auf Befehle von oben warten. Und wenn die oberste Leitung auch nicht weiterwusste?

»Wo sind wir denn?«, flüsterte sein linker Nebenmann. Falck registrierte erst jetzt, dass es Alex war, sein Zimmergenosse und bester Freund im Lehrgang. Er hatte vorhin noch auf einem anderen Laster gesessen.

»Ich weiß es nicht«, flüsterte Falck zurück.

»Leipzig!«, antwortete jemand von weiter links.

»Weißt du das genau?«, fragte ein anderer.

»Hab das Ortsschild gesehen. Wir sind in Leipzig!«

Falck war das egal. Leipzig war für ihn eine Stadt wie jede andere. Zweimal war er hier gewesen. Zu einem Fußballspiel, Dynamo gegen Lok Leipzig. Das andere Mal, vor einer halben Ewigkeit, mit seinen Eltern und den Geschwistern, im Zoo.

Er war allerdings erleichtert, dass sie nicht nach Dresden gefahren waren. Von seinem Vater wusste er, dass es dort am 30. September, am Hauptbahnhof, als die ersten Züge mit Leuten aus der Prager Botschaft durchfuhren, zu einer großen Menschenansammlung gekommen war. Weil Rowdys die Polizei angegriffen hatten, kam es zu gewalttätigen Ausschreitungen. Da offensichtlich noch mehr Züge aus Prag über Dresden fahren sollten, war gar nicht auszuschließen gewesen, dass man sie dorthin bringen könnte. Falck schauderte. Der Gedanke, dabei jemand Bekanntem ins Gesicht zu sehen, war kaum auszuhalten. Dafür hatte er sich nicht bei der Volkspolizei beworben.

Dabei hatte er seinem Vater erst keinen Glauben schenken wollen. Dass viele der DDR den Rücken kehrten, wusste er, dass sie über Ungarn flüchteten oder in die westdeutschen Botschaften eindrangen, doch dass es im eigenen Land zu Gewalt kommen könnte, dass sich wirklich größere Gruppen konterrevolutionärer Elemente den Sicherheitskräften widersetzten, ganze Polizeiregimenter beschäftigten, war ihm viel zu abwegig erschienen. Der Widerstand, das wusste er auch, ging doch eher von ein paar christlichen Friedensgruppen aus, die mit Gebetsgruppen und ein paar Flugblättern ihren Pazifismus verbreiten wollten. Jetzt hatten dann also doch diejenigen recht behalten, die immerzu mahnten, wachsam zu bleiben, die davor warnten, dass der Feind niemals Ruhe geben werde. Aber der Feind war doch immer von außen gekommen.

Und jetzt? Es musste einen Grund geben, warum man sie mit Schlagstöcken bewaffnete und nicht nur zu Hunderten, sondern zu Tausenden, wie er gerade gesehen hatte, nach Leipzig gebracht hatte. Um ihn herum Polizeilaster, Hundestaffeln, ganze Kompanien in Kampfmontur.

Da Berger weggegangen war, ließ die Disziplin unter ihnen etwas nach. Sie begannen zu tuscheln.

»Mach dir nicht ins Hemd«, raunte es hinter Falck.

»Tu ich doch gar nicht!«, verteidigte sich ein anderer mit bebender Stimme. Doch genau das taten sie alle miteinander. Da musste man sich nichts vormachen. Er selbst, Alex, der eine wie der andere und selbst Leutnant Berger. Auf so etwas hatte man sie nicht vorbereitet, und allein, dass es jetzt nicht weiterging, dass sie standen und warten mussten, dass es dunkel war und sie ausharrten zwischen Häuserblöcken mit abweisenden Fenstern, hinter deren Gardinen Menschen standen und auf sie hinuntersahen, allein das war Grund genug, Angst zu haben. Sie wussten nicht, was sie machen sollten. Und das hatte es in Falcks Leben noch nie gegeben, dass jemand, der über ihm stand, Lehrer, Offizier, Ausbilder, nicht wusste, was zu tun war.

Berger kam zurück und wartete, bis die Laster abfuhren. Ihr Motorengeräusch zwischen den Fassaden der Plattenbauten dröhnte und hallte. Dieselabgaswolken hüllten die Polizisten für einige Sekunden ein, länger, als man die Luft anhalten konnte.

»Aaaaachtung, rechts um!«, befahl der Leutnant.

»Ich muss dringend schiffen«, sagte Alex, der nun hinter Falck stand. Auch Falck musste pinkeln, und er hatte Durst. Ihm war schlecht vor Aufregung, dabei hatte der Abend erst begonnen. Es versprach, eine lange Nacht zu werden.

»Ohne Tritt – marsch!«, rief Berger, und sie setzten sich in Bewegung.

Der Weg war weit. Sie marschierten durch düstere Straßen, vorbei an Wartburgs, Trabants und Ladas, die unter dem trüben Laternenlicht alle gelb aussahen. Sie marschierten und begegneten, außer Polizisten, niemandem. Alles war still, nur ihre Schritte und das Klappern der Schilde hallten von den Hauswänden wider. Gelegentlich geriet das Messehochhaus ins Blickfeld und verschwand wieder hinter dem nächsten Häuserblock. Sie näherten sich dem Stadtzentrum, und je näher sie kamen, desto mehr schien etwas in der Luft zu liegen, etwas, das man fast schmecken konnte. Wie der metallene Geschmack von Blut, wenn man sich auf die Zunge gebissen hatte.

Dann sahen sie die ersten Menschen. Kleinere Ansammlungen von Leuten, die stumm vor den Hauseingängen standen, Männer, Frauen, Alte, Junge. Mit verschränkten Armen beobachteten sie die Polizeitruppen, die an ihnen vorüberzogen. Ihre Blicke ließen Falck erschaudern. Misstrauisch, abweisend, provokativ. Da war keine Erleichterung, dass jemand kam, der für Ordnung sorgte, da war kein Respekt, hier wurden sie betrachtet wie Feinde.

Sie marschierten an einer anderen Hundertschaft vorbei,

die sich aufgestellt hatte und eine Art Spalier bildete, um so die Querstraßen zu sperren. Warum standen die hier, fragte sich Falck. Und warum müssen wir noch weiter vor?

»Wir sollen wohl Kanonenfutter sein?«, flüsterte jemand weiter vorn und sprach aus, was die meisten dachten.

»Ruhe!«, donnerte Berger, der das gehört hatte.

Lieber Gott, dachte Falck das erste Mal in seinem Leben.

Als sie schließlich ein letztes Mal rechts abbogen und sich ihnen der Leipziger Stadtring auftat, stockte ihnen der Atem. Aus der Ferne, noch im Dunkel, waren Geräusche zu vernehmen, wie sie nur von einer riesigen Menschenmenge stammen konnten.

Es klang wie das Summen eines großen Bienenschwarms. Das schien eine Menschenmenge zu sein, deren Ausmaß sich Falck nicht vorstellen konnte. Kein Geschrei, keine Bewegung. Das machte es fast noch schlimmer. Berger ließ anhalten und verschwand aus dem Laternenlicht, um sich am nächsten Befehlsstand zu melden.

»Guck dir die Leute an!«, flüsterte Alex hinter ihm.

Falck nickte, er sah sie. Sie sammelten sich am Straßenrand, standen hinter den geparkten Wagen, starrten, schwiegen. Es war unheimlich. Falck ahnte, dass sie sich bewusst zurückhielten und abseitsstanden, sie beobachteten nur und warteten ab, was geschehen würde. Wie würden sie sich verhalten? Wie viel Wut und Hass schwelten hinter den scheinbar gleichgültigen Gesichtern?

Ein Scheinwerfer leuchtete auf, blendete sie für einen Moment, dann schwenkte der Lichtkegel herum, beleuchtete die Straße, und erschrocken sah Falck noch viel mehr Menschen auf der Straße stehen. Sie drehten ihre Gesichter weg. Manche verharrten mitten auf der Straße, andere schoben sich zu den Seiten weg.

»Das kann nicht gut gehen«, stöhnte jemand, der vor Falck ging. »Denk bloß an die Chinesen!«

»Sei doch still!«, flüsterte Falck. Daran wollte er jetzt nicht denken. Hier würde man doch nicht so brutal vorgehen wie in Peking, wo man mit Panzern in die Menge gefahren war und geschossen hatte. Das wusste inzwischen jeder. Wie viele Menschenleben es gekostet hatte, würde wohl für immer ein Geheimnis bleiben. Aber das war in China passiert, weit weg von hier. Die Chinesen lebten und dachten anders, und wer wusste schon, was wirklich geschehen war, das ein solches Vorgehen rechtfertigte. Bei ihnen in der DDR würde so etwas nicht möglich sein, hatte er sich beim Anblick der Fotos ermordeter chinesischer Polizisten und Soldaten in der *Aktuellen Kamera* gedacht. Aber noch vor wenigen Minuten hätte er sich auch nicht vorstellen können, dass sich so viele Menschen zusammenfinden würden, um gegen die Zustände in diesem Land zu protestieren. Genauso, wie er noch vor wenigen Wochen nicht geglaubt hatte, dass eine solche Bewegung überhaupt jemals möglich sein würde. Offenbar hatte er während seiner Ausbildung in Aschersleben wie in einer Blase gelebt und hatte die Nachrichten seines Vaters nicht ernst genug genommen.

»Die können nicht zulassen, dass sich das hier herumspricht. Die müssen durchgreifen!«, zischelte der andere zurück. War das Volker, der Sohn eines Hochseekapitäns aus Rostock?

»Kannst du erkennen, wie viele das sind?«, fragte Alex.

»Könnt ihr nicht mal das Maul halten!«, rief einer halblaut.

»Eh!«, schrie es plötzlich weit vorn, und andere stimmten ein.

»Eeeh, eeeeh! Ihr Schweine, ihr Schweine!«

Falck reckte sich, wollte sehen, was geschah, sah ein paar Männer in Zivil, die jemandem ein Bettlaken aus den Händen rissen, auf dem etwas geschrieben stand. Er sah, wie sie den Mann versuchten abzuführen, wie sie ihm die Arme auf den Rücken drehten und seinen Kopf in den Schwitzkasten nahmen. Eine Frau aber hielt ihn fest, und noch ein weiterer Mann griff zu. Die Umstehenden schrien und johlten, und Falck sah ihnen an, wie sie den Impuls unterdrückten, einzugreifen. Noch hatten sie zu viel Angst, dass sie die nächsten sein könnten, die angegriffen werden würden. Der Mann kämpfte stumm und verbissen, stemmte sich gegen die Stasileute. Die Frau weinte verzweifelt, der andere Mann ließ los, gab sich der Übermacht geschlagen, und schließlich führten die Stasimänner unter Pfiffen und Buhrufen den Mann ab, die Arme so stark auf den Rücken verdreht, dass er gebeugt laufen musste. Als sie ihn an Falck vorbeiführten, um ihn in einen Barkas mit Kastenaufsatz zu schieben, sah Falck, dass er hemmungslos weinte. Er wusste sicherlich, dass er das Schlimmste zu befürchten hatte. Da machte auch Falck sich nichts vor, die vergangenen Minuten würden dem Mann Jahre seines Lebens kosten.

»Kei-ne Gewalt!«, begannen jetzt einige zu rufen, »kei-ne Gewalt, kei-ne Gewalt!« Zuerst glaubte Falck, das käme nur von den kleinen Gruppen vor den Häusern, doch der Ruf wurde lauter und intensiver, und bald war ihm klar, dass es sich um viele Menschen handelte. Das war die dunkle Menschenmasse, die sich inzwischen genähert hatte.

Berger kam zurück. »Achtung!«, rief er, »Helm auf!«

Falck nahm den Helm vom Gürtel, setzte ihn auf und schloss den Helmgurt. Alles wurde sofort dumpfer um ihn herum. Hinter dem Visier verschwamm die Welt. Falck wischte mit der Hand darüber, doch es war das gewellte Plexiglas, das die Sicht verzerrte.

»Jeder achtet auf seinen Nebenmann, niemand entfernt sich eigenmächtig von der Truppe. Haltet euch gegenseitig die

Rücken frei. Bleibt ruhig, hört auf meine Befehle. Kein Schlagstockeinsatz ohne Befehl, es sei denn zur Selbstverteidigung. Achtung, ohne Tritt – marsch!«

Wieder setzte sich der Zug in Bewegung. Sie bogen links ab, weg von der Menge, die sich von rechts näherte. Vermutlich würden sie sich irgendwo anders in breiter Front ihnen entgegenstellen.

Knüppel frei, sollte der Befehl lauten, und dann galt es zu beweisen, dass er diesem Staat einen Eid geleistet hatte. Hieß das dann, auf diese Menschen einzuschlagen? Auf Männer und Frauen gleichermaßen, auf Menschen, die er eigentlich schützen sollte?

»Schämt euch!«, schrie jemand wütend von der Seite, und obwohl das allen galt, fühlte Falck sich persönlich angesprochen. Er hatte keinen Grund, sich zu schämen, er hatte nichts Falsches getan, er hatte der DDR dienen wollen und ihren Bürgern. Für Sicherheit hatte er sorgen wollen. Er war Polizist. Er wollte Ordnung schaffen. Nichts weiter. Hier zu sein, hatte er sich nicht ausgesucht. Und trotzdem schämte er sich, ohne zu wissen, warum. Weil er Bergers Befehlen gehorchte? Doch, das musste er. Warum sollte er gerade heute aufhören zu gehorchen?

»Das sind doch noch Kinder!«, rief jemand. Falck versuchte, nicht hinzuhören. Er war kein Kind mehr mit Mitte zwanzig. Er hatte schon Erfahrung. Das musste er sich nicht sagen lassen.

»Dass ihr euch nicht schämt!«, rief ihnen eine Frau entgegen.

»Geht doch nach Hause! Ihr habt doch auch Familie!«

Falck wollte sich umsehen, wollte antworten, doch die Gesichter blieben schemenhaft. Er fragte sich, ob es an seinem Helm lag, ob sein Visier defekt war. Oder waren es seine Augen, war es sein Kopf, der sich abschotten wollte?

»Halt!«, rief Berger. »Kette bilden!«

Sie folgten dem Befehl, stellten sich Mann an Mann, quer über die Straße, schlossen sich mit einer anderen Kette zusammen. Falck verlor seinen Freund aus den Augen, Alex stand einige Mann entfernt von ihm. Es wäre ihm lieber gewesen, sie stünden nebeneinander. Er spürte das Schild seines Hintermannes im Rücken, das ihn stützte, aber auch den Fluchtweg versperrte. Die Menschenmasse näherte sich unaufhaltsam. Was war diese lächerliche Kette, was waren sein Helm und sein Schild gegen diese Zehntausende? Irgendwie musste er der aufkommenden Panik Herr werden. Er konnte den Unmut der Menschen nicht wirklich nachvollziehen. Es ging ihnen doch nicht schlecht. Wohnungen wurden gebaut, sie mussten sich nur gedulden. Jeder hatte Arbeit, jedes Kind durfte kostenlos die Schule besuchen und auch der Arztbesuch war umsonst. Wussten sie den Frieden nicht zu schätzen? Dass es keine Obdachlosen gab, keine Arbeitslosigkeit, keine Ausbeutung?

Die Rufe wurden lauter. *Wir sind das Volk!* *Wir sind das Volk! Keine Gewalt, keine Gewalt.* So kamen sie näher, und bald war es keine dunkle anonyme Menge mehr, bald waren sie so nah, dass Falck einzelne Personen ausmachen konnte, Männer, Frauen, Jugendliche. Unzählige Gesichter. Scheinwerfer strichen über sie hinweg, Stasileute filmten am Rande mit Videokameras. Irgendwo, ahnte Falck, standen Kampftruppen mit Wasserwerfern, mit Kampfwagen, mit Kalaschnikows und Panzern. Sie warteten nur auf den Befehl. Und der würde unweigerlich kommen, musste kommen, denn dieser Staat, wusste Falck, würde das nicht dulden, was hier geschah. Wenn sich dieser Protest hier ausbreiten würde wie ein Flächenbrand, dann wäre das das Ende dieses Staates.

»Wir sind das Volk!«, skandierten die Menschen und kamen näher. Das war keine randalierende Menge, viele trugen Kerzen in den Händen, hielten Schilder hoch. Mit großer Entschlossenheit kamen sie heran.

»Wir sind das Volk, wir sind das Volk!«, dröhnte es in Falcks Ohren, und die unzähligen Stimmen schienen ihnen recht zu geben. Falck sah nicht mehr nach links oder rechts. Er wollte nicht in die Gesichter seiner Kameraden sehen. Er wollte sie nicht wiedererkennen in ihren Augen, seine Angst.

Lieber Gott, dachte er noch einmal, lieber Gott.

EINS

Frühjahr 1988

1

Der Tag versprach schön zu werden. Es war leicht bewölkt, nicht sehr kalt, nur der Wind blies heftig. Die Straße wirkte grau wie immer, es gab keinen einzigen Farbtupfer mehr an den Fassaden. Der Fahnenschmuck zur Erster-Mai-Feier war schnell verschwunden, sofern es hier überhaupt welchen gegeben hatte. Die Häuser in dem Viertel waren allesamt verfallen, einige Eingänge waren sogar vernagelt. Die Dachrinnen hingen durch, der Putz löste sich, die Fenster waren verquollen, der Lack war längst abgesplittert. Vor einem Fenster in der Louisenstraße war sogar ein selbstgemaltes Schild befestigt. *Hilfe, unser Haus stürzt ein!* Es hing schon lang da.

Tobias Falck, Obermeister der VP, sportlich schlank, das glatte blonde Haar unter der Mütze sauber gescheitelt und mit seinen nicht ganz eins achtzig nicht der Größte seines Jahrgangs, wusste, dass so etwas nicht erwünscht war. Aber das war weder sein Abschnitt noch sein Problem. Sollte sich der ABV drum kümmern. Außerdem war es den Leuten kaum zu verdenken. Seine eigene Wohnung in Striesen, eigentlich nur ein Zimmer in der Wohnung der Schurigs, bei denen er zur Untermiete wohnte, solange er und Ulrike nicht verheiratet waren, war kaum in besserem Zustand. Bei ihnen hing allerdings die DDR-Fahne noch, er selbst hatte sie am dreißigsten April in die Halterung vor dem Dachfenster gesteckt. Ulrike hatte er dieses Wochenende nicht gesehen. Das ärgerte ihn. Wegen ihres Studiums war sie die Woche über immer voll ausgelastet, und am Wochenende kam ihnen oft sein Dienstplan in die Quere. Letztes Wochenende hätte er freigehabt, doch Ulrike hatte einem Subbotnik zugesagt. Fast den ganzen Samstag war sie mit der Begrünung der Beete vor dem Studentenclub beschäftigt gewesen. Grundsätzlich befürwortete Falck diese freiwilligen Einsätze im Dienst der Gemeinschaft, doch in diesem Fall hätte Ulrike daran denken können, dass er freihatte. Noch dazu waren sie und ihre Eltern am Sonntag zu einer Familienfeier nach Karl-Marx-Stadt gefahren. Nun sollte es wieder mindestens zwei Wochen dauern, bis sie länger Zeit füreinander hatten. Überhaupt wirkte Ulli in letzter Zeit immer sehr eingespannt. Die Anforderungen im Studium stiegen, hatte sie ihm erklärt. So blieb ihnen in dieser Woche nur ein kurzer Spaziergang am Freitag. Als wären sie verliebte Achtklässler, dachte Tobias.

Er bog in die Prießnitzstraße ein. Kaum ein Auto war hier geparkt, und auf dem Kopfsteinpflaster lagen Splitter von Dachziegeln, die erst kürzlich heruntergefallen sein mussten. Falck warf einen abschätzenden Blick nach oben. Seine Dienstmütze würde ihm wenig nützen, wenn ihm ein Ziegel auf den Kopf fiel.

Ein grauer Trabant bog in die Straße ein und holperte über das grobe Pflaster. Sein helles Motorenklingeln hallte an den morschen Wänden der Häuser wider. Der Fahrer hatte das Fenster heruntergekurbelt. Er trug eine schwarze Lederjacke und Oberlippenbart. Eine Zigarette hing ihm im Mundwinkel. Er hielt vorn beim Lebensmittelladen an der Ecke zur Schönfelder Straße.

Zwei Jungen kamen Falck entgegen, beides Schulkinder. Falck schätzte sie auf zwölf, mit Lederranzen auf dem Rücken. Sie unterhielten sich, der eine zählte dem anderen etwas vor, aber beide verstummten beinahe schuldbewusst, als sie ihn sahen.

»Bleibt mal schön an der Hauswand, solange der Wind

noch so geht!«, ermahnte Falck die Jungen, und die beiden gehorchten augenblicklich. Falck machte einen Schritt zur Seite und ließ sie vorbeigehen. Ehrfürchtig starrten sie auf sein Pistolenholster.

Als Falck weiterging, entdeckte er den dünnen Draht eines Büchsentelefons, der von einer Wohnung im ersten Obergeschoss quer über die Straße gespannt war. Bis vor Kurzem hatten dort in den gegenüberliegenden Wohnungen zwei Freundinnen gewohnt, wusste Falck, die sogar dieselbe Schulklasse besuchten. Seit vier Wochen aber stand die Wohnung auf der anderen Straßenseite leer, da den Blochmanns die Ausreise genehmigt worden war.

Der jetzt nutzlos gewordene Draht stimmte Falck traurig. Warum Eltern ihren Kindern so etwas antaten, konnte er nicht nachvollziehen. Sie rissen sie aus dem Klassenverband und der Pioniergruppe, nahmen ihnen die Freunde und Bekannten, die Arbeitsgemeinschaften und Trainingsgruppen. Auch sie selbst gaben ja alles auf, was sie hatten, verrieten ihren Betrieb, ihr Land und stürzten sich und die Familie in völlige Ungewissheit. Und das alles, um Marlboro zu rauchen und *Coca-Cola* trinken zu können?

»Hallo!«, rief eine dünne Stimme. »Hallo, junger Mann!«

Falck entdeckte auf der gegenüberliegenden Straßenseite einen kleinen alten Mann im Fenster einer Erdgeschosswohnung. Seine weißen Haare standen wirr vom Kopf ab. Nur im Unterhemd beugte er sich aus dem Fenster. Falck überquerte die Straße.

»Guten Morgen«, grüßte er und tippte sich mit der Hand an den Mützenschirm.

»Genosse Polizist, können Sie mir helfen?«

»Womit denn?«, fragte Falck. Er hatte eigentlich keine Zeit mehr, doch so direkt angesprochen, konnte er schlecht ablehnen.

19

»Meine Frau ist aus dem Bett gefallen, ich kann sie nicht hochheben. Können Sie mir helfen? Die Tür steht offen!«

»Ich komme!«, rief Falck, ohne zu zögern, und war schon auf dem Weg ins Haus. Bereits im Treppenhaus schlug ihm ein übler Geruch entgegen. Der Gestank nach Urin und Müll wurde an der Wohnungstür so intensiv, dass es ihm den Atem verschlug.

»Hierher, kommen Sie!« Der Alte erwartete ihn schon und winkte Falck fahrig heran. Falck versuchte angestrengt, nur durch den Mund zu atmen.

In einem kleinen Zimmer, dessen Fenster zum Hof zeigten, lag eine alte Frau neben dem Bett hilflos auf dem Boden, unter ihr nur ein abgetretener Läufer. Ihr Mann hatte ihr offenbar ein Kissen unter den Kopf geschoben. Die Frau war lediglich mit einer Art Nachthemd bekleidet und hatte den rechten Arm in Gips.

»Ach, Gott«, stöhnte sie leise. »Ach Gott!«

»Alleine bekomme ich sie nicht mehr ins Bett«, erklärte der alte Mann noch einmal.

Falck nickte und stieg vorsichtig über die Frau hinweg. »Nehmen Sie sie unter dem linken Arm, ich nehme den rechten.«

»Aber Sie müssen aufpassen, der Bruch ist ganz frisch«, ermahnte ihn der Alte.

Falck nickte wieder. Er hatte das Bettzeug gesehen, und ihm war übel vor Ekel und Mitleid. Er nahm den Gurt des tragbaren Funkgerätes, stellte es auf dem Boden ab, dann bückte er sich, griff der Frau unter den Arm und half ihr, sich aufzusetzen. Dann fasste er sie um die Taille.

»Packen Sie mit an! Haben Sie sie?«

Der Alte bückte sich langsam und langte seiner Frau unter den gesunden Arm.

»Auf drei!«, bestimmte Falck. »Eins, zwei, drei!«

Die Frau schrie laut auf, als die Männer sie zurück auf das Bett legten.

»Soll ich einen Arzt kommen lassen«, fragte Falck. Die Aktion, die Enge des Raumes und der Gestank hatten ihn zum Schwitzen gebracht.

Der Alte winkte nur erschöpft ab. Er sah selbst so aus, als würde er jeden Moment umfallen. Erschöpft setzte er sich auf die Bettkante.

»Brauchen Sie sonst noch etwas?« Falck hängte sich das Funkgerät wieder um und sah sich um. Die Wohnung sah verwahrlost aus. Vermutlich war der Mann kaum noch in der Lage, sich um das Nötigste zu kümmern.

Wieder schüttelte der Alte den Kopf. »Unsere Tochter kommt später.«

»Gibt es niemanden im Haus, der Ihnen helfen könnte, wenn Ihre Frau noch einmal aus dem Bett fällt? Hat hier jemand einen Telefonanschluss?«

»Die Klemms haben einen, doch die sind beide auf Arbeit. Und bis zum Laden vor schaffe ich es nicht mehr.«

»Gut, dann …« Falck zögerte. Für solche Situationen hatte man ihn nicht ausgebildet. Wenn der Mann es nicht einmal schaffte, zweihundert Meter zum Einkaufen zu gehen, dann sollten die beiden nicht mehr allein hier wohnen. Doch er wollte auch nicht fragen, warum sie nicht in einem Feierabendheim lebten. Er ahnte die Antwort schon.

Als Falck wieder unten auf der Straße stand, hörte er, wie etwa hundert Meter entfernt der Motor eines Mopeds aufheulte. Und schon schoss aus der Baulücke neben dem Haus eine Simson heraus, auf der zwei Männer mit einem blauen und einem braunen Helm saßen. Der Fahrer bog rechts ab, gab Gas und bremste an der nächsten Kreuzung nur kurz, um sofort wieder Vollgas zu geben. Dass der Fahrer und sein

Sozius eher jung waren, glaubte Falck am Körperbau erkannt zu haben. Von den Gesichtern war unter den Helmen nichts zu sehen gewesen. Und sie hatten Jeans und Jacken getragen.

Falck ging die letzten hundert Meter zum Haus des ABV und studierte die Namen auf dem Klingelschild. Der Abschnittsbevollmächtigte hieß Wetzig und war Leutnant vom Rang.

Den Namen gab es nicht auf dem Klingelschild, das vermutlich uralt war. Der Leutnant sollte im ersten Obergeschoss wohnen. Dort stand *Wehner*. Falck konnte sich nicht entscheiden zu klingeln. Es war kurz nach halb sieben, er war fünf Minuten zu spät. War der Mann schon alleine losgegangen und hatte nicht, wie vereinbart, auf ihn gewartet? Falck seufzte. Es half nichts, er musste ins Haus.

Im Treppenhaus war es düster. Durch das trübe kleine Fenster der Hoftür fiel nur wenig Licht. Doch das Bündel auf dem Boden sah er trotzdem sofort. Es sah aus wie ein großer Kleidersack. Er fingerte nach dem Lichtschalter und fuhr zurück, als das Licht anging. Das Bündel auf dem Boden war ein Mensch.

»Kann ich Ihnen helfen?«, rief er. Doch als er näher kam, sah er, dass seine Frage sinnlos war. Der Mann, der eine Uniform trug, lag seltsam verrenkt auf dem Boden und war ohne Zweifel tot. Falck war sich sicher, das musste Wetzig sein. Sein Körper schien fast unversehrt zu sein, doch sein Schädel war derart zertrümmert, dass jede Hilfe zu spät kam. Dünne Blutrinnsale liefen aus den Nasenlöchern, Hirnwasser und Blut sickerten aus der schweren Wunde am Kopf, verteilten sich auf dem Beton. Falck wich zurück, bis er die Wand hinter sich spürte, er fühlte sich wie gelähmt. Er blickte nach oben. War der Mann von oben den Treppenhausschacht hinuntergestürzt? Wetzigs Schirmmütze fiel ihm auf. Sie lag nahe der

Hoftür, fünf, sechs Meter vom Leichnam entfernt. Außerdem bemerkte Falck, dass Wetzig der rechte Schuh fehlte und sein Strumpf bis über den Hacken ausgezogen war. War er etwa beim Schuhanziehen aus dem Gleichgewicht geraten und übers Geländer gestürzt? Das wäre geradezu lächerlich, so zu sterben. Falck raffte sich endlich auf. Er musste etwas tun.

Er kauerte sich neben den Leichnam und griff nach dessen Handgelenk, um sicherzugehen, dass kein Puls mehr spürbar war. Er packte sein Funkgerät, hielt dann aber wieder inne. Die Sache mit dem fehlenden Schuh ließ ihm keine Ruhe. Kurzentschlossen stieg er die Treppe hinauf.

Im ersten Stock wurde er fündig. Der Schuh lag vor Wetzigs Wohnungstür. Falck berührte ihn nicht, betrachtete ihn bloß. Dann hörte er, wie ganz oben jemand eine Wohnung verließ.

Jetzt galt es zu handeln.

Von der ersten Sekunde an war klar: Der Mann konnte ihn nicht ausstehen. Und das beruhte auf Gegenseitigkeit. Hauptmann Edgar Schmidt wirkte ungepflegt. Dabei trug er saubere Kleidung, war rasiert, doch irgendwie haftete ihm etwas Schmuddeliges an. Vielleicht weil er noch in der Haustür einen letzten Zug von seiner Kippe nahm, um sie dann auf die Straße zu schnippen, vielleicht weil er zu leichtem Übergewicht neigte, etwas zu lange Haare hatte und seine Schuhe unübersehbar ungeputzt und ausgetreten waren. Er machte sich gar nicht erst die Mühe, den Toten aus der Nähe zu betrachten. Er warf lediglich einen kurzen Blick auf ihn und gab zu verstehen, dass dann die Spurensicherung ihre Arbeit tun solle.

»Und Sie haben ihn gefunden?«, wandte er sich unvermittelt an Falck.

»Jawohl, Genosse Hauptmann.« Falck salutierte, wie er es gewohnt war. »Obermeister Falck.«

»Und was hatten Sie hier zu suchen?«, fragte Schmidt, sah ihn dabei aber nicht an. Stattdessen blickte er nach oben und drehte sich dann zu den zwei Männern aus seiner Abteilung um, die sich gerade unterhielten.

Das macht er absichtlich, dachte sich Falck. Was für ein Idiot.

»Ich hatte einen Termin mit Leutnant Wetzig«, erklärte er in neutralem Ton. »Ich … äh … Ich wurde aufgehalten, musste zwei alten Leuten helfen, hier ein paar Häuser weiter, und kam dadurch fünf Minuten zu spät. Da lag er.«

»Wo er jetzt liegt, nehme ich an?«, fragte Schmidt, und es war nicht auszumachen, ob das ein Witz oder eine ernstgemeinte Nachfrage sein sollte.

»Natürlich.«

»Was hatten Sie denn für einen Termin?«

Das ging ihn eigentlich gar nichts an, dachte sich Falck. Mit jeder Sekunde gefiel ihm der Mann weniger, sein herablassendes Verhalten, die flapsige Art. Wie alt war Schmidt? Mitte dreißig oder vielleicht schon vierzig?

»Ich wurde von meinem Vorgesetzten, Oberleutnant Exner, zu Wetzig delegiert, der einer Sache nachgehen soll, über die ich aber noch nicht aufgeklärt wurde.«

»Ah, Geheimauftrag!« Schmidt hob das Kinn.

Falck wusste auf diese ironische Bemerkung nichts zu antworten.

»Genosse Obermeister, ist Ihnen irgendetwas aufgefallen? Irgendeine Idee, wie es dazu kam?« Schmidt deutete auf den Toten.

»Also, mir fiel seine Mütze auf. Ich frage mich, warum sie dahinten liegt. Wenn er sie auf dem Kopf trug, würde sie nach dem Aufprall doch direkt danebenliegen.«

»Gut, weiter!«

Falck räusperte sich. »Dann der Schuh oben auf dem Absatz. Mir kommt das seltsam vor.«

»Seltsam? Warum?«

Falck hob die Schultern. Er konnte es nicht genau erklären.

Schmidt sah nach oben. »Vielleicht war er gerade dabei, sich den Schuh anzuziehen, geriet aus dem Gleichgewicht und stürzte übers Geländer.«

Genau das hatte Falck zuerst auch gedacht.

»Die Mütze saß eben doch nicht straff, oder er hatte sie unter den Arm geklemmt«, sagte Schmidt.

»Zum Schuhanziehen?«, entfuhr es Falck.

Schmidt kniff einen Moment die Lippen zusammen. »Haben Sie eine bestimmte These?«

»Ich frage mich, warum er es nicht geschafft hat, sich festzuhalten.«

»Hat er vielleicht. Das lässt sich mithilfe der Spurensicherung nachvollziehen. Aber hören Sie mal, Genosse Obermeister, was wollen Sie denn eigentlich zum Ausdruck bringen?«, fragte er schließlich. »Nur zu. Sagen Sie's ruhig!«

Falck atmete durch. »Kurz bevor ich vorhin hier eintraf, kam aus der Brache nebenan eine beige Simson und fuhr mit hoher Geschwindigkeit in Richtung Hohensteiner Straße. Da saßen zwei Männer drauf, vermutlich sehr jung, Gesichter und Haar konnte ich wegen der Helme nicht erkennen.«

»Und was wollen Sie damit sagen?«

»Es wäre doch gut möglich, dass diese beiden Männer mit dem Tod von Genosse Wetzig in Verbindung stehen.«

»Wie waren die Typen denn angezogen? Beide Männer trugen dunkelblaue Jeanshosen und -jacken, die Kleidung machte einen abgewetzten Eindruck.«

»Mit dieser Beschreibung können wir am Wochenende das halbe Dynamo-Stadion verhaften«, bemerkte Schmidt grimmig. »Sie meinen also, die beiden hätten den Mann übers Geländer gestoßen?«

»Das wäre doch durchaus möglich, oder? Die Haustür war nicht verschlossen, Wetzigs Frau war schon auf Arbeit gefahren, bis auf die ältere Dame oben war niemand mehr da. Gut möglich, dass ein Schrei oder Kampfgeräusche deshalb von keinem bemerkt wurden.«

Schmidt sah ihn an, als erwartete er noch mehr. »Hm«, grummelte er. »Warum sollten zwei Männer am frühen Morgen hierherkommen und Wetzig übers Geländer stoßen?«

»Na ja, das weiß ich auch nicht.«

»Spekulieren Sie doch mal«, ermunterte ihn Schmidt spöttisch.

»Vielleicht waren der ABV und die Männer an einem anderen Tag wegen einer Ordnungswidrigkeit aneinandergeraten. Die Männer wollten das ausdiskutieren, gerieten in Streit. Vielleicht war es ein Unfall?«

»Ausdiskutieren? Mit dem ABV? Ordnungswidrigkeiten sind ja keine Verhandlungssache.«

»Sie haben mich aufgefordert zu spekulieren, Genosse Hauptmann«, verteidigte sich Falck.

»Hab ich. Ja.«

»Und wenn Sie Wetzigs Protokolle prüfen, stoßen Sie vielleicht auf einen derartigen Vorgang, oder eine bestimmte Person fällt Ihnen auf. Jemand, der schon einmal straffällig geworden ist, zum Beispiel.« Falck schloss den Mund, er hatte sich eindeutig zu weit vorgewagt.

Schmidt rieb sich über Wange und Stirn. »Ja, das werden wir alles in Erwägung ziehen. Sie melden sich erst mal auf Ihrem Revier. Wir werden sicherlich wegen einer Zeugenaussage noch einmal auf Sie zukommen.«

»Jawohl, Genosse Hauptmann!« Falck salutierte erneut.

Schmidt sah ihn halb belustigt, halb entnervt an. »Ihnen ist klar, dass Wetzig vermutlich noch leben würde, wären Sie nicht zu spät gekommen?«

Falcks Hand sank langsam nach unten. Schweigend starrte er Schmidt an. Wetzig musste tatsächlich gefallen sein, kurz bevor er hier ankam. Aber lag der Vorfall wirklich in seiner Verantwortung? Abgesehen davon, dass er einen triftigen Grund für seine Verspätung hatte. Warum machte Schmidt ihn also dafür verantwortlich? Aus reiner Boshaftigkeit?

Auf einmal schien Schmidt dann doch von seinem Gewissen eingeholt worden zu sein, und er schlug moderatere Töne an. »Ich sag Ihnen mal was, Genosse. Sie wurden Wetzig zugeteilt, weil es wiederholt Fälle von sexueller Belästigung hier im Viertel gegeben hat. Lassen Sie sich von Ihrem direkten Vorgesetzten aufklären! Abtreten!«

2

»Genosse Falck, kommen Sie rein!«

Falck betrat das Büro seines Vorgesetzten. »Genosse Oberleutnant«, grüßte er.

Exner, Oberleutnant der VP, knapp vierzig, mit kurzem dunklem Haar und Oberlippenbart, hieß Falck, auf dem Stuhl vor seinem Schreibtisch Platz zu nehmen. Hinter Exner an der Wand, zwischen den beiden Fenstern, hing ein Bild von Erich Honecker. Auf seinem Schreibtisch standen zwei grüne Telefone und eine Zwischensprechanlage. Falck mochte Exner. Er war ein ruhiger, besonnener Mann, der ihn jetzt forschend ansah.

»Geht es Ihnen gut, Genosse?«, fragte er.

»Ja. Danke der Nachfrage.« Genau genommen ging es ihm nicht gut. Spätestens auf dem Weg zurück zur Katharinenstraße war ihm bewusst geworden, was eigentlich geschehen war, was er gesehen hatte. Wetzig war nicht sein erster Toter gewesen. Aber er war so knapp vor seinem Erscheinen gestorben, dass Falck noch die Wärme seines Körpers hatte spüren können. Außerdem bekam er einfach den Gedanken nicht aus dem Kopf, dass er einen Mord hätte verhindern können, wäre er rechtzeitig da gewesen.

»Sie wirken unzufrieden, gibt es etwas, das Sie sagen möchten?« Exner drehte skeptisch fragend den Kopf zur Seite.

»Ich habe den Eindruck, dass der ermittelnde Hauptmann vor Ort meine Aussage nicht ernst genommen hat.«

»Weil Sie glauben, Wetzig sei von zwei Männern über das

Geländer gestoßen worden.« Exner war also schon informiert.

Falck nickte. Er musste vorsichtig sein. Schon lang hatte er das Gefühl, als ob man seinen Diensteifer mit einer gewissen Belustigung betrachtete.

»Das wäre fast schon eine politische Sache. Einen ABV, einen Volkspolizisten zu ermorden.«

Falck sah auf. Was sollte das? Exners Aussage war ebenso unnötig wie Schmidts Bemerkung, Wetzig könnte noch leben. Er hatte den Mann schließlich nicht umgebracht, und es änderte auch nichts an dem Tatbestand, ob das nun politisch war oder nicht.

»Genosse Oberleutnant, ich will konstruktiv zur Aufklärung des Vorfalls beitragen. Es muss doch möglich sein, eine beige Simson ausfindig zu machen, die im näheren Umkreis gemeldet ist. Selbst wenn es fünfzig wären, anhand der Helme könnte ich den Kreis der Verdächtigen einschränken. Wenn dann noch jemand darunter ist, der vielleicht schon einmal straffällig geworden ist …«

Exner bremste ihn ein. »Das ist alles richtig, Genosse. Aber etwas Vertrauen müssen Sie der kriminalistischen Abteilung unseres Organs schon entgegenbringen.«

»Das tue ich doch«, beeilte Falck sich zu sagen. Nur diesem komischen Schmidt vertraute er nicht, der zu bequem war, eine Treppe hochzusteigen, wenn es ihm nicht erforderlich schien. Falck bemühte sich, das Thema zu wechseln. »Darf ich fragen, Genosse Oberleutnant, weshalb ich Wetzig ursprünglich zugeteilt werden sollte? Hauptmann Schmidt deutete an, dass es um ein Sexualdelikt ging.«

Exner nickte. »Vorletzte Nacht hat jemand eine junge Frau bis nach Hause verfolgt. Sie kam von der Gymnastik, gegen zehn Uhr abends war das. Es handelt sich um eine Frau Pliske, wohnhaft in der Talstraße 8. Sie ist Lehrerin. Ihre Haustür war noch nicht zugeschlossen, das war ihr Glück. Sie hat sich ins Haus retten können. Man könnte dies als Lappalie abtun oder als Missverständnis. Aber das ist nicht der erste gemeldete Vorfall in den letzten Monaten.«

»Konnte sie den Mann beschreiben? Oder eine der anderen betroffenen Frauen?«, fragte Falck. Es war bekannt, dass in der Dresdner Neustadt allerhand seltsames Volk wohnte, Studenten, junge Paare in wilder Ehe, aber auch Asoziale, ehemalige Knastis, Punker. Kein Wunder, wenn es hier zu solchen Vorfällen kam.

Exner schüttelte den Kopf. »Es wird gerade geprüft, ob ein entlassener Sexualstraftäter in die Gegend gezogen ist oder sich einer der Anwohner in früheren Zeiten auffällig zeigte.«

»Genosse Oberleutnant, wenn ich einen Vorschlag machen dürfte?«

»Nur zu.«

Vielleicht machte er sich jetzt vollends zum Idioten. Egal. Falck holte noch einmal Luft. »Also, von anderen Genossen weiß ich, dass sich gelegentlich Schutzpolizisten in Zivil zur Unterstützung der Genossen der Kripo unter die Bevölkerung mischen. Vielleicht sollte ich mich auch auf diese Art und Weise umhören? Vielleicht gelänge es mir, Kontakt aufzunehmen und mehr zu erfahren. Vielleicht könnte ich den Besitzer der Simson ausfindig machen oder hören, was man über Wetzigs Tod so erzählt?«

»Sie möchten gern Geheimagent spielen?« Exner hob belustigt die Augenbrauen.

Entmutigt sackte Falck in sich zusammen.

»Es stimmt allerdings, dass die Kripo gelegentlich um Unterstützung bittet. Da geht es jedoch eher um Bagatelldelikte oder kleinere Einbruchreihen. In diesem Falle wäre es ein eher außergewöhnliches Vorgehen, erst recht in Zivil.« Exners

Grinsen verlor sich, er schien die Idee ernsthafter in Erwägung zu ziehen.

»Ich könnte womöglich auch über die sexuellen Übergriffe etwas in Erfahrung bringen«, hakte Falck nach und wusste gar nicht recht, was er mit seiner Hartnäckigkeit eigentlich bezweckte. Lag es daran, dass er sich doch für Wetzigs Tod verantwortlich fühlte?

»Ich denke darüber nach. Immerhin haben Sie sich für den Mittleren Dienst beworben, das könnte sich gut in Ihrem Lebenslauf machen. Noch dazu sind Sie jung und geeignet, sich unter solche Leute zu mischen, voller Tatendrang, praktisch veranlagt. Verheiratet sind Sie immer noch nicht, oder?«

Falck schüttelte den Kopf. Er wusste, dass er mit seinen fünfundzwanzig Jahren eigentlich schon längst verheiratet sein und Kinder haben sollte, wie so ziemlich jeder, den er kannte, inklusive seiner Geschwister. Doch Ersteres würde sich bald ändern, nachdem Ulrike nach Monaten freundlichen Zuredens endlich zugestimmt hatte, nächstes Jahr nach Beendigung ihres Studiums zu heiraten. Zweiteres würde sich dann wohl auch bald einstellen, allein, um endlich eine richtige Wohnung zu bekommen. Zeit wurde es in jeglicher Hinsicht. Mit dreiundzwanzig war Ulrike beinahe schon zu alt für ein erstes Kind.

Exner schürzte die Lippen. »Ich werde den Vorschlag bei den entsprechenden Stellen anbringen. Sie bekommen Bescheid, Genosse. Bis dahin sind Sie wieder dem normalen Streifendienst zugeteilt.«

Falck nickte zögernd. Das klang wie eine vertuschte Absage. Er kannte das Prozedere. Die meisten Vorschläge wurden so lange zerredet, bis alles vergessen war.

3

Er hatte schon nicht mehr damit gerechnet, als er drei Tage später zu Exner ins Büro bestellt wurde. Mittwoch und Donnerstag hatte er normalen Dienst geschoben, und niemand hatte sich für ihn interessiert, weder Exner noch dieser Hauptmann Schmidt. Zwischenzeitlich hatte er in Erfahrung gebracht, dass Schmidt schon mehrmals mit seinen Vorgesetzten aneinandergeraten war, was kaum verwunderte. So wie Schmidts Auftreten jeglicher Respekt fehlte, war er selbst auch keine Respektsperson, die die Volkspolizei der DDR angemessen vertreten konnte. Angeblich war Schmidt sogar schon einmal vom Dienst dispensiert und um einen Rang degradiert worden.

»Setzen Sie sich, Genosse!«, befahl Exner nach der Begrüßung. »Wie ich Ihnen sagte, habe ich Ihren Vorschlag angebracht und heute Morgen kurzfristig Bescheid erhalten, dass die Aktion genehmigt ist. Sie werden schon morgen beginnen. Die Genossen des MfS stellen uns eine ihrer Wohnungen vor Ort zur Verfügung, sie koordinieren das Ganze auch.«

»Morgen schon?«, fragte Falck. Er war irritiert, erst war Funkstille und jetzt sollte es von einem auf den nächsten Tag gehen.

»Es war doch Ihr Vorschlag. Das ist Ihre Gelegenheit, sich als vollwertiges Mitglied unseres Kollektivs zu beweisen. Haben Sie Ihre Meinung geändert?«, fragte Exner, der die Reaktion offenbar falsch verstanden hatte.

»Nein, nein, ganz und gar nicht«, sagte Falck schnell, »zum Wohle des Sozialismus.«

Exner runzelte die Augenbrauen, um im nächsten Moment amüsiert zu wirken. »Ja, ja, zum Wohle des Sozialismus«, wiederholte er leise. »Die Wohnung befindet sich in der Böhmischen Straße. Sie ziehen dort ein, Falck. Lassen Sie sich eine gute Legende einfallen. Vielleicht sollten Sie sich kleidungstechnisch etwas überlegen. Sie wissen selbst, dass viele der dort wohnhaften Bürger sich auch durch ihr Äußeres bewusst von den sozialistischen Werten unserer Gesellschaft abgrenzen wollen. Auf die nächste Rasur können Sie also gern verzichten.« Exner grinste wieder.

Falck nickte. Er wollte Einsatzbereitschaft zeigen, griff sich dabei unbewusst ans glattrasierte Kinn. Er wollte nicht skeptisch oder ängstlich wirken, doch genau diesen Eindruck musste Exner gerade von ihm haben. Ihm wurde jetzt erst klar, dass er mit seinen Klamotten nicht weit kommen würde. Aber die Vorstellung, in alter Jeansjacke, womöglich noch mit einem *Schwerter-zu-Pflugscharen*-Aufnäher, Bart und langen Haaren durch die Gegend zu ziehen, behagte ihm wenig.

Exner schien den gleichen Gedanken zu haben und unterdrückte ein Grinsen nur schlecht. »Auf die Dauer des Einsatzes sind Sie von Ihren üblichen Dienstpflichten entbunden. Wir erwarten jedoch täglich Bericht.« Er beugte sich vor und schob einen Papphefter über den Tisch. Ein kleiner Schlüsselbund lag obenauf. Es war ein Schlüsselring, an dem drei Bart- und ein Briefkastenschlüssel hingen.

Falck wollte den Papphefter an sich nehmen, doch Exner hinderte ihn daran, indem er seine Hand auf den Hefter legte. »Es gibt eine weitere Angelegenheit, bei der wir vom Kriminalamt um Mithilfe gebeten worden sind. Sie ist streng vertraulich zu behandeln. Ihre Aufgabe ist es hierbei, sich in bestimmten Kreisen umzuhören und verdächtige Gespräche weiterzugeben.«

Falck runzelte die Stirn und sah seinen Vorgesetzten gespannt an.

Exner holte nun seinerseits Luft und überflog noch einmal das Schreiben in seiner Hand, als müsste er sich vergewissern, dass er das Richtige sagte.

»Bei dieser Angelegenheit handelt es sich offenbar um einen Leichendiebstahl. Vor zwei Tagen ist ein Sarg mit dem Leichnam einer jungen Frau weggekommen. Kurz vor der Feuerbestattung kam den Krematoriums-Mitarbeitern der Sarg samt der Leiche abhanden und konnte nicht wiederbeschafft werden. Und nicht allein das. Offensichtlich gab es einen ähnlichen Fall vor zwei Jahren auf einem Friedhof in Gorbitz. Bei der Leiche damals handelte es sich ebenfalls um eine junge Frau.«

»Und in welchen Kreisen soll ich mich da umhören?«, fragte Falck unsicher. Die Sache begann ihm bereits über den Kopf zu wachsen, bevor sie überhaupt angefangen hatte.

Auch Exner wirkte skeptisch. »Wie Sie wissen, haben sich in den letzten Jahren in unserem Viertel sogenannte Gruftis angesammelt, denen man ja alles Mögliche nachsagt. Ein Hang zum Düsteren, zu Selbstmord- und Todesfantasien. Seltsame Musik, ungewöhnliche Verhaltensweisen, nächtliche Treffen auf Friedhöfen, satanistische Rituale und allerlei andere dubiose Sachen. Einige von ihnen sollen die Fußböden ihrer Wohnung mit Erde bedeckt haben und in Särgen schlafen. Angeblich trinken sie auch *Cola* mit *Spee*. Ich kann mir das beileibe nicht vorstellen, aber irgendwoher müssen die Gerüchte ja kommen. Wenn Sie mich fragen: allesamt arbeitsscheue Subjekte. Drückeberger. Asozial.«

Falck rutsche unruhig auf seinem Stuhl hin und her. »Ich soll mich in dieser Sache also nur umhören?«, vergewisserte er sich.

»Richtig. Sie sollen sich sowieso nur umhören. Das muss Ihnen klar sein. Sie sind gar nicht befugt, eigenständig zu ermitteln. Wenn Ihnen etwas verdächtig erscheint, melden Sie es umgehend. Ist das klar?«

Ein letztes Mal tippte Exner auf den Ordner. »Und denken Sie daran, tägliche Berichte abzuliefern. Diese deponieren Sie übrigens in Ihrem Briefkasten unten im Haus.«

Falck nickte und erhob sich. Er langte nach dem Hefter und dem Schlüssel. »Gab es denn schon neue Erkenntnisse im Fall Wetzig?«, wagte er schließlich doch noch zu fragen.

»Nichts, das Ihnen bei Ihrem Auftrag hilfreich sein könnte, Genosse Falck.«

Mit gemischten Gefühlen stieg Falck aus der Straßenbahn. Er hatte ja selbst die Aktion angestoßen, doch jetzt, da es losgehen sollte, hatte er Zweifel. Er hatte bisher kaum Kontakt zu Leuten aus der Neustadt gehabt. Gelegentlich hatte er mal die Ausweise von Punkern kontrolliert und sich dabei jedes Mal gefragt, wie man freiwillig so ein Leben führen konnte, abseits der Gesellschaft, in heruntergekommenen Verhältnissen, mit einem zugewiesenen Arbeitsplatz, denn freiwillig wollten sie ja meistens nicht arbeiten. Falck konnte so etwas nicht verstehen. Insgeheim musste er zugeben, einiges nicht mehr zu verstehen, weshalb man sich über ihn lustig machte. Das Gespräch mit Exner hatte ihm dieses Gefühl nur bestätigt.

Er kam sich abgeschoben vor, als ob es Exner nicht schnell genug gehen könnte, dass er weg war. Noch dazu hatte er keine wirkliche Befugnis zu ermitteln. Je länger er darüber nachdachte, desto mehr Zweifel kamen ihm. Wie sollte er sich unter das sonderbare Völkchen mischen, wenn er noch nicht einmal dessen Musik kannte? Was wäre, wenn sie ihn nach seinen Idealen befragten, ihn nach seinem Platz in dieser Republik fragten? Wenn er nach ihrer Logik argumentieren sollte?

Ob er mit Ulrike darüber reden durfte? Das hatte er nicht zu fragen gewagt. Heute Nachmittag wollten sie sich treffen, beim Pioniereisenbahnhof im Großen Garten.

Im Haus unten bei den Rosigs kläffte Kuno hinter der Tür. Falck mochte Hunde, aber Kuno konnte er nicht leiden, der war ihm zu aggressiv. Vermutlich bellte der nur deswegen den ganzen Tag über, weil er im Korridor eingesperrt war. Falck schloss den Briefkasten auf und zog eine Postkarte an die Schurigs heraus. Darauf war die Rosstrappe im Harz zu sehen.

Er schloss im ersten Geschoss die Wohnungstür auf.

»Ich bin es«, kündigte er sich wie gewohnt bei seinen Vermietern an.

Frau Schurig kam in den Flur, wischte sich die Hände am Geschirrtuch ab und grüßte mit freundlichem Nicken. »So früh heute?«

»Ich gehe dann später noch mal los, ich komme bestimmt erst abends wieder. Ab morgen bin ich übrigens ein paar Tage nicht da.«

»Haben Sie einen Lehrgang?«

Falck nickte. »Fortbildung, ja.« So war das am einfachsten erklärt. »Falls jemand für mich anruft, können Sie das auch so ausrichten. Meinen Eltern gebe ich noch Bescheid.«

»Sagen Sie mal, Herr Falck«, sagte Frau Schurig leise und kam näher zu ihm heran. »Jemand hat uns erzählt, drüben in der Neustadt hätte man einen Polizisten umgebracht! Stimmt das?«

»Nein, Frau Schurig«, widersprach er und versuchte, seinen Anflug von Ärger niederzudrücken, »das war ein tragischer Unfall.« Konnte sie, seine Vermieterin, etwa mehr wissen als er? Nein, das war nur das Gerede der Leute. Und er musste endlich aufhören zu glauben, dass jeder hinter seinem Rücken über ihn redete. Er hatte ja schon Verfolgungswahn.

Frau Schurig nickte beruhigt. »Hätte mich auch gewundert.«

Falck wusste, dass die Schurigs ihn mochten. Auch der alte Herr Schurig, der das allerdings kaum zeigte und meistens mürrisch war. Den ganzen Tag saß er in seinem Sessel, las Zeitung und schaute dann am frühen Nachmittag im Fernsehen *Medizin nach Noten* an. Es war wohl nicht die Pop-Gymnastik, die ihn interessierte, sondern mehr die vielen jungen Frauen, die sich in engen Gymnastikanzügen und Wadenwärmern nach der Musik bewegten. Schurig hatte sein Leben lang bei der Reichsbahn gedient, erst als Heizer, später am Gleis. Er war SED-Mitglied, wollte aber nie über Politik reden. Im Gegenteil, er reagierte meist sehr unwirsch, wenn Falck versuchte, das eine oder andere Thema anzusprechen, etwa den Vertrag über nukleare Mittelstreckenraketen, der letztes Jahr im Dezember von Gorbatschow und Reagan unterschrieben worden war.

Der alte Schurig, vermutete Falck, hegte einen stillen Groll gegen die DDR. Nachdem sein Sohn im Alter von zweiunddreißig Jahren bei einem Unfall im Kohlekraftwerk Nochten ums Leben gekommen war. Soweit er wusste, war der Unfall der Öffentlichkeit nie bekannt gemacht und nie aufgeklärt worden.

Bereitwillig hatten die Schurigs ihn als Untermieter genommen, als er sich bei ihnen vorgestellt hatte. Durch Zufall hatte er erfahren, dass ihr vorheriger Untermieter, auch ein Polizist, geheiratet und mit seiner Frau eine neue Wohnung bekommen hatte.

Falcks Untermietzimmer, in dem er seit einem Jahr lebte, war früher das Jugendzimmer des Sohnes gewesen, noch komplett so möbliert, wie der Sohn es bei seinem Auszug zurückgelassen hatte. In der Wohnzimmervitrine der Schurigs stand ein Foto des jungen Mannes. Seine Frau war nach seinem Tod mitsamt den Kindern ihrem neuen Mann, einem Ungarn, in dessen Heimat gefolgt, weshalb den Schurigs von ihren Enkeln nur gelegentliche Briefe blieben und ein Treffen alle zwei Jahre am Balaton.

Falck selbst war noch nie außerhalb der DDR gewesen, nicht einmal in der Tschechoslowakei.

»Ich würde dann den Badeofen anheizen, wenn Sie einverstanden sind«, bat Falck höflich. Der neue Badeofen war ein aufrecht stehender Boiler, der wie ein Kachelofen angefeuert wurde, um das Wasser zu erhitzen. Wenn er jetzt heizte, würde er in etwa anderthalb Stunden Badewasser haben. Schurig hatte den Ofen selbst installiert, er hatte ihm dabei geholfen, weil kein Klempner zu bekommen war.

»Aber natürlich, es sind nur keine Kohlen oben.«

»Ich hole welche.« Falck nahm sich den Kellerschlüssel und zwei leere Blecheimer aus der Kammer.

4

Es war später Nachmittag, als Falck am Fučikplatz aus der Bahn stieg und die Straße Richtung Vogelwiese überquerte. Der Rummel war schon geöffnet, allerdings nur spärlich besucht, seitdem er vor zwei Wochen aufgebaut worden war. Die Fahrgeschäfte fuhren meist ohne Kundschaft, am Autoscooter warteten gelangweilt die halbstarken Aufpasser in ihren Jeanswesten, mit Zigaretten im Mundwinkel.

Ulrike erwartete ihn am ausgemachten Treffpunkt. Anstatt eines Kleides trug sie eine hellblaue Jeanshose und eine weiße Windjacke. Ihre lockigen Haare waren unfrisiert, nur durch einen Haarreif gebändigt. Sie hatten nichts Besonderes vor, nur ein bisschen an der Elbe spazieren gehen und dann vielleicht noch über die Dimitroff-Brücke zum Goldenen Reiter, um dort ein Eis zu essen. Doch dass sich Ulrike nicht schick gemacht hatte, wunderte ihn etwas.

»Ulli!«, rief er ihr zu.

Sie drehte sich um und wartete, bis er vor ihr stand. Sie erwiderte seinen Begrüßungskuss, doch Falck spürte sofort, dass etwas anders war als sonst. Vielleicht hatte sie Streit mit ihren Eltern. Die beiden betrieben einen Eisenwarenhandel im Dresdner Stadtteil Plauen und hatten immer viel zu tun. Richtig warm war er mit Ulrikes Familie in den drei Jahren, die sie zusammen waren, nie geworden. Sie waren immer freundlich zu ihm, aber wirkten reserviert.

»Ist was?«, fragte er.

»Lass uns da langgehen!« Ulrike deutete auf einen Weg, der

in den Großen Garten führte. Falck nickte zustimmend. Normalerweise würde er ihre Hand nehmen, doch heute wirkte sie durcheinander und hatte beide Hände in die Taschen ihrer Windjacke geschoben.

»Wirst du nun zum Lehrgang delegiert?«, fragte sie nach einem längeren Schweigen.

»Na, ich hoffe doch. Eigentlich spricht ja nichts dagegen.«

»Dann wirst du also bald nach Aschersleben gehen?«

»Ja, sieht so aus.« Warum fragte sie ihn das? War sie womöglich schwanger? Das würde allerdings fast an ein Wunder grenzen, bei den wenigen Gelegenheiten, die sich in den letzten Monaten ergeben hatten. Außerdem nahm sie die Pille. Und wenn doch nicht? Für einen Moment wurden Falck die Knie weich. Dann würden sie wirklich bald heiraten müssen.

»Mensch, du …« Ulrike blieb kurz stehen, was ihn zwang, ebenfalls stehen zu bleiben, dann ging sie allerdings weiter, ohne noch etwas gesagt zu haben.

»Jetzt sag doch mal, Ulli, was ist denn los?«

»Ach, Mensch, Tobias, das ist doch alles blöd.«

»Was denn?« Er nahm sie sacht beim Arm, doch sie machte sich los und ging weiter. »Was ist denn so blöd?«, hakte er nach.

»Tobias, ich will das alles nicht mehr. Ich kann das auch nicht mehr. Ich mach Schluss!« Ulrike zuckte kurz mit den Achseln.

Falck war einen Moment stehen geblieben und musste sich dann beeilen, ihr hinterherzulaufen. »Bleib doch jetzt mal stehen! Was soll das denn bedeuten?«

Ulrike blieb unwillig stehen. Sie scheute sich, ihm in die Augen zu sehen. »Wir sehen uns so selten. Und die letzten Treffen waren irgendwie … so … öde. Und wenn wir miteinander schlafen wollen, müssen wir in die Laube von meinen Eltern.«

»Aber das ist doch alles …«

»Außerdem redest du nur von deiner Polizei. Immer wenn wir uns sehen, redest du davon. Und von dem Lehrgang.«

»Das kann ich doch aber alles …«

»Und alle fragen, warum wir noch nicht verheiratet sind und Kinder haben!«

Das war nun wirklich nicht seine Schuld, ärgerte sich Falck. Er hatte vielmehr das Gefühl, dass Ulrike ihm immerzu auswich bei diesem Thema. Doch er wusste aus Erfahrung, dass es keinen Zweck haben würde, hierüber zu diskutieren.

»Ulrike, das sind doch alles Dinge, die man ändern kann. Natürlich möchte ich dich heiraten und Kinder will ich auch!«

»Aber darum geht es nicht!« Ulrike stampfte mit dem Fuß auf und lief weiter.

»Nein?« Falck verstand nicht. Aber das hatte sie doch gerade gesagt. Er eilte ihr hinterher. »Dann sag mir doch, worum es geht!« Es war ihm peinlich, dass sie die Sache hier vor all den Leuten im Park ausfechten mussten, aber vielleicht war das ja genau der Grund gewesen, warum sie sich hier hatte treffen wollen. Damit sie nicht allein mit ihm war. Aber hieß das etwa, die Sache war für sie schon ausgemacht?

»Jetzt sag doch mal endlich was dazu!«

Ulrike riss wütend die Schultern hoch. »Verdammt noch mal, Tobias, die lachen mich aus, weil ich mit einem von der Polente zusammen bin. Daheim fragen sie mich dauernd, ob sie jetzt dies oder das überhaupt noch erzählen dürfen.«

Für einen Moment war Falck wie vor den Kopf gestoßen. Dass ihre Eltern ein Problem mit ihm hatten, wusste er, doch dass auch Ulrike mit seinem Beruf haderte, verletzte ihn sehr.

»Ulrike, das ist jetzt ungerecht. Du hast das immer gewusst. Ich trug sogar Uniform, als wir uns kennengelernt haben.«

»Ich weiß, ja.« Ulrike sah ihn nun endlich an, und es war fast tröstlich für ihn zu sehen, dass sie weinte. »Es tut mir ja auch leid. Aber du musst das verstehen, Tobias, ich will das nicht mehr, das alles hier.« Und sie machte eine hilflose vage Geste, die ihn und die ganze Umgebung einschloss.

Das alles? Was meinte sie damit? Mehr als nur sich und ihn? Das alles, bezog sie sich auf die Stadt, das ganze Land? Sollte das bedeuten ...? Er brachte den Gedanken nicht zu Ende, ihm würde sonst übel werden.

»Jetzt guck doch nicht so! Siehst du denn nicht, was los ist? Ich will weg hier. Und zwar schnell. Ich wollte es dir aber wenigstens noch gesagt haben.«

Falck stand jetzt vor ihr, sah ihr in die hellgrauen Augen, sah das so vertraute Muster ihrer Sommersprossen auf der Nase, die aschblonden Locken. Das klang ganz nach einer Krise, dachte er sich. Bekam sie ihr Studium nicht hin? Sie hatte lang schon die Nase voll.

»Das ist doch Quatsch, oder?«, flüsterte er.

»Nein, Tobias, kein Quatsch.« Ulrike nahm eine Hand aus ihrer Jackentasche und hielt ihm den Verlobungsring hin. Sie musste ihn die ganze Zeit schon so gehalten haben. Da gab es kein Verhandeln, kein Überreden, kein Hinauszögern. Für sie war alles bereits geklärt.

Und wenn er an die letzten Wochen zurückdachte, dann hätte er es eigentlich bemerken müssen.

»Du darfst mir nicht böse sein!«, bat Ulrike. Falck konnte nicht antworten, so tief saß der Schmerz. Es ging ja nicht nur darum, dass ihn gerade seine Freundin verließ. Dass all ihre Zukunftspläne mit einem Schlag zunichtegemacht wurden. Mal davon abgesehen, dass er keine Ahnung hatte, wie er das seinen Eltern erklären sollte, dass er mit Mitte zwanzig wieder von vorne anfangen musste. Er fragte sich auch, mit was für einem Menschen er da all die Jahre zusammen gewesen war. Ulrikes Entscheidung konnte nicht von gestern auf heute gefallen sein. Warum hatte er das nicht schon früher gemerkt.

»Tobias, ich muss dich auch bitten ...« Sie sprach es nicht aus. Doch Falck wusste genau, was sie sagen wollte. Von allen Verletzungen war das wie ein Stich ins Herz. Sie wollte von ihm zugesichert bekommen, dass er nichts verriet. Dabei wusste er gar nicht, was sie wirklich vorhatte. Hatte sie einen Antrag gestellt? Hatte sie sogar noch andere Pläne?

Es durchfuhr ihn wie ein Blitz. Das konnte sie nicht tun, sie musste wissen, was das für ihn bedeutete. »Aber wir lieben uns doch!«

»Nee, das war mal. Ich hab dich mal geliebt, ja, kann sein. Aber inzwischen musst du dich vor allem mal fragen, ob du mich liebst oder die Deutsche Demokratische Republik.«

Was sollte das? Das waren zwei grundverschiedene Dinge und keine Frage von Entweder-oder.

»Ach, Tobias, du solltest dein Gesicht sehen. Du kapierst das nicht, oder? Du wärst ja auch am liebsten drei Jahre zur NVA gegangen!« Sie senkte die Stimme. »Als Nächstes willst du noch zur Stasi. Du verstehst nicht, was wirklich los ist, oder? Aber ich. Und ich halte das nicht mehr aus. Ich will leben, verstehst du?«

»Aber, Ulrike, wir … wir leben doch!« Er kam nicht an gegen die Verzweiflung, die sich in ihm breitmachte, und vermutlich sah man ihm das an.

»Nee, Tobias, wir leben nicht! Wir existieren nur!« Ulrike machte einen Schritt von ihm weg und hob die Hand zu einem letzten Gruß. »Ich hoffe, du verstehst das auch irgendwann. Mach's gut!« Dann drehte sie sich um und ging davon.

Er sah sie weggehen, wartete noch auf eine Geste von ihr, einen Blick zurück, irgendetwas, das ihm Hoffnung gab. Vielleicht überlegte sie es sich ja doch anders, vielleicht würde sie zurückkommen. Doch nichts dergleichen geschah. Ulrike war schon so weit entfernt von ihm, dass er sie nicht mehr sehen konnte. Falck stand bei schönstem Wetter mitten in der Stadt, zwischen all den Menschen, und fühlte sich so verloren wie noch nie.

5

Abends lag Falck in seinem Untermietzimmer auf dem Bett und sah auf den Bildschirm seines *Junost* mit dem knallroten Gehäuse. Im Fernsehen lief *Der Staatsanwalt hat das Wort*, eine seiner Lieblingsserien, weil sie viele Einblicke in die Arbeit der Kriminalpolizei gab. Doch heute starrte er am Bildschirm des russischen Gerätes einfach vorbei.

Ihm war elend zumute. Er hätte gerne seine Mutter angerufen, doch er hatte keine Lust im Flur am Telefon zu stehen, wenn die Schurigs daheim waren. Wie hätte er das Gespräch überhaupt anfangen sollen? Als Einziger und Jüngster der drei Geschwister hatte er es noch nicht zu einer Familie gebracht. Er seufzte. Nein, er musste da alleine durch.

Und wenn Ulrike tatsächlich einen Antrag auf dauerhafte Ausreise stellen würde, schoss es ihm siedend heiß durch Kopf. Ihm war klar, dass das seine gesamte berufliche Laufbahn gefährden könnte, er würde nicht zum Lehrgang zugelassen werden, schlimmstenfalls durfte er nicht einmal mehr Polizist bleiben. Würde sie das wirklich tun und ihm derart in den Rücken fallen?

Draußen näherte sich ein bekanntes Rauschen. Ein Düsenflugzeug der sowjetischen Streitkräfte überquerte die Stadt im Tiefflug. Als Kind hatte ihm das Angst gemacht. Da war immer die Furcht, der Amerikaner könnte eine seiner Pershings abgefeuert haben, die mit einem Schlag alles Leben auslöschte. Genauso fühlte er sich jetzt. Als hätte alles keinen Sinn mehr, als wäre sein ganzes bisheriges Leben sinn- und nutzlos gewesen.

Das reicht jetzt, versuchte er, sich selbst zur Ordnung zu rufen. Sollte Ulrike doch in den Westen gehen, sollte sie sehen, wie es sich dort lebte. Ganz sicher würde sie es bald bereuen. Falck boxte sich sein Kopfkissen zurecht. Es war doch eigentlich ganz gut. Jetzt musste er keine Rücksicht mehr nehmen. Er musste kein schlechtes Gewissen haben, wenn er wochen- oder monatelang nicht daheim war. Er war jetzt frei.

Trotzdem. Es tat weh. Falck kniff die Augen zu, doch das Bild, wie sich Ulrike umdrehte und wegging, ihr letztes zögerndes Winken, das hatte sich in seinem Kopf festgesetzt. Das würde sich nicht ausblenden lassen.

6

Ratlos stand Falck vor dem Haus in der Böhmischen Straße. Es befand sich auf halbem Weg zwischen der Martin-Luther- und der Rothenburger Straße. Die meisten Gebäude der Neustadt waren heruntergekommen, doch das hier wirkte abbruchreif. Tatsächlich war vom nächsten Haus im Block nur noch ein Schutthaufen übrig.

Falck probierte noch einmal vergeblich die Klinke, beide Schlüssel, die er erhalten hatte, passten nicht.

»Die Tür klemmt nur, das Schloss ist im Eimer«, sagte jemand von der Seite.

Falck hatte eine alte schwarze Lederjacke angezogen, die er mal von seinem Bruder bekommen hatte, und dunkelblaue Kordhosen. Der Typ, der ihn angesprochen hatte, trug einen grünen, viel zu großen Parka. Seine Haare waren lang und fielen ihm lockig über die Schultern. Er hatte einen Oberlippenbart, der albern wirkte in seinem jungen Gesicht. Er schob sich an Falck vorbei und trat heftig gegen die Tür.

»Wen suchst du denn eigentlich? Claudi?«

»Ich wohn jetzt hier«, antwortete Falck etwas vage.

»Ah, oben, in der leeren Bude? Willst du nicht reinkommen?« Er hielt die Tür auf.

»Doch!« Falck schulterte seinen Rucksack und folgte dem jungen Mann in den schmalen Hausflur, in dem es seltsam roch.

»Ich wohne hier unten. Wenn du was brauchst, klingle ruhig. Ich heiße übrigens Christian.«

»Tobias«, sagte Falck und realisierte etwas zu spät, dass sich ihm hier gerade eine Kontaktmöglichkeit aufgetan hatte. »Was treibst du so?«, setzte er rasch hinterher.

»Ich studiere eigentlich. Aber ich bin geext. Muss mal sehen, wie es weitergeht. Und du?«

Er würde nicht ohne Grund exmatrikuliert sein, dachte Falck. »Bin auch geext, bin jetzt Heizer.« Er musste locker bleiben, nicht gleich übertreiben. »Na, ich geh erst mal hoch, man sieht sich.«

»Haste heute Abend schon was vor oder guckst du *Kessel Buntes*?«, fragte Christian und griente.

»Nee, hab nichts vor.«

»Dann komm runter, ich mach 'ne kleine Fete.«

»Ich überleg's mir.« Das ging ja schneller als gedacht, staunte Falck und stapfte die Treppe hinauf. Auf dem kleinen Treppenpodest führte eine schmale Holztür zum Dachboden hinauf, die andere Tür musste seine Wohnungstür sein. Einer der Schlüssel passte, und Falck atmete erleichtert auf. Seine Erleichterung schlug allerdings schnell in Resignation um. Allein der Geruch, der ihm entgegenkam, war mehr als unangenehm: feucht, modrig, schimmelig. Schon im Korridor sah Falck Stockflecken an der Decke und den Wänden. Die Papiertapete löste sich an den Stößen. Der Fußboden bestand aus Dielenbrettern, die knarrten und quietschten, als er in die Wohnung trat. Unschlüssig stand er da, nahm dann den Rucksack ab, weil der Riemen ihm in die Schulter schnitt. Er stellte ihn so ab, dass er nur an einem Türrahmen lehnte.

In der Küche stand ein Holzofen wie bei den Schurigs, daneben ein Gasherd. Falck drehte an einem Regler und hörte das Gas strömen. Wenigstens das funktionierte. Aus dem Küchenfenster konnte er sehen, dass aus der Dachrinne unterhalb des Fensters eine armdicke Birke wuchs, die Dachziegel waren dicht mit Moos bedeckt. Das Fenster ließ sich nicht öffnen, weil es vernagelt war. Einen Kühlschrank gab es nicht, nur einen kleinen Tisch mit zwei Stühlen, einen Aschenbecher mit mechanischem Verschluss und diverse Utensilien zum Kaffeekochen, einen Aufsetzfilter und eine Kanne, die aussah, als sei sie aus einem Mitropa-Wagen gestohlen. Dazu ein Spülschrank mit eingelassenen Aufwaschschüsseln. Es gab sogar ein Waschbecken, doch nur mit einem Kaltwasserhahn. Unter dem Waschbecken stand ein Blecheimer. In einem Schrank entdeckte er ein paar Teller und Tassen und ein wenig Besteck. Falck sah auf die Uhr, mittags schlossen die Läden. Eigentlich müsste er gleich noch mal zum *Konsum* auf dem Platz der Einheit gehen, um das Nötigste zu besorgen.

Das Wohnzimmer war eigentlich groß, hatte aber eine Dachschräge. An der einzigen geraden Wand stand eine Schrankwand mit ein paar abgewetzten Büchern, ein paar staubigen Gläsern und einem alten *Stern*-Radio, an dem zwei Reglerknöpfe fehlten. Einen Fernseher gab es nicht. Der Stoff der Ausklappcouch und des dazugehörenden Sessels war grob wie ein altes Handtuch und verströmte einen Geruch wie Möbel, die lange in einer Gartenlaube gestanden hatten. Der Multifunktionstisch war auf die niedrigste Höhe gestellt. An den Wänden hingen zwei Bilder, Drucke von Gemälden bekannter DDR-Künstler. Doch die triste Winterlandschaft von Querner und Hakenbecks *Peter im Tierpark* konnten nicht von den Stockflecken und der durchhängenden Decke ablenken, die aussah, als ob sie jeden Moment herunterbrechen könnte. In der anderen Zimmerecke stand ein kleiner Kachelofen, und Falck war froh, dass es Frühling war und er aller Voraussicht nach nicht heizen musste.

Der Blick aus dem Wohnzimmerfenster war nicht weniger trübselig als die Wohnung. Graue Hauswände, krumme Dächer, enge Hinterhöfe, in denen blecherne Mülltonnen standen und Unkraut zwischen den Steinplatten wuchs. Hier war alles dem Verfall preisgegeben, längst schon hätte dieses Viertel Neubauten weichen sollen, nach dem Vorbild anderer Städte. Und doch war Wohnraum so begehrt, dass jede Wohnung genutzt wurde, selbst wenn es durchregnete, die Wände verschimmelt waren und im Holz der Schwamm steckte.

Falck war ein Gedanke gekommen. Er ging wieder in den Korridor, doch außer der Küchen- und der Wohnzimmertür konnte er keine weiteren Türen entdecken. Es gab also kein Bad und damit auch keine Badewanne und keine Toilette. Er würde sich das Wasser auf dem Herd erwärmen und sich am Waschbecken waschen müssen, und die Toilette … Falck öffnete die Wohnungstür wieder und sah die Treppe hinunter.

»Oh nein«, stöhnte er. Zur Toilette musste er die halbe Treppe runterlaufen. Viel trostloser konnte er sich kaum fühlen in diesem Moment.

»Du bist der Neue?«, fragte eine junge Frau, als er gerade mit zwei vollen Stoffbeuteln vom Einkauf zurückkehrte und ins Haus wollte. Er schwitzte unter seiner Lederjacke und der muffige Geruch stieg ihm in die Nase.

Falck schätzte die Frau auf Anfang zwanzig. Sie war kleiner als er, hatte schwarze gelockte Haare und trug eine Latzhose aus Jeansstoff und einen weiten Nicki mit großen Ärmelausschnitten, die tiefe Einblicke gewährten und Spielraum für Fantasien zuließen. Sie war hübsch, irgendwie niedlich.

»Haste mir aufgelauert?«, fragte er zurück.

»Hätteste wohl gern!«, lachte sie.

»Bist du die Claudi?«, fragte er.

»Woher weißt du denn das? Bist du von *Horch und Guck,* oder was?«

»Dieser Christian hat es mir gesagt.«

»Ach, der«, sie winkte genervt ab. »Und? Was bist du für einer?«, fragte sie mit großem Interesse.

»Ich wohne jetzt hier, ganz oben!«, wich Falck aus.

»Oben, echt? Kann ich die Bude mal sehen? Bloß mal gucken.« Sie sah ihn mit ihren braunen Augen treuherzig an.

»Da gibt's aber nichts zu sehen, ist 'ne Bruchbude.«

»Trotzdem!«

Falck zuckte die Achseln. Warum nicht? Es war ja gar nicht seine Wohnung. »Na dann.«

Gemeinsam stiegen sie jetzt die Treppe hoch, und Falck wagte hin und wieder einen vorsichtigen Seitenblick. Claudia trug keinen BH, das war deutlich zu sehen. Was machte sie wohl beruflich? War sie verheiratet? Ob er sie einfach fragen sollte? Dann wäre wenigstens das peinliche Schweigen beendet. Doch er hatte keine Idee, wir er das anstellen sollte. Mit jeder Stufe rückte der günstige Moment in weite Ferne. Auf einmal kreuzten sich ihre Blicke. Claudia tat, als bemerkte sie es nicht. Oben angelangt rümpfte sie die Nase.

»Alles vergammelt hier drin«, entschuldigte sich Falck und schloss auf.

»Wurde ja auch nicht geheizt die letzten zwei Jahre.« Claudia betrat die Wohnung.

»Kanntest du den, der hier vorher gewohnt hat?«, fragte Falck.

Claudia nickte kurz. »Der wurde abgeholt. Hatte sich hier versteckt.«

»Versteckt?«

Claudia nickte wieder. »Kriegsdienstverweigerer. Wollte auch nicht Bausoldat sein. Kam aus Halle. Ist abgehauen, als sein Einberufungsbefehl kam. Hat sich hier versteckt. Fast zwei Jahre. Jetzt ist er in Bautzen.«

»Und seitdem war niemand in der Wohnung?«

»Doch, gelegentlich wohnte mal jemand hier, aber immer nur für ein paar Wochen. Wundert mich, dass sie dich hier reingelassen haben.«

Falck tat unwissend und zuckte mit den Achseln. »Hab einen Bescheid vom Wohnungsamt bekommen, dass ich die Wohnung beziehen darf.«

Claudia warf einen kurzen Blick in die Küche und ging dann ins Wohnzimmer. Falck beobachtete sie. Es war ein seltsames Gefühl, einfach so mit ihr zu reden. Ob sie ahnte, dass er ein Polizist war?

»Musst du auf dem alten Sofa pennen?«, fragte sie.

Falck folgte ihr ins Zimmer. »Ich fürchte, ja.«

»Ich kenne einen, der 'ne Matratze abzugeben hätte. Für einen Zehner, willste?«

»Klar, gern, wenn die noch gut ist.« Er wusste gerade nicht, was besser war, auf dem muffigen Sofa zu schlafen oder auf einer alten Matratze.

»Überhaupt, wenn du was brauchst, ich kann ein paar Sachen ranschaffen, ein Regal, ein bisschen Geschirr. Sogar einen Gummibaum.« Claudia lächelte verschmitzt. »Und wenn du mal in die Wanne willst, sag mir Bescheid. Nur den Ofen anheizen musst du selbst.«

»Warum machst du das denn alles?«

Claudia runzelte die Augenbrauen. »Wie meinst du denn das? Einfach so!«

Falck hob das Kinn. »Und die Kohlen zum Anheizen?«

Claudia lachte und winkte ab. »Die klauen wir uns. Wir machen später 'ne Fete, haste Lust zu kommen?«

»Hab aber nichts zum Mitbringen.«

»Bring dich mit!«

7

Noch als er die Treppe hinunterging, fragte er sich, wie er es anstellen sollte. Christians Einladung war so beiläufig gewesen, sie konnte längst vergessen sein. Claudias Einladung konnte nicht gelten, es war nicht ihre Wohnung. Was sollte er sagen, wenn jemand fragte, wer er sei. Von unten kam Stimmengewirr, laute Musik, Klirren. Die Feier war längst im Gang. Außer den beiden Namen kannte er niemanden.

Seine Bedenken sollten noch wachsen. Die Tür zu Christians Wohnung war weit offen, im Flur standen junge Leute, bekleidet mit Jeans und Jacken, mit weiten Stoffhosen und Lederwesten. Falck sah in erster Linie Männer mit wilden Vollbärten und langen Haaren. Gerade flog die Haustür auf und eine weitere Gruppe betrat das Haus. Sie trugen Bierkästen mit Felsenkeller Pils und wurden mit großem Hallo begrüßt. So gut wie jeder von ihnen rauchte.

Falck blieb auf der letzten Stufe stehen. Vom Hof kamen zwei junge Frauen Arm in Arm durch die Hintertür, lachten beide laut auf, während die eine noch versuchte, die Pointe ihrer Geschichte zu erzählen. Claudia und Christian waren nirgendwo zu sehen.

»Zu wem gehörst denn du?«, fragte eine der Frauen.

»Zu Christian«, erwiderte Falck.

»Na, komm nur mit rein! Traust du dich nicht?«

»Na klar, doch, schon!« Falck zwang sich zu forschem Auftreten. Er folgte den zwei Frauen in die Wohnung, vorbei an den Männern im Korridor, die Bierflaschen in den Händen hielten und Zigaretten im Mundwinkel hängen hatten. Schon im Flur hatte Falck die Frauen aus den Augen verloren. Er drückte sich zum Wohnzimmer durch. Hier war die Musik am lautesten. Ein englischer Sänger. Falck kannte ihn nicht.

Im nächsten Moment überraschte er sich selbst mit seiner beherzten Frage.

»Wo gibt's hier denn was zu trinken?«, fragte er in eine Gruppe Leute hinein.

»In der Küche!«

Falck schob sich aus dem Wohnzimmer wieder hinaus und drängte sich in die Küche. Auch hier rauchten alle, doch es roch auch nach Essen.

»Was willst du denn?«, fragte eine junge Frau, die Getränke ausgab. Sie trug einen Rock und eine Tunika mit ungarischer Blumenstickerei. Ihr langes dunkles Haar floss ihr um die Schultern.

»Was gibt es denn?«

»Bier, Pfeffi oder Curaçao.«

Bier wollte Falck nicht, das würde ihn müde machen, und bei der Wahl zwischen einem grünen oder blauen Likör, entschied er sich für Grün. Die junge Frau reichte ihm ein Glas, eindeutig viel zu groß und doch halb gefüllt.

»Hast du auch noch Limo oder Selter?«

»Limo, selbstgemacht!« Die junge Frau lächelte ihn an. Trotz der Enge und des Lärms war sie freundlich und geduldig. »Wer bist du eigentlich? Hab dich noch nie gesehen.«

»Tobias. Ich wohne jetzt da oben.« Er zeigte über sich zur Decke.

»Ich bin Corina. Und was machst du so?«

»Bin Heizer, an einer Schule.«

»Echt? Siehst aus, als hättest du studiert!«, sagte sie und meinte es offenbar ernst.

Falck blieb gelassen. »Bin geext worden. War denen zu frech.«

Corina verzog den Mund und verdrehte die Augen. »Immer dasselbe. Sobald man mal den Mund aufmacht, fliegst du raus. Aber ich sag dir, rede hier nicht mit jedem darüber, manchen kannst du nicht trauen.«

»Wie meinst du das?«

»Na, du weißt schon, die versuchen doch immer, jemanden reinzuschmuggeln.«

»Aha.« Falck versuchte, ein neutrales Gesicht zu machen, trank dann vom Likör und verzog das Gesicht. Der Pfefferminzgeschmack war überwältigend.

»Ich hab noch anderes Zeug. Goldbrand und so«, sagte Corina und grinste.

»Nee, lass uns mal sachte anfangen, ich bin das nicht so gewöhnt.« Falck trank schnell einen Schluck von der Limonade hinterher, die weniger süß war, als er vermutet hatte, fast bitter.

»Kräuterlimonade«, erklärte Corina knapp und lachte. Dann wurde sie plötzlich ernst und beugte sich verschwörerisch zu ihm hinüber. »Sag mal, wenn du Heizer bist, kannste doch ab und an ein paar Briketts mitbringen?«

»Na ja«, antwortete Falck zögernd, »bin ja erst ganz neu dort!«

Corina lachte laut auf und verpasste ihm einen Klaps auf den Oberarm. »Ich hab doch nur Spaß gemacht!«

»Ach so«, murmelte Falck verlegen. »Wo sind denn eigentlich Christian und Claudia?«, fragte er nach dem nächsten Schluck.

»Die kommen schon noch. Willste Waffeln?«, fragte sie und deutete auf mehrere große Glasschüsseln mit Waffelstücken.

»Wo habt ihr denn so viele Waffeln her?«, fragte Falck und nahm sich eine mit weißer Cremefüllung.

»Olaf, der Große dort, der arbeitet bei *Rapido* in Radebeul. Da dürfen sie den Waffelbruch mitnehmen. Das war am Anfang ganz toll, aber nach ein paar Tagen kannste das Zeug nicht mehr sehen. Siehst ja, die will keiner mehr. Nimm dir, so viel du willst.«

Falck sah jetzt eine gute Gelegenheit, an seinen Auftrag zu denken. »Stimmt es eigentlich, dass hier ein ABV umgebracht wurde?«

»Ach, wer weiß, ob das stimmt.« Sie tat es mit einer Handbewegung ab.

»Hat mir einer erzählt hier.«

»Ach, na ja. Die sagen einem ja nichts, da entstehen nur Gerüchte.«

»Hm, stimmt.« Im Treppenhaus wurde es plötzlich laut. Jemand pfiff, andere klatschten. Aus der Wohnung drängten sich jetzt die Leute nach draußen. Falck presste sich an die Wand, auch die Leute, die am Küchenfenster gestanden hatten, wollten nun raus. Aus dem Stimmengewirr und Geschrei war ein Chor geworden, der »Holgi, Holgi, Holgi«, intonierte.

Fragend sah Falck Corina an, die sich zu seinem Erstaunen mit zwei schnellen Handbewegungen die Tränen aus dem Gesicht wischte.

Nun schob sich die applaudierende Menge in die Wohnung zurück, allen voran ein junger Mann mit kurzgeschorenem Haar. Er sah auffallend grau im Gesicht aus und hatte gerötete Augen, aber er lachte, begrüßte und umarmte verschiedene Leute. Andere klopften ihm auf die Schulter und schüttelten eifrig seine Hand.

»Corina!«, rief der Mann, nachdem er einen Blick in die Küche geworfen hatte. Die anderen gaben ihm den Weg frei, und vor Falcks Augen fielen Corina und er sich in die Arme. Urplötzlich schlug die Freude des Mannes in einen Weinkrampf um. Er presste sein Gesicht in Corinas Halsbeuge und schluchzte hemmungslos, seine Schultern bebten. Corina strich ihm über den Rücken, sie weinte selbst.

»Holger, du hast es doch geschafft!«, tröstete ihn ein anderer und klopfte ihm wieder auf die Schultern.

»Diese Schweine!«, presste Holger heraus. »Diese verdammten Schweine!«

»Lass doch gut sein, Holger, es ist vorbei! Das war nicht für umsonst, das wirste sehen! Irgendwann zahlen wir denen das heim!«

Falck wusste noch immer nicht, was hier eigentlich los war. Er war unangenehm berührt von der enormen Emotionalität der Situation.

»Los, Holger, lassen wir die Sau raus!«, wurde eine Stimme laut. Endlich gab Holger nach, ließ Corina aber nicht los. Umschlungen taumelten sie in das Wohnzimmer, umringt von ihren Freunden.

Falck war erleichtert, als er endlich Christian im Flur entdeckte. Er winkte ihm auffordernd zu.

»Na, schon jemanden kennengelernt?«, fragte Christian.

»Corina. Aber sag mal, was war denn mit diesem Holger?«

In dem Moment legten sich zwei Hände auf seine Schultern. Falck sah sich um und erkannte Claudia, die hinter ihm stand. »Eingefroren war der«, flüsterte sie ihm zu.

»Was heißt denn das?«, fragte Falck.

Christian hatte sich eine Bierflasche genommen und sie fast auf einen Zug ausgetrunken. »Was schon? Der war drei Jahre im Gelben Elend.«

Falck hob das Kinn. Wenn dieser Holger drei Jahre im Gefängnis gewesen war, dann musste das einen Grund gehabt haben.

»Und Corina ist seine Frau?«

Claudia hatte sich jetzt an ihm vorbeigeschoben, um sich ein Bier zu nehmen. »Nee, seine Schwester«, antwortete sie, trank dann einen Schluck, verzog aber angewidert den Mund.

Falck musste sich einmal mehr ermahnen, dass er nicht zu seinem Vergnügen hier war, erst recht nicht, um weibliche Bekanntschaften zu machen. Doch er musste sich auch eingestehen, dass beide Frauen, Claudia und Corina, bei ihm Eindruck hinterlassen hatten. Sie waren so ganz anders als all die Frauen, die er bisher kennengelernt hatte. Anders auch als Ulrike, obwohl die ihm gestern ein komplett neues Gesicht gezeigt hatte.

»Es riecht verbrannt, oder?«, stellte Falck fest.

»Oh ja, Mensch!« Claudia wandte sich eilig dem Gasherd zu, drehte die Flammen im Backofen ab, nahm sich Topflappen und öffnete die Klappe. »Schwein gehabt!«, verkündete sie. Sie nahm ein Blech mit einigen Weißbroten heraus. Das kannte Falck von daheim. Man schnitt die Brote in Scheiben, bestrich sie mit Knoblauchbutter und steckte sie dann mit Schaschlikspießen wieder zusammen. Im Ofen weichte die Butter das Brot ein.

Ein Gedanke schoss ihm plötzlich durch den Kopf. »Irgendwann zahlen wir denen das heim«, hatte einer vorhin gesagt. Vielleicht war das ganz ernst gemeint. Er musste herausfinden, wer das gewesen war. Dann dürfte es nicht schwer sein zu erfahren, ob derjenige eine beige Simson besaß.

8

Falck taumelte und hielt sich am Türrahmen fest. Er hatte zu viel Bier getrunken, vertrug den Pfefferminzschnaps nicht, und vom Essen hatte er kaum etwas abbekommen. Sein Vorhaben, den einen besagten Mann zu finden, war bald gescheitert. In seinen Augen sahen hier alle gleich aus.

Nun sah er Claudia auf der Sofalehne sitzen und sich auf die Schulter irgendeines bärtigen Typen stützen. Sie blickte immer wieder zu ihm herüber, beinahe als wollte sie ihn provozieren. Und tatsächlich fühlte Falck so etwas wie Eifersucht aufkeimen, dabei kannte er sie noch keine vier Stunden.

Inzwischen war es ruhig geworden, die Wohnung hatte sich geleert.

»Komm doch her!«, rief Christian und winkte ihn zu sich auf eine zweite Couch.

Falck nickte und schwankte, als er sich vom Türrahmen abstieß. Er setzte sich zwischen Christian und einen anderen Kerl und schloss kurz die Augen, bis die Welt wieder stillstand.

Corina saß neben ihrem Bruder. Nach dem ersten Zusammenbruch bei der Begrüßung war Holgers Stimmung wieder in Freude umgeschlagen. Es wurde viel getrunken, laut gesungen, Anekdoten wurden erzählt. Jetzt aber waren die Gespräche ernster geworden.

»Willste noch ein Bier?«, fragte Christian. Falck schüttelte den Kopf.

»Sag mal, Christian, stimmt das mit dem ABV?«, fragte er

stattdessen. »Es hieß vorhin, sie hätten hier einen umgebracht.«

»Ach, die spinnen doch, der ist besoffen übers Geländer gestürzt.«

»Kanntest du den denn?«, fragte Falck.

»Jeder hier kannte den. Der rückte uns ständig auf die Pelle. Wohnerlaubnis, Perso und so weiter. Dabei kannte der uns doch alle längst.«

Falck winkte ab, als wäre das egal. »Kennst du einen mit 'ner Simse? Ich hab eine, aber die fährt nicht mehr. Ich bräuchte ein paar Teile.«

Christian hob unbestimmt die Schultern und sah sich um. »Weiß nicht.«

»Du hast keine?«

»Vielleicht hab ich ja eine, aber die Teile brauch ich selbst!«

»Christian, kannste mal kommen?«, rief jemand aus dem Korridor. Christian stand auf und kletterte über die Rückenlehne.

Damit war Falck sein Gesprächspartner abhandengekommen. Da sich niemand weiter um ihn kümmerte, beschränkte er sich darauf, den anderen zuzuhören.

»Bini haben sie gleich rübergeschafft. Freigekauft«, sagte jemand halblaut.

»Wirklich?«, fragte eine Frau erstaunt.

»Klar, das geht jetzt ganz schnell.«

»Haben sie mir auch angeboten«, flüsterte Holger. »Sie haben mir gesagt, ich könnt direkt in den Westen, wenn es mir hier nicht mehr gefällt. Ich müsste nur einen Antrag schreiben. Aber wozu? Ich will ja hierbleiben, ich will doch nur studieren, was ich will, und nicht ständig kontrolliert werden.«

»Mensch, Holger, hätteste doch …«, sagte jemand.

»Was denn?«, erwiderte Holger aufgebracht. »Das wäre denen doch nur recht, wenn sie alle loswerden, die meckern.

Und was dann? Dann bin ich weg. Wie Bini und Kiste und Thomas. Die siehst du nie wieder! Ich lebe doch aber hier!«

»Ist ja gut, ich meine ja nur, jeder will weg, und du hättest können und bist nicht weg!«

»Dann mach doch ein paar Plakate und geh in den Knast«, fuhr Holger auf.

»Holger, nicht streiten!«, mahnte eine junge Frau mit kurzen Haaren, die am Fenster stand.

»Ich streite nicht, aber denkst du etwa, das war ...« Er musste sich sammeln, was ihm nur schlecht gelang. »Denkst du etwa, das war Spaß da drin?«

»Holger, lass doch!«, flüsterte Corina.

»Ja, ihr redet, aber ihr wart nicht da drin. Sie stecken dich in deine Zelle, da hast du nichts, da wird jede Minute zur Qual. Du hast nur zu spuren und freust dich auf den Ausgang. Und wisst ihr, was das bedeutet? Der sogenannte Ausgang ist ein Loch, so groß wie ein Zimmer, ohne Dach, aber mit Maschendraht drüber, als ob ich zehn Meter hochspringen könnte.« Holger wischte sich mit den Handballen über die Augen.

»Für die bist du der letzte Dreck. Das machen sie dir ganz schnell klar. Und wenn du einmal das Maul aufmachst, kriegste vierzehn Tage Iso, da siehste nur deinen Wärter und sonst niemanden. Zwei Wochen nur die Wände anstarren, du darfst dich tagsüber nicht mal hinlegen. Da verblödest du!«

»Holger, aber das ist nun doch vorbei!«, versuchte Corina ihn zu trösten.

»Nichts ist vorbei! Die haben mir drei Jahre meines Lebens gestohlen. Drei Jahre lang sagen sie dir, dass du ein Verräter bist, dass du schlimmer bist als ein Mörder oder ein Kinderschänder. Du bist froh, wenn du was arbeiten darfst, damit du mal andere Leute siehst und rauskommst aus deiner Zelle. Die geben dir zensierte Briefe, da ist alles rausgeschnitten. Und jedes kleinste Vergehen wird bestraft. Hast du dir einen Stift geklaut, um heimlich was zu schreiben: zwei Wochen Iso. Hast du mal jemandem etwas weitergegeben: zwei Wochen Iso. Folter ist das!«

Christian war wieder über die Lehne zurück auf das Sofa gestiegen und hatte sich auf seinen alten Platz gequetscht. »Holger, so was darfst du nicht sagen!«, mahnte er, was die Stimmung vollends zum Kippen brachte.

»Nee, gar nichts darf ich sagen«, flüsterte Holger nach einer kurzen Zeit, in der alle schwiegen. »Ich hab mich schon strafbar gemacht. Ich hätte gar nichts erzählen dürfen.« Holger langte nach seiner Bierflasche und trank sie leer. »Ein paar Wärter gab es, die waren menschlich. Aber es gab einen, Kante haben sie den genannt, sein Gesicht hab ich mir gemerkt. Das merke ich mir für immer, und irgendwann nehme ich mir den vor. Irgendwann.«

Falck fühlte sich unwohl und hilflos. Er saß eingezwängt zwischen Leuten, für die der Sozialismus ein Feindbild war. Es war stickig, die Stimmung gedrückt und ihm war übel vom Alkohol und von den Gedanken, die in seinem Kopf kreisten. Wie viele solcher Leute gab es? Und war es wirklich so schlimm im Gefängnis, dass man die Beherrschung verlor und weinte, vor allen anderen? Immerhin musste er doch gewusst haben, was er da tat, als er Plakate machte.

»Ich geh mal Luft schnappen«, sagte Falck.

Draußen war es kühl. Er zog die Schultern hoch, blieb im Hauseingang stehen. Eine kleine Gruppe von Leuten stand vor der Tür. Hinter sich hörte er Schritte, die junge Frau mit den kurzen Haaren kam die Treppe herunter. Er ließ sie vorbei.

»Wo wohnst du eigentlich?«, fragte sie ihn unvermittelt.

»Hier. Ganz oben. Wieso?«

»Ach so«, meinte sie und klang enttäuscht. Ehe Falck weiterfragen konnte, ging sie weiter und wandte sich schon an einen anderen.

»Nee, ich bleib noch«, antwortete dieser auf ihre leise Frage. Die junge Frau stöhnte auf und kam ins Haus zurück, ohne Falck zu beachten.

»Jetzt sag doch mal, warum fragst du?«, rief Falck ihr hinterher.

»Ach, egal!«, erwiderte sie und ging wieder in die Wohnung.

Auf einmal stand Claudia neben ihm. Sie war mit draußen gewesen, doch im Dunkeln hatte Falck sie nicht erkannt.

»Lass sie mal.«

»Wer ist denn das?«

»Das ist Nadine.«

»Und was ist mit ihr?«

»Sie sucht jemanden, der sie nach Hause bringt. Der ist kürzlich einer gefolgt.«

»Soll heißen?«

»Auf dem Heimweg ist ihr abends einer nachgelaufen. Der Typ hat sie von hinten gepackt, hat ihr den Mund zugehalten und sie angetatscht. Aber dann hat er sie plötzlich losgelassen und ist fortgerannt.«

»Einfach weggerannt?«

Claudia nickte und verzog fragend die Mundwinkel. »Seltsam, oder?«

»Glaubst du das? Es soll ja vor Kurzem schon mal passiert sein.« Vielleicht war das eine erste Spur?

»Sie ist eine Freundin von Hans und Yvonne, die ist in Ordnung. Aber Leute erzählen auch gern mal solche Geschichten, um sich wichtig zu machen. Die Kinder erzählen ja auch ständig von einem Kinderfänger, der hier rumlaufen soll.«

»Du hast Kinder?«

»Ich? Ach, i wo. Ich bin Hortnerin an der hundertdritten POS.«

Falck war erstaunt. Ob die Schuldirektion wusste, mit welcher Klientel sich ihre Hortnerin abgab? Er sah sich unauffällig nach Nadine um. Er könnte ihr anbieten, sie heimzubringen. Vielleicht erfuhr er dann mehr.

»Wollen wir noch mal reingehen?«, fragte er.

Claudia hängte sich vertraut bei ihm ein. »Klar, komm!«

9

Am nächsten Morgen wachte Falck mit einem hässlichen Kopfschmerz auf. Der muffige Geruch des Sofas, auf dem er lag, verursachte ihm Übelkeit. Doch vermutlich würde ihm gerade jeder Geruch Übelkeit verursachen. Vorsichtig erhob er sich, tastete sich zum Fenster vor und blinzelte gegen das Licht. Er mühte sich ab, das verzogene Holzfenster zu öffnen. Endlich strömte frische Luft herein. Im Hinterhof konkurrierten zwei Radiosender miteinander. Im nächsten Hof schraubte jemand an seiner MZ, und irgendwo spielten Kinder Fußball. Falck atmete durch. Sonntagmorgen.

Dann sah er an sich herunter und verzog den Mund. Seine Klamotten stanken nach Zigarettenrauch. Sein Rachen fühlte sich taub an, und er hatte einen faden Geschmack im Mund, als hätte er selbst geraucht. Er musste sich unbedingt waschen, umziehen und etwas essen. Auch wenn ihm schlecht war, aber sein Magen musste etwas zu tun kriegen. Er kannte sich, musste so tun, als wäre nichts, dann würde die Übelkeit verfliegen.

Eine halbe Stunde später betrat er das Treppenhaus. Er fühlte sich besser, auch wenn ihm seine Kleidung nicht behagte. Anstatt seiner Stoffhose und dem blauen Blouson trug er die alte Kordhose und die Lederjacke seines Bruders über dem Nicki. Und natürlich Turnschuhe. So würde er normalerweise im Garten seiner Eltern arbeiten, aber nicht unter die Leute gehen. Ulli würde über ihn lachen, dachte er. Dann holte ihn die Erinnerung ein.

Auf dem Weg nach unten hörte er aus Claudias Wohnung Frauenstimmen. Vermutlich Übernachtungsbesuch. Unten im Erdgeschoss sah er, dass Christians Wohnungstür nur angelehnt war. Vorsichtig klopfte Falck an.

»Jemand da?«, fragte er. »Soll ich beim Aufräumen helfen?«

»Komm rein«, rief Christian. Im Tageslicht kam Falck die Wohnung total verwohnt vor. Es stank wie in einer Kneipe. Überall standen Flaschen, Gläser, Geschirr herum. Die Aschenbecher quollen über.

»Wohnzimmer!«, rief es. Christian saß vor der Schrankwand und hatte eine Tür geöffnet, hinter der sich eigentlich die Hausbar befinden sollte. Bei ihm aber stand eine große Musikanlage drinnen, mit Plattenspieler, Tonbandgerät, Doppelkassettenrekorder. Christian drehte sich zu Falck um, in seinem Mundwinkel hing eine Kippe. Er nickte zum Gruß, wirkte aber mürrisch.

»Kann ich dir helfen?«, fragte Falck.

»Wobei?«

»Aufräumen?«

Christian runzelte die Stirn, sah sich dann schnell um. »Ach so, nee. Willste ein Bier?« Er deutete in die Ecke, wo die Bierkästen standen.

Falck schüttelte den Kopf, nahm es aber als Einladung, sich zu setzen.

»Diese Nadine, wo wohnt sie eigentlich?«, fragte er ohne Übergang.

»Die Hauke? Was willste denn von der?«

»Ich fand sie nett. Aber dann war sie weg.«

»Und was ist mit Claudia?«, fragte Christian und drückte eine Taste des Kassettenrekorders.

Falck musste erst mal überlegen, warum Christian nach Claudia fragte. Dann klickte es bei ihm. Deshalb die mürrische Begrüßung, dachte er.

»Was soll sein? Nichts.«

»Ihr seid doch zusammen hoch!«

Falck konnte sich gar nicht erinnern, wie er überhaupt in seine Wohnung gekommen war.

»Also, bei mir war sie nicht!«

»Ach so.« Christians Miene wurde schlagartig freundlicher. »Nadine wohnt auf der Jordanstraße.«

Falck nickte. »Hast du auch davon gehört, dass sie belästigt wurde?«

Christian wiegte abschätzend den Kopf. »Ich weiß nicht, ob das stimmt. Manche wollen sich nur wichtigmachen.«

Falck nickte wieder. Dass ausgerechnet Christian so etwas sagte. Er bemühte sich um einen Themenwechsel.

»Sag mal, das Gerät da, das muss ja ein Vermögen gekostet haben!« Falck deutete auf die fünfstöckige RFT-Anlage mit Tuner, Mixer, Kassettendeck und Plattenspieler.

»Hab ich von meinem Alten bekommen«, nuschelte Christian und tat dabei so, als wäre es normal, Hifi-Technik im Wert von ein paar tausend Mark geschenkt zu bekommen.

»Dein Alter ist wohl reich?«, fragte Falck und grinste.

»Der ist im Westen. Das Ding hat er mir geschenkt, bevor er abgehauen ist.«

»Abgehauen?«, fragte Falck mit belegter Stimme.

»Das ist kein Geheimnis. Das weiß jeder hier. Ja, der ist fort, über Jugoslawien und die Türkei, war anscheinend gar nicht so schwer.«

»Wusstest du das?«

»Dass er abhauen will? Nee. Alle reden vom Abhauen, aber wer macht es dann wirklich? Wer will schon in den Bau? Da kommste als anderer Mensch raus. Siehste ja, Holger, der kuscht nur noch. Der will nicht mal mehr mit zum Christentreff. Ich kann's sogar verstehen. Du weißt einfach nie, wer da für die Stasi spitzelt.«

Falck musste nach Luft schnappen, zu viele Informationen prasselten auf ihn ein. Die Christentreffen wurden beobachtet, weil sie Wehrdienstverweigerern halfen und mit ihrem Pazifismus die Verteidigungskraft der DDR unterwanderten.

»Und dein Vater schickt dir das ganze Zeug?«, fragte er, um das Gespräch in Gang zu halten. »Die Schallplatten und so?«

»Der, meine Tante und mein Bruder.«

»Die sind alle drüben?«

Christian nickte. Nun schwiegen sie, obwohl die nächste Frage damit im Raum stand. Falck fasste sich ein Herz.

»Hast du einen Antrag gestellt? Auf Nachzug?«

Christian atmete tief durch, und Falck befürchtete, dass er zu weit gegangen war. Hinter ihm knackte es, die Schallplatte war zu Ende. Christian drehte die Platte um, schaltete den Rekorder ein und lauschte kurz an seinen Kopfhörern. Dann schaute er Falck an.

»Die würden mich rauslassen, wenn ich einen Antrag stellen würde. Die wollen alle loswerden, die nicht spuren. Dampf ablassen vom Kessel.«

»Von welchem Kessel?«

Christian hob verzweifelt die Hände. »Wo lebst du denn? Du musst doch sehen, dass hier nichts mehr geht. Häuser fallen ein. In den Betrieben steht tagelang die Produktion still. In den Rathäusern stapeln sich die Eingaben. Die Menge hält nur still, weil sie Angst vor der Stasi hat.« Christian beugte sich vor. »Weißt du, warum dieser Staat noch existiert?«, flüsterte er.

»Nein?«, antwortete Falck und war verärgert und amüsiert zugleich.

»Die verkaufen Häftlinge!«, raunte Christian, und Falck musste an sich halten, um nicht zu lachen.

Christian lehnte sich resigniert zurück, als hätte er Falcks Reaktion schon geahnt. »Das kannst du mir ruhig glauben.

Die BRD kauft Leute frei. Und nicht nur zehn oder hundert. Tausende! Du hast doch Holger gehört. Manche sitzen nicht mal drei Monate in Haft, schon geht's rüber! Da gibt's eine regelrechte Buspendellinie. So kommt Valuta ins Land. Mein Bruder ist auch so rübergekommen!«

Falck wollte widersprechen, doch diesem Argument hatte er vorerst nichts entgegenzusetzen. Innerlich schüttelte er den Kopf darüber. Gerade erst war der erste Mai gewesen, und er hatte sie doch gesehen, die Demonstrationszüge in der Stadt. Die Menschenmassen mit Blumen und Wimpeln, die Modrow und Berghofer auf der Bühne zuwinkten. Fahnen und Plakate überall. Das waren zehntausende Dresdner gewesen, und die sollten alle unzufrieden und wütend sein? Was Christian da behauptete, war einfach lächerlich.

»Kannst du mir einen Gefallen tun?«, fragte Christian plötzlich.

Falck hob langsam die Schultern.

»Wenn ich fertig bin mit den Kassetten, müsste die jemand auf die Kamenzer bringen. Wenn du willst …? Kriegst auch fünf Mark.«

»Zu wem denn?«

»Na, so 'n paar Spinner, Gruftis.«

Falck horchte auf. »Na ja, gut, ja, das kann ich machen«, sagte er so ruhig wie möglich. »Sollen die mir was geben dafür?«

»Nein, du musst sie nur abgeben.«

»Hast du die fünf Mark zufällig schon da?«

Es war nicht weit bis zur Kamenzer Straße. Es war still und sommerlich warm. Ein Mann hatte das Hinterrad seines Dacia ausgebaut und lag mit dem Oberkörper halb unter dem aufgebockten Wagen, um etwas herumzuschrauben. Zwei Jungen spielten weiter hinten Ball auf der Straße.

An den Laternen wuchs Löwenzahn, eine Aschetonne stand am Straßenrand. Falck ging an einer Wohnung vorbei, aus der das typische Geräusch einer Wäscheschleuder drang.

Beim Fischladen stank es, durch die offene Einfahrt konnte Falck bis in den Hof sehen, in dem rund um den Gully Fischschuppen in der Sonne verdarben. Kinder fuhren mit Dreirädern durch die stinkende Pampe.

Schließlich stand Falck vor dem beschriebenen Haus. In seiner Jackentasche befanden sich fünf Kassetten, keine ORWO, sondern TDK aus dem Westen.

Die Haustür war unverschlossen, im Treppenhaus herrschte absolute Dunkelheit. Falck tastete nach dem Lichtschalter, doch er funktionierte nicht. Es blieb ihm nichts anderes übrig, als die Haustür an dem kleinen Haken einzuhängen.

»Hallo?«, rief er halblaut ins Dunkel. »Ich suche einen Karsten!«

Keine Antwort, kein Geräusch, nur ein modrig-schimmeliger Geruch. Richtige Leute konnten hier nicht mehr wohnen, dachte Falck. Die Gruftis hatten das gesamte Gebäude für sich in Anspruch genommen. Falck wagte sich weiter ins Haus hinein, klopfte an den Rahmen des nächstgelegenen Wohnungseingangs. Die Tür selbst war nicht mehr da. Auf der Schwelle standen erloschene Kerzenstummel auf den zerschmolzenen und wieder erstarrten Resten unzähliger anderer Kerzen. Auch in der Wohnung war es dunkel, die Fenster waren vernagelt und offenbar zusätzlich mit Lumpen verhängt.

»Jemand hier? Ich suche den Karsten!«

Er hätte jetzt gern eine Taschenlampe dabeigehabt. Oder wenigstens ein Feuerzeug. Er betrat zögernd die Wohnung, die Dielen unter seinen Füßen knarrten. Die Räume waren leer. Dann stieg er in die zweite Etage, doch auch dort sah es so aus.

Falck kehrte ins Treppenhaus zurück. Er fragte sich, ob es

sich lohnen würde, noch eine Etage höher zu gehen, vermutlich war das die falsche Richtung. Besser in den Keller. Warum er nicht gleich daran gedacht hatte.

Im Keller war es kalt und finster, das Licht funktionierte auch hier nicht.

»Hallo, ich suche Karsten, ich habe Kassetten für ihn!«, rief er die Treppe hinunter, bevor er beschloss, selbst hinunterzugehen. Mit einer Hand tastete er sich an der Wand entlang. Er konnte Kerzenstummel auf den Stufen erkennen, leere Weinflaschen. Unten tastete er sich mit den Fußspitzen voran, stieß an Kisten, entdeckte Schmierereien an den Wänden, umgedrehte Kreuze, eine Kiste, die tatsächlich an einen Sarg erinnerte. Aber es war niemand da, und seine vage Hoffnung wurde in zweierlei Hinsicht enttäuscht. Weder über die Männer auf der Simson noch über die verschwundene Leiche würde er hier etwas zu erfahren.

Das war auch nichts anderes als ein Jugendtreff. Auch wenn die Spinner sich verkleideten und komische Musik hörten. Das hieß längst nicht, dass sie Leichen stahlen. Er würde trotzdem später noch mal herkommen, beschloss er.

Er musste eine ganze Weile laufen bis zur Jordanstraße. Vielleicht hatte er Glück und traf Nadine an. Die Häuser hier reihten sich ein in die Vielzahl der Häuser, die hier dem Verfall preisgegeben waren. Die meisten Leute, die hier wohnten, warteten vermutlich darauf, dass ihnen eine neue Wohnung in einem Neubaugebiet zugewiesen wurde. Einige Fenster standen offen, Musik war zu hören, Schlager aus dem Radio. Es roch nach Mittagessen, nach Bratkartoffeln und Spiegeleiern.

Falck betrat das Haus, in dem Nadine wohnen sollte, doch weder an einem Briefkasten noch an der Haustafel war ihr

Name zu finden. Durch die offene Hintertür sah er im Hof ein paar Kinder spielen. Vielleicht konnte er da etwas in Erfahrung bringen. Er durchquerte den Hausflur und ging in den Hof, der dicht mit Gras bewachsen war. Das niedrige Hinterhaus stand leer und war, wie eine Märchenruine, überwuchert mit Efeu. Die Kinder beachteten ihn nicht und spielten weiter.

»Kinder! Essen!«, rief in dem Moment eine Frau von oben.

Die Kinder sprangen auf und rannten an Falck vorbei.

»Suchen Sie jemanden?«, fragte die Frau ihn misstrauisch.

Falck trat aus dem Schatten und musste die Augen zusammenkneifen, als er nach oben sah.

»Nadine Hauke. Sie soll hier wohnen.«

»Ach, die. Die ist bestimmt bei ihren komischen Freunden im Alaunpark.« Und schon hatte die Frau den Kopf wieder zurückgezogen.

Falck seufzte, heute drehte er sich dauernd im Kreis.

Es war gar nicht schwer, sie zu finden. Die Gruppe saß im Schatten einer der wenigen Bäume und war leicht zu unterscheiden von den Familien, die sich hie und da auf der Wiese niedergelassen hatten. Einer zupfte an einer Gitarre herum. Zwei der Frauen hatten Babys dabei, drei größere Kinder spielten etwas entfernt Fußball. Falck zählte zwölf Erwachsene, die Männer trugen alle Vollbärte und hatten lange Haare. Einige Frauen hatten sich Stirnbänder umgebunden.

Falck erkannte Nadine sofort. Sie saß mit dem Rücken zu ihm, doch ihr kurzes Haar und die rote Samtjacke, die sie am Abend schon getragen hatte, verrieten sie. Ehe er sich überlegen konnte, was er jetzt machen sollte, pfiff bereits einer der Männer nach ihm. Falck erinnerte sich, ihn gestern auch bei Christian gesehen zu haben. Nun sah sich auch Nadine nach ihm um und winkte.

Falck ging auf sie zu.

»Hallo zusammen!«, versuchte er es lässig.

»Hallo, Servus«, begrüßte ihn die Allgemeinheit.

»Das ist Tobias!«, stellte der Mann ihn vor.

»Der Heizer!«, rief jemand beinahe spöttisch.

Falck wurde es heiß. Ahnten sie, dass er Polizist war?

»Setz dich«, bot Nadine an und klopfte auf den freien Platz neben sich.

Falck setzte sich. »Na, gut heimgekommen?«, fragte er sie leise.

Nadine nickte. »Tut mir leid, war sauer gestern Abend. Nicht auf dich, auf den da.« Sie zeigte auf den Mann, der auch auf der Fete gewesen war. »Erst wollte er mich heimbringen, dann war er zu betrunken dazu.«

»Hast du denn Angst allein?«

»Das ist eine dumme Geschichte.« Nadine winkte ab. »Du wohnst jetzt beim Christian im Haus? Bist du jetzt erst in die Gegend gezogen?«, wechselte sie das Thema.

Falck nickte. »Vielleicht kann ich dich das nächste Mal heimbringen!«

»Da nehme ich dich beim Wort.« Nadine blinzelte ihm zu.

»Aber über diese dumme Sache willst du nicht reden?«, hakte Falck nach.

»Ach, das war nichts. Mir ist einer nachgelaufen und wollte mir an die Wäsche. Dann ist er davongelaufen. Aber es hat mir einen mächtigen Schreck eingejagt.«

»Warum ist der abgehauen? Kam jemand?«

»Weiß nicht, plötzlich lief er los und verschwand um die Ecke.«

»Komisch, oder? Warst du bei der Polizei?«

»Da geh ich doch nicht freiwillig hin! Die behaupten womöglich noch, ich hätte das erfunden.«

»Meinst du?«, fragte Falck. Nadine zuckte nur mit den Achseln.

»Wie sah der denn aus?«

Nadine verzog das Gesicht. »Ich hab den kaum sehen können.«

»Auch nicht die Kleidung? Lange Haare? Kurze?«

»Es war dunkel.«

»Und gesagt hat der nichts?«

»Nee, gar nichts.«

»Und meinst du, er kannte dich, oder war das Zufall?«

»Kannst du singen?«, fragte ihn der Typ mit der Gitarre unvermittelt.

Falck schüttelte schnell den Kopf. Das fehlte noch, dass er jetzt singen sollte.

»Jeder kann singen«, murmelte der andere, beließ es aber dabei. Stattdessen begann er an den Saiten zu zupfen und summte vor sich hin.

Sag, wie lang kann das noch gehen,
es ist, als blieb die Zeit hier stehen.
Ein Schritt vor und zwei zurück,
gehen wir im gleichen Tritt,
wollt uns euren Will'n aufzwingen,
lasst uns nicht unsre Lieder singen ...

»Ralle, lass mal«, mahnte einer aus dem Kreis. Falck ahnte, die Vorsicht galt ihm. Er war der Unbekannte, ihm misstraute man.

»Du, sag mal«, begann Nadine, »hast du Lust, später mit ins Kino zu gehen? In der Schauburg läuft *Einer trage des anderen Last.* Der ist ganz toll, hab ihn schon zweimal gesehen.«

»Da kommen sie wieder!«, rief jemand, und augenblicklich kam Bewegung in die Gruppe. Falck sah sich um und erblickte einen Polizei-Wartburg, der vom Bischofsweg in den

Park einbog. Einige erhoben sich, die zwei Mütter riefen ihre Kinder zu sich, der Gitarrist und ein paar andere blieben sitzen.

Eine zweite Funkstreife näherte sich aus der anderen Richtung. Falck konnte seine Nervosität kaum verbergen, als der erste Wartburg hielt und zwei Genossen ausstiegen und über die Wiese näher kamen.

Nadine griff nach Falcks Unterarm und hielt sich fest. Er sah ihr kurz in die Augen. Sie schien wirklich Angst zu haben. Auch die zwei kleinen Kinder, die herbeigerufen worden waren, sahen die Polizisten mit furchtsamem Blick an.

»Jede Woche ist das so, das machen die mit Absicht!«, flüsterte Nadine.

»Personalausweiskontrolle!«, ersparte sich der ältere Polizist jegliche Begrüßung. Der jüngere Uniformierte stand daneben, und auch von der anderen Seite hatten sich weitere Uniformierte genähert. Falck musste seine Hand bezähmen, die sich zum Gruß verselbstständigen wollte. Alles in ihm hätte am liebsten gerufen: Ich bin einer von euch.

»Die Personalausweise! Das geht auch ein bisschen schneller!«, befahl der Hauptwachtmeister. Die Frauen gaben ihre Ausweise als Erste den Polizisten. Der jüngere sammelte sie ein und reichte sie einzeln seinem Vorgesetzten.

»Und Sie!«, trat einer der Polizisten an Ralle heran. Der saß noch immer, die Gitarre auf dem Schoß.

»Sie wissen doch, wer ich bin!«

»Ihren Ausweis, Bürger!«, forderte der Hauptwachtmeister kalt ein.

»Warum kontrollieren Sie uns denn?« Ralle gab sich aufmüpfig, doch seiner Stimme hörte man an, dass in ihm Stolz und Furcht einen Kampf austrugen.

»Fragen Sie nicht so dumm. Ihren Ausweis! Dalli!«

Ralle schnaufte, Falck sah ihm an, wie es in ihm brodelte,

doch die Angst überwog dann doch, er begann in seiner Hose nach der Brieftasche zu suchen.

»Stehen Sie doch auf, dann geht's leichter«, bemerkte der Polizist süffisant.

Ralle zerrte seine Brieftasche heraus, zog den Ausweis hervor und reichte ihn hoch.

»Wir sitzen hier nur«, murmelte er, um nicht zu wirken, als würde er sich widerstandslos ergeben.

»Sie lungern herum, belästigen diese Familien und die Anwohner!«

Das war ausgemachter Blödsinn, wusste Falck, niemand störte sich an ihnen. Sie saßen hunderte Meter vom nächsten Wohnhaus entfernt.

»Haben Sie nichts Besseres zu tun, als hier herumzuhängen?«

»Es ist Sonntag«, widersprach jemand leise.

»Ihren Ausweis!«, wurde Falck plötzlich von hinten angeblafft. Er erschrak, er hatte sich gar nicht angesprochen gefühlt. Nun fingerte er eilig in seinem Portemonnaie nach dem Ausweis. Der Polizist nahm ihn entgegen, blätterte verwundert die leeren und stempellosen Seiten durch.

»Was sind Sie denn für einer?«, fragte er fast besorgt. »Was geben Sie sich denn mit solchen Leuten ab? Sie machen doch einen ganz vernünftigen Eindruck«, sagte er mit echtem Bedauern.

Falck fiel auf die Schnelle keine Antwort ein. Schon veränderte sich die Miene des Polizisten, unwirsch reichte der ihm den Ausweis zurück.

»Sie verlassen diesen Platz jetzt!«, befahl der Hauptwachtmeister.

»Aber warum? Wir sitzen hier nur und die Kinder spielen.«

»Sie verlassen den Platz, das ist ein Befehl! Wenn Sie dem

keine Folge leisten wollen, kann ich Sie allesamt abführen lassen. Dalli jetzt.«

»Schreien Sie doch nicht so, die Kinder kriegen ja Angst!«, beschwerte sich eine der Mütter, woraufhin der Polizist sich dicht vor sie stellte.

»Werden Sie mal nicht frech, wir können auch ganz andere Saiten aufziehen. Das wissen Sie so gut wie ich!«

Die Frau wandte sich schnell ab, griff nach der Hand des Kindes.

»Los jetzt. Sie auch. Hopphopp!« Nun wurden die Polizisten beinahe handgreiflich, einer langte nach der Gitarre. Ralle riss sie an sich und stand endlich auf, während die anderen schon die Decken zusammenlegten und die Flaschen und Brotbüchsen in Bastkörbe packten.

Falck sah sich um. Die anderen Leute auf der Wiese taten nichts dergleichen. Keiner wagte wirklich hinzusehen, nur gelegentlich traf sie ein verstohlener Blick.

»Wohin gehen wir denn?«, fragte Falck leise. Nadine ging neben ihm, vor und hinter ihnen liefen mit einigem Abstand die anderen. Keiner sonst sprach. Nur eine der Frauen schluchzte leise, die andere nahm ihre Hand.

»Weiß ich noch nicht, aber Uwes Eltern haben einen Garten an der Marienallee, die lassen uns dort manchmal zusammensitzen.«

»Warum trefft ihr euch denn nicht immer da?«

Nadine sah ihn fragend von der Seite an.

»Ich meine, warum geht ihr in den Alaunpark?«

Jetzt verstand Nadine die Frage. »Aus Prinzip. Wir machen ja nichts Verbotenes!«

Außer staatsfeindliche Lieder zu singen, ergänzte Falck in Gedanken.

»Und was ist mit ihr los?« Er deutete auf die Frau, die sich noch immer nicht beruhigen konnte. Nadine blieb stehen und hielt ihn am Arm. Sie ließen sich etwas zurückfallen.

»Der Polizist kannte Ramona, deshalb hat der das gesagt.«

»Was denn gesagt?«

»Mensch, stell dich doch nicht immer so dumm. Das mit den anderen Saiten aufziehen. Die haben sie schon mal abgeholt. Mitten in der Nacht. Sie wollten wissen, ob sie jemanden für die Kinder hat, Ramona hat ja noch einen großen Sohn. Sie hat Nein gesagt, weil sie dachte, dann würden sie sie nicht mitnehmen. Da haben sie die Kinder ins Heim gesteckt. Eine ganze Woche. Kannst du dir das vorstellen?«

»Warum hat die Stasi sie denn abgeholt?«

Wieder sah Nadine ihn prüfend von der Seite an. »Einfach so. Ihr Vater ist Pastor, ihr Bruder war schon mal in Haft. Wenn die an dir dranhängen, bist du dran.«

Jemand näherte sich von hinten. Es war Ralle. »Erzähl doch nicht so viel, du weißt doch gar nicht, was das für einer ist!«, blaffte er Nadine an.

Ramona, die schon weitergelaufen war, blieb jetzt stehen und drehte sich um. »Wenn du nur nicht immer die Polizisten so provozieren würdest«, fuhr sie Ralle an. »Du weißt genau, wie ich das hasse!«

»Ich verteidige unsere Rechte, und im Park zu sitzen ist nicht verboten!«, sagte Ralle.

»Aber das interessiert die nicht, das weißt du doch genau. Müssen wir denn immer auffallen? Können wir nicht mal einen Tag ganz normal sein?«

»Du meinst angepasst? Immer schön Ja und Amen sagen zu allem?«

»Nicht streiten«, bat Nadine. »Das ist doch genau das, was sie wollen. Dass wir uns streiten und keiner dem anderen mehr traut.«

Doch Ramona war nicht so leicht zu besänftigen. »Und wenn sie dich einsperren, dann sitz ich da mit den Kindern!«

»Ramona, komm!« Nadine nahm sie am Arm und drängte sie weiterzugehen.

»Ramona ist deine Frau?«, fragte Falck, dem dieser Zusammenhang bisher verborgen geblieben war. Ralle schnaubte nur und ließ Falck stehen.

Er hatte auf das Kino verzichtet. Und nicht nur darauf hatte er verzichtet. Nachdem Ralle ihm seine Abneigung so unmissverständlich zum Ausdruck gebracht hatte, war er gar nicht erst in den Garten mitgegangen. Stattdessen hatte er sich abgesetzt. Ihm war ein anderer Gedanke gekommen. Er wollte die Lehrerin besuchen, wegen deren Anzeige er sich eigentlich beim ABV Wetzig hatte melden sollen, wie er nachträglich erfahren hatte.

Falck betrat das Haus Nummer 8 in der Talstraße, an der Haustafel fand er den Namen Pliske.

Aus der Wohnung im ersten Stock war Musik zu hören. Er klopfte an die Tür.

»Frau Pliske, Polizei!«, sagte er.

Die Musik wurde leise gestellt. Falck klopfte noch einmal.

»Wer ist da?«, fragte die Frau.

»Falck, Polizei.«

Er vernahm leises metallisches Rasseln. Dann öffnete sich die Tür einen schmalen Spalt weit, bis die Kette straff spannte. »Ja?«, fragte die Frau.

»Frau Pliske, ich möchte Sie zu dem Vorfall befragen, den Sie kürzlich der Polizei gemeldet hatten.«

»Ach, auf einmal? Ich wollte Anzeige erstatten, wurde aber abgewiesen.«

»Offenbar hat es einen zweiten Vorfall gegeben, ähnlich wie dem Ihren.«

»Es ist auch einer anderen Frau passiert?«, fragte die Frau leise nach.

»Würden Sie mir kurz schildern, wie es sich bei Ihnen zugetragen hat, bitte?« Wenn sie wenigstens die Tür richtig öffnen würde.

»Er lief mir nach, den ganzen Weg von der Turnhalle auf der Lessingstraße, über den Lutherplatz, durch die Pulsnitzer. Als ich loslief, begann auch er zu rennen.«

»War es schon dunkel?«

»Ja, es war gegen neun Uhr abends.«

»Meinen Sie, er hat Ihnen aufgelauert an der Turnhalle?«

Die Frau schwieg einen Moment. Falck konnte ihr nicht ins Gesicht sehen. Er sah nur das, was der Türspalt preisgab, kaum mehr als ein Auge.

»Ich weiß nicht.«

»Sie rannten dann davon, riefen Sie um Hilfe?«

»Nein, ich rannte weg, er hinter mir her, aber er konnte mich nicht einholen. Ich bin sehr schnell, müssen Sie wissen. Ich riss die Haustür auf, die war zum Glück noch nicht abgesperrt. Dann habe ich mich von innen gegen die Tür gestemmt. Als er versuchte, die Tür aufzudrücken, habe ich laut um Hilfe gerufen. Ins Treppenhaus. Als dann jemand kam, war er längst weg.«

»Könnten Sie ihn beschreiben?«

»Schmal, kurze Haare.«

»Die Kleidung?«

»Ich denke, er trug Jeans, die am Knie kaputt waren.«

Falck merkte auf, das glaubte er, auch beim Sozius des Simson-Fahrers gesehen zu haben. »Das rechte Knie?«

»Ich meine schon.«

»Und haben Sie ein Moped gehört? Vorher oder danach vielleicht?«

»Vorher, ja. Aber gesehen habe ich es nicht.«

»Ich habe noch eine andere Frage. Tragen Sie schon länger kurze Haare?«

»Ja, schon seit Jahren, ist das denn wichtig?«

»Könnte sein.« Es war nur eine Idee.

Als er wieder auf der Straße stand, hatte sich die vage Idee bereits zu einer konkreten Theorie entwickelt. Er war keine zweihundert Meter vom Wohnhaus des toten ABV entfernt, und er hatte einige Fragen, die er der Witwe Wetzig gerne stellen würde. Allerdings würde er damit einen direkten Befehl missachten.

Er beschloss, erst einmal zu dem Haus in der Prießnitzstraße zu gehen. Das war ja nicht verboten. Als er vor dem Haus stand, wartete er gar nicht erst auf die Skrupel, die sich bei ihm einstellen könnten. Ohne Umschweife betrat er das Haus.

Jemand hatte einen kleinen Teppichläufer ins Haus gelegt. Falck betrachtete ihn und hob eine Ecke an. Es war nicht gelungen, alle Spuren zu beseitigen. Ein dunkler Fleck zeigte an, wo Wetzig gelegen hatte.

Falck ließ den Teppich los und richtete sich auf. Es war still im Haus. Wer konnte, war jetzt sicherlich draußen oder in seinem Schrebergarten. Was war dabei, wenn er mal schnell hochginge, die Klingel probierte, und wenn niemand da war, war gar nichts geschehen.

Es war jedoch jemand da. Schon auf das erste zögerliche Klingeln hin öffnete eine Frau die Tür. Falck schätzte sie auf vierzig. Sie sah müde aus und hatte verquollene Augen.

»Frau Wetzig? Bitte entschuldigen Sie die Störung. Aber es lässt mir keine Ruhe. Ich war es, der Ihren Mann im Haus gefunden hat.« Falck kam ins Stocken. Er hatte etwas ganz anderes sagen wollen. »Ich wollte Ihnen mein herzliches …«

Die Frau verblüffte ihn mit ihrer unerwarteten Reaktion.

Sie machte einen Schritt auf ihn zu, lehnte sich an seine Brust und brach in Tränen aus. Falck sah sich gezwungen, sie in die Arme zu nehmen. Die passenden Worte wollten ihm einfach nicht einfallen. Also schwieg er und hielt sie unbeholfen fest.

»Niemand spricht mit mir!« Frau Wetzig hatte nach einer Weile die Stimme wiedergefunden und ließ endlich auch von ihm ab. »Niemand. Sie weichen mir aus. Diese Polizisten ... die sind so unfreundlich, die haben überhaupt kein Mitleid.«

»Frau Wetzig, ich bin auch Polizist. Ich sollte mich bei Ihrem Mann melden an diesem Tag.« Die wenigen Minuten, die zwischen dem Tod ihres Mannes und seinem Zuspätkommen lagen, verschwieg er.

»Wollen Sie reinkommen?«

»Möchten Sie gern darüber reden?«

»Bitte, ja!«

»Wissen Sie, man hat es mir eigentlich verboten.«

»Kommen Sie!« Sie zog ihn in die Wohnung und schloss die Tür. »Gehen wir ins Wohnzimmer.«

»Darf ich Sie ganz direkt fragen? Glauben Sie, dass es ein Unfall war?«

»Ich weiß gar nicht, was ich glauben soll. Sie haben mich gefragt, ob er trinkt. Er hatte Restalkohol im Blut. Aber das war doch nur eine kleine Feier. Richtig betrunken war er nie. Auf keinen Fall so, dass man am nächsten Morgen über das Geländer stürzt, das nicht einmal besonders niedrig ist.« Sie bedeckte ihr Gesicht mit den Händen. »Und wir wollten nach Ungarn im Sommer. Endlich, nach zehn Jahren hat es geklappt ...«

Falck ließ der Frau Zeit, sich zu sammeln, und sah sich um. In der Schrankwand stand eine teure Stereoanlage, der Fernseher war nagelneu. Auch die Sofagarnitur machte einen sehr teuren Eindruck. In der letzten Zeit war offensichtlich nicht viel getan worden im Haushalt. Alles wirkte etwas staubig und unaufgeräumt, auf dem Sofa lagen zerwühlte Decken.

»Bitte schauen Sie sich nicht so genau um. Ich kriege es einfach nicht mehr hin. Ich kann mich zu nichts mehr aufraffen.«

»Frau Wetzig, sprach Ihr Mann manchmal von der Arbeit?«

»Ich habe ihn immer darum gebeten, es nicht zu tun. War sowieso alles nicht einfach. Das wissen Sie bestimmt selbst von sich.«

Falck nickte. »Aber sprach er in letzter Zeit von jemand Besonderem?«

»Warum fragen Sie?«

»Bevor ich am Dienstag ins Haus kam, sah ich aus der Grundstückslücke nebenan eine Simson davonfahren mit zwei Männern.«

»Danach hat mich der eine unverschämte Polizist auch schon gefragt.«

»Er glaubt anscheinend nicht, dass es damit was zu tun haben kann.«

»Aber ich kann Ihnen da auch nicht weiterhelfen.«

»Hat er keine Aufzeichnungen? Seinen Meldeblock? Ein Notizbuch?« Darin könnte er vielleicht Hinweise auf die Männer mit der Simson finden.

»Das haben sie alles mitgenommen.«

Falck konnte ein Seufzen nicht mehr unterdrücken.

»Es tut mir wirklich leid!« Frau Wetzig hob die Schultern. »Na ja, aber Jochen meinte einmal, er hätte fast einen erwischt, das war aber schon ein paar Tage her. Er kam spät heim, da lief einer vor ihm, der irgendwie verdächtig wirkte. Als er ihn ansprach, rannte der los und Jochen ihm nach. Er hat ihn aber nicht einholen können.«

»Und warum war er Ihrem Mann aufgefallen?«

»Wir hatten doch schon zwei-, dreimal den Fall, dass Frauen nachts von einem Mann verfolgt wurden. Und dass er wegrannte, hat ihn noch verdächtiger gemacht. Aber das war zwei Wochen oder länger her, seitdem hatte er nicht mehr davon gesprochen.«

Das war wenigstens etwas. Falck schwieg für einen Moment. Die Frau trauerte, und er wollte sie nicht noch weiter behelligen.

»Wenn Sie wollen, komme ich in der Woche noch mal vorbei«, bot er an.

Sie sah in dankbar an. »Gern, ja. Meine Tochter studiert zurzeit in Greifswald und konnte leider nur kurz hier sein.«

»Darf ich Sie noch um etwas bitten, Frau Wetzig? Ich arbeite hier gerade sozusagen inkognito. Bitte tun Sie so, als ob wir uns nicht kennen, falls wir uns zufällig über den Weg laufen.«

Nach dem Besuch bei Frau Wetzig beschloss Falck, sich die benachbarte Baulücke genau anzuschauen. Auf der freien Fläche wuchsen bereits kleine Bäume zwischen Gras und Unkraut. Falck suchte eingehend den Boden ab und hoffte, eine Reifenspur ausmachen zu können oder einen Zigarettenstummel zu finden. Er hatte nicht den Eindruck, dass das schon geschehen war.

Von der Straße waren Motorengeräusche zu hören. Ein Auto fuhr an dem Grundstück vorbei und hielt etwas weiter hinten. Eine Autotür klappte zu, Schritte näherten sich.

»Was gibt es denn hier zu suchen?«, fragte jemand.

Falck erschrak, es war Schmidt. Wie immer hing eine Zigarettenkippe in seinem Mundwinkel.

»Nichts!«, stotterte Falck.

»Eddi!«, hörte man jemanden nach Schmidt rufen.

»Warte mal!«, blaffte Schmidt zurück. »Und Sie, kommen Sie mal her!«, befahl er Falck und schaute ihn misstrauisch an. Dann erst erkannte er ihn.

»Ach, Sie schon wieder! Was treiben Sie sich denn hier herum? Haben Sie nicht eindeutige Befehle?«

»Doch, ja, jawohl. Ich wollte nur noch mal nach eventuellen Spuren sehen. Vielleicht wurde da etwas übersehen.«

»Das soll wohl heißen, dass ich etwas übersehen habe?«, fragte Schmidt mit unüberhörbar aggressivem Unterton.

Falck hatte keine Ahnung, wie er sich verhalten sollte. Deshalb nickte er nur.

»Hör mal, Sportsfreund!« Hauptmann Schmidt verfiel übergangslos ins Du. »Du machst mal schön deinen Kram und wir machen unseren. Sonst gibt's 'ne Meldung, und du kannst deine Pläne ad acta legen.«

Falck atmete einmal tief durch und nahm dann all seinen Mut zusammen. »Frau Wetzig meinte, ihr Mann hätte eine Woche vor seinem Tod einen Verdächtigen verfolgt, den er offenbar erkannt hatte. Vielleicht sollte man die Straftäterakten durchgehen, ob in letzter Zeit ein entlassener Häftling zugezogen ist.«

Schmidt hatte sich dicht vor Falck aufgebaut. Nicht nur, dass er nach Zigarettenrauch roch, Falck meinte auch, eine leichte Alkoholfahne wahrzunehmen. Außerdem war er unrasiert und hätte mal wieder ein frisches Hemd anziehen sollen. Seine listigen kleinen Augen ruhten auf Falck.

»Warst du oben, bei der Wetzig?«

»Jawohl, Herr Hauptmann, ich wollte eigentlich nur einen Kondolenzbesuch abstatten! Sie hat von ganz alleine das Reden angefangen.«

Schmidt schwieg einen Moment und stieß dann einen unwilligen Seufzer aus. »Entweder bist du dümmer, als man glaubt, oder du bist ein ganz Schlauer. Letzte Mahnung. Kümmere dich um dein Zeug, Genosse.«

»Na, Erfolg gehabt, bei den Gruftis?« Christian stand am offenen Fenster seiner Wohnung und fing Falck ab, der gerade ins Haus gehen wollte.

Falck schüttelte den Kopf. »Keiner da.«

»Haben sich bestimmt totgestellt.« Christian lachte über seinen eigenen Witz. »Verstehste? Gruftis. Haben sich tot gestellt!«

Falck lächelte verkrampft. »Ich gehe dann später noch mal hin. Sag mal, du kennst dich doch aus hier, weißt du, ob jemand neu zugezogen ist?«

»Du! Gestern!« Erneutes Gelächter.

Falck zwang sich, freundlich zu bleiben, doch es kostete ihn alle Mühe. »Nee, ich meine vor ein paar Wochen vielleicht. Fährt eine beige Simson.«

»Warum? Wieso fragst du?«

»Mir ist meine geklaut worden. Und derjenige soll hierhergezogen sein.«

Christian verzog das Gesicht. »Bist du deshalb hier? Wegen deiner Karre?«, fragte er. Falck sah ihn wortlos an.

»Soll ich mich mal umhören?«, lenkte Christian ein.

»Ja, aber vorsichtig.«

»Verstehe.« Christian tat verschwörerisch. »Also, was ist nun mit den Kassetten? Soll ich die selbst hinbringen?«

Falck winkte ab. »Nein. Hab doch gesagt, ich mach das!«

10

Die Glocke der Martin-Luther-Kirche schlug sieben. Auf dem Platz vor der Kirche war viel los. Kinder liefen herum, jagten sich oder spielten Ball. An einem Hauseingang, neben einem *Sero*-Wertstoffhandel, standen ein paar Leute und tranken Bier.

Durch die enge Gasse der oberen Martin-Luther-Straße lief er zur Kamenzer Straße. Und obwohl er sich Zeit ließ, hatte er in kürzester Zeit das Grufti-Haus erreicht. Über das Kopfsteinpflaster kamen ihm ein paar Kinder auf Fahrrädern entgegen. Ihre Schutzbleche schepperten laut, Tauben flogen auf.

Was für eine seltsame Stimmung, fand Falck. Als wäre er in einer anderen Welt. In den letzten Tagen hatte sein Bild von der DDR Flecke und Kratzer bekommen. Was er früher als kleine Unzulänglichkeit betrachtet hatte, dass man anstehen musste nach Bananen, auf den Kohlehändler warten, eine Wohnung beantragen, viele Dinge nicht gleich kaufen konnte, dass man manches nur von unter dem Ladentisch bekam, Holz gegen Reifen tauschte, hatte hier auf einmal eine andere Bedeutung bekommen. Hier waren kein Aufbau und kein Fortschritt. Hier sah man nur Stillstand und Verfall. Dabei wurde ja produziert, fürs Ausland sogar. Es gab Computer, Forschungseinrichtungen, erfolgreiche Sportler.

Zwei Gestalten kamen ihm entgegen. Es war ein Pärchen, wie Falck erst auf den zweiten Blick erkannte. Die beiden jungen Leute hatten sich die Haare aufgefönt und mit Haarspray versteift und die Augen schwarz geschminkt. Sie trugen viel zu große schwarze Jacketts, darunter weiße Blusen und weite schwarze Hosen, deren Aufschläge auf dem Boden schleiften. Fragend sahen sie ihn an.

»Ich suche Karsten. Ich komme von Christian.« Falck zog die Hand aus der Tasche und zeigte eine Kassette.

Das Mädchen sah den Jungen an, unter der Schminke war ihr Gesicht kaum zu erkennen.

»Dann komm mit«, sagte der Junge. Gemeinsam betraten sie das Haus. Ohne zu sprechen, durchquerten sie den Flur und gingen auf die angelehnte Kellertür zu. Der Junge drückte sie auf und ging vornweg. Falck folgte ihm die Treppe hinunter, auf deren Stufen Kerzen brannten.

»Karsten!«, rief der Junge. »Hier ist jemand mit einer Kassette!«

»Christian hat mich geschickt!«, fügte Falck hinzu. Bis auf das wenige Licht der Kerzen, war der Keller dunkel.

Ein großer hagerer Unbekannter kam ihnen entgegen. »Karsten ist noch nicht da. Willste warten?«

»Klar«, meinte Falck und folgte den dreien in einen größeren Raum, in dem sich einige Personen auf Matratzen herumlümmelten. Auch hier brannten Kerzen.

»Kannst dich dahin setzen, wenn du willst«, meinte der Hagere. Falck ließ sich auf einer Holzkiste nieder und sah sich um. Der Kassettenrekorder wurde wieder eingeschaltet, und er bemerkte das Kabel, das durch ein Loch vom Nebenhaus gelegt worden war. Sie klauten also Strom. Das war nicht nur verboten, sondern auch gefährlich. Die Musik aus dem Rekorder hatte Falck vorher noch nie gehört. Man hätte sie mit dem Wort düster beschreiben können. Er verstand höchstens die Hälfte des Textes, obwohl er vier Jahre Englischunterricht genossen hatte. Irgendetwas klagte der Sänger an, dem Tonfall nach war gerade jemand gestorben oder würde bald sterben.

Man musste ja zwangsläufig depressiv werden, wenn man den ganzen Tag solche Musik hörte, dachte Falck und versuchte eine neutrale Miene zu machen.

Er zählte acht Leute, Frauen und Männer gemischt, alle trugen sie Schwarz. Fast alle hatten etwas mit ihren Haaren gemacht, sich geschminkt, manche trugen schwarze Hüte. Er kam sich vor wie auf einer verspäteten Faschingsfeier.

»Ich bin übrigens Tobias«, stellte er sich vor.

Die anderen nickten, nannten aber ihre Namen nicht.

»Und ihr hängt hier so rum? Hört Musik?«, fragte er. »Seid ihr hier jeden Tag?«

»Nur am Wochenende, in der Woche müssen wir ja arbeiten und zur Schule«, antwortete ihm eines der Mädchen.

»Lauft ihr da auch so rum?«, fragte Falck.

»Was denkst du denn? Die würden uns sofort nach Hause schicken.«

Falck nickte und war beinahe erleichtert darüber. Dann war dies hier wirklich nur eine Art Maskerade fürs Wochenende. Kein Grund, Leichen zu stehlen.

»Wann wird Karsten denn kommen?«, fragte er nach. Ewig wollte er hier nicht bleiben, er kam sich völlig fehl am Platz vor.

»Vielleicht kommt er gar nicht«, antwortete das Mädchen.

»Sagt mal, habt ihr davon gehört, dass jemand einen Sarg gestohlen hat, mit einer Leiche drin?«, fragte er unvermittelt. Augenblicklich kam Bewegung in den Raum.

»Ja, hat mir auch jemand erzählt«, meinte einer, der bisher noch keinen Ton gesagt hatte. »Ich glaub das aber nicht.«

Falck wagte sich weiter vor. »Ich weiß es aber ziemlich sicher.«

»Und bestimmt denken alle, wir waren das«, beschwerte sich eine andere.

»Wundert mich, warum noch keine Polizei hier war.«

»Weil das doch Blödsinn ist! Wieso sollen wir denn einen Toten klauen.«

»Vielleicht ging es ja um den Sarg. Geht ihr nicht manchmal auf Friedhöfe oder so?«, fragte Falck und bemühte sich, naiv zu klingen.

»Kann sein«, mischte sich jetzt der Hagere ein, der ihn im Keller empfangen hatte, »aber wir klauen keine Toten. Ich glaub das eh nicht. Dummes Gerede!«

»Aber stellt euch mal vor, gruselig ist das schon. Du klaust einen Sarg mit einem Toten drin«, meinte eine andere.

Es vergingen ein paar Minuten mit belanglosen Gesprächen. Von all den Leuten, die er inzwischen kennengelernt hatte, waren das noch die harmlosesten, dachte er. Das waren junge Leute, die zur Schule oder in eine Lehre gingen und im Alltag völlig normal gekleidet waren. Da hatte er ganz andere Leute gesehen. Alkoholiker, Asoziale, wie sie auf dem Luther Platz herumhingen. Schlachtenbummler bei Oberligaspielen, die sich Schlägereien lieferten. Punker und sogar Faschisten, die mit Glatzen herumliefen und den Hitlergruß zeigten. Falck konnte sich das nur so erklären, dass sie von westlichen Revanchisten agitiert wurden.

Dann plötzlich stellte jemand die Musik ab und alle wurden still. Man hörte jemanden die Treppe herunterkommen. Die Musik wurde wieder lauter gestellt.

»Das ist Karsten«, sagte jemand und im nächsten Moment betrat derjenige den Keller. Karsten war nicht sehr groß, aber seine schwarzen Haare waren zu einem imposanten Gebilde aufgetürmt. Falck fühlte sich unweigerlich an einen Adlerhorst erinnert.

»Wer bist du denn?«, fragte er Falck und klang dabei nicht unfreundlich.

»Christian schickt mich«, erklärte Falck und musste sich

zwingen, nicht dauernd auf die Frisur zu starren. Er kramte die Kassetten aus seinen Jackentaschen hervor.

»Ach, geil!«, rief Karsten und nahm sie ihm gleich ab. »Willst du noch bleiben?«, fragte er, während er die Beschriftung las. »Hier! Das musst du hören!«

»Nee, ich muss.« Falck erhob sich.

»Karsten, hast du was gehört davon, dass ein Toter weggekommen sein soll beim Friedhof?«, fragte jemand.

Karsten nickte. »Hab ich gehört, soll 'ne Frau gewesen sein. War vielleicht ein Nekrophiler.«

»Was soll denn das sein?«, fragte einer.

»Einer, der es mit Leichen treibt. H. P. Lovecraft soll so einer gewesen sein.«

»Der hat eine Geschichte darüber geschrieben!«, verbesserte ein Mädchen.

Karsten war das Erklärung genug. »Eben, wem fällt denn sonst so was ein?«

Falck hatte keine Lust auf eine Vertiefung der Thematik.

»Habt ihr auch davon gehört, dass diese Woche ein Polizist gestorben sein soll?«

»Ja, auf der Prießnitzstraße«, antwortete Karsten. »Angeblich Selbstmord. Aber das wollen die natürlich vertuschen.«

»Nee«, kam eine Stimme aus der Ecke, »der war in Machenschaften verstrickt. Der hat 'nem ehemaligen Knacki Tipps gegeben, wer gerade im Urlaub ist, und der hat dann deren Bude ausgeräumt. Dann gab's Streit und der Knacki hat den umgelegt.«

»Du spinnst ja! Woher willst du das wissen?«, rief ein anderer.

»Glaub es nur. Derjenige, der mir das erzählt hat, kennt sich aus. Ich sag aber nicht, wer das ist!«

Wer das wohl sein könnte?, fragte sich Falck. Eine interessante Theorie war es allemal. Ein ABV kannte sich tatsächlich in seinem Revier gut aus, wusste, wer Urlaub hatte, wer aus- und einzog. Und in Wetzigs Wohnung hatten teure Technik und wertige Möbel gestanden.

»Na ja, ist ja auch egal, ich mach mal los«, sagte er. »Viel Spaß noch, man sieht sich.«

Die Abenddämmerung hatte längst eingesetzt, als Falck wieder auf die Straße trat. Es schüttelte ihn unbewusst, er atmete einmal tief durch. Ein kleiner Falke sauste über ihm durch die Luft.

Falck hatte keine Lust, in seine muffige kleine Wohnung zu gehen. Hatte er schon genügend Informationen, um etwas vorzuweisen? Der Gedanke an Ulrike schob sich in den Vordergrund. Wie lange hatte sie schon geplant, ihn zu verlassen? Hatte sie nicht bereits letztes Weihnachten irgendwie abwesend gewirkt? War es das, was ihn eigentlich verletzte? Er wollte nicht länger darüber nachdenken.

Vielleicht sollte er noch einmal bei Nadine nachfragen, sagte er sich, um auf andere Gedanken zu kommen. Falck schob die Hände in die Jackentaschen und machte sich auf den Weg. Er ging die Louisenstraße bis zur Alaunstraße entlang. Hier gab es einige verwilderte Freiflächen zwischen den Häusern, vergleichbar mit der Baulücke neben Wetzigs Haus. Einige waren dicht mit Birken und Gebüsch bewachsen.

Plötzlich hörte er ein eigentümliches Geräusch. Etwas raschelte. Falck wechselte schnell die Straßenseite und beobachtete das Dickicht. Es raschelte wieder. Da versteckte sich jemand.

»Ist da wer?«, fragte Falck. Die Straßenbeleuchtung war angesprungen, doch die Laternen spendeten nur trübes Licht. Es raschelte wieder und dann hörte er einen erstickten Schrei. »Hallo? Wer ist da?«, fragte er noch einmal. »Kommen Sie raus da! Hier ist die Polizei!«

Unvermittelt tauchte ein Junge aus dem Gebüsch auf. Er stolperte, fiel hin, sprang aber gleich wieder auf, ehe Falck ihm helfen konnte.

»Was ist denn mit dir?«, fragte ihn Falck. Er schätzte den Jungen auf zwölf, dreizehn Jahre. Doch der wehrte ihn ab und rannte schluchzend die Louisenstraße hoch. Falck folgte ihm ein Stück.

»Warte doch mal!«, rief er und sah noch, wie der Junge, ohne nach rechts und links zu sehen, über die Straße stürmte.

Falck drehte sich wieder um und erblickte einen Mann, der sich von dem verwilderten Grundstück schleichen wollte. Als er sich ertappt sah, rannte er unvermittelt los. Falck verschwendete keine Sekunde und spurtete hinterher. Auf die Entfernung konnte er nur ausmachen, dass der Flüchtende Jeanshosen trug, einen hellen Nicki und kurzes dunkles Haar.

Der war unterdessen schon an der nächsten Kreuzung angelangt und bog zum Alaunpark hinauf ab.

Falck war sportlich und ein guter Läufer, doch der Anfangssprint des Mannes hatte diesem einen ordentlichen Vorsprung verschafft. Falck durfte den Abstand nicht zu groß werden lassen und hoffte, dass ihn seine Kondition nicht im Stich lassen würde. Der Verfolgte wurde jedoch nicht langsamer. Es gab für ihn doch einiges zu verlieren.

Am Bischofsweg bog er nach rechts ab. Falck war noch nicht an der Querstraße angelangt, als er plötzlich Scheppern und lautes Geschrei vernahm. Als er die Kreuzung erreichte, sah er den Mann auf einem Fahrrad in den Alaunpark fahren. Auf dem Fußweg lag eine Frau und hielt sich das Knie. Ihr Begleiter stand erschrocken daneben, sein eigenes Rad zwischen den Beinen.

»Das Rad!«, keuchte Falck. »Ich bin Polizist! Jemand soll Verstärkung rufen!«

Der Mann sah ihn verständnislos an, reagierte aber nicht.

»Das Rad!«, fuhr Falck ihn an, riss ihm den Lenker aus der Hand, schwang sich auf den Sattel und strampelte los. Wertvolle Sekunden waren verstrichen. Der andere war schon längst auf halbem Weg Richtung Garnisonskirche. Im Park war es stockdunkel. Falck wusste, war der Kerl erst auf der Kurt-Fischer-Allee, wäre er nicht mehr einzuholen.

Falck ging aus dem Sattel und trat voll in die Pedale. Da sprang die Kette ab. Er trat ins Leere, rutschte ab, prallte auf die Querstange und stürzte auf die Wiese. Der Schmerz im Schritt war übermächtig. Er kniete sich hin, ihm wurde beinahe schwarz vor Augen. Als er wieder zu sich kam, war der Mann längst in der Dunkelheit verschwunden.

Verärgert und mit latentem Unwohlsein schob Falck das Rad wieder über den Rasen zurück zu seinem Besitzer.

Dieser hatte seiner Frau inzwischen aufgeholfen.

»Geht es Ihnen gut?«, fragte Falck und stellte das Rad an der Wand ab.

Die Frau winkte ab und rieb sich das Knie. »Geht schon. Mein Rad ist wohl weg?«

»Das finden wir bestimmt wieder. Konnten Sie die Polizei verständigen?«

»Ja, jemand hat angerufen«, brummte der Mann, der misstrauisch sein Rad inspizierte.

»Mir ist die Kette abgesprungen, sonst hätte ich ihn wohl gekriegt«, fühlte Falck sich genötigt zu erklären.

»Passiert ständig«, murmelte der Mann. »Wer Mifa fährt, ist Dresche wert.«

»Darf ich fragen, wer das war?«, fragte die Frau leise.

»Ich weiß es nicht.«

»Aber Sie sind ihm doch nachgelaufen. Sie sind doch von der Polizei, oder?«

»Ja, Zivilstreife.«

Die Frau sah ihren Mann an, der ihr aufmunternd zunickte.

Die Frau räusperte sich. »Vielleicht war das ja der, über den hier alle reden? Der die Frau überfallen haben soll?«

»Ist das vielleicht einer von den Russen?«, fragte der Mann.

»Ein Sowjetsoldat, meinen Sie«, verbesserte ihn Falck. »Ich denke nicht. Wir kümmern uns darum. Wir warten auf den Streifenwagen. Dann kommen Sie bitte mit auf das Revier, eine Aussage machen.«

Es war eher ein Gefühl als das Geräusch, das ihn veranlasste, sich umzudrehen. Aus der Görlitzer Straße kam eine Simson gefahren. Es war zu dunkel und zu weit weg, doch Falck war sich sicher, der Mann erkannte ihn. Denn er reagierte umgehend, schaltete, bog ab und fuhr davon. Wenige Sekunden später schaltete er noch das Licht aus.

Hilflos sah Falck zu, wie das Moped verschwand. Eines wusste er: Wetzigs Sturz war weder ein Unfall noch ein Selbstmord! Er musste einfach herauskriegen, wer diese beiden Männer auf der Simson waren.

11

Oberleutnant Exner hob den Kopf, als Falck sein Büro am Montagmorgen betrat und salutierte. Er deutete an, die Tür zu schließen und sich zu setzen.

»Na, Genosse, schon Ergebnisse? Oder was führt Sie sonst zu mir?«

Falck zögerte mit der Antwort. Auch weil er glaubte, wieder den Spott in Exners Stimme zu hören. Der betrachtete belustigt seinen Aufzug in Jeans und Nicki. Sie nahmen ihn nicht ernst hier. Machten sich eigentlich alle über ihn lustig?

»Keine Ergebnisse, Genosse Oberleutnant. Aber ein Verdacht«, meldete er.

»Sind Sie denn in der anderen Sache schon vorangekommen?«, fragte Exner, als interessierte ihn gar nicht, was Falck zu sagen hatte.

»Ich habe Kontakt zu einer Gruppe Gruftis aufgenommen. Die machen aber einen eher harmlosen Eindruck. Sie hören zwar westliche Musik und tragen schwarze Kleidung, aber eigentlich sind sie ganz friedlich.«

Exner sah ihn ärgerlich an. »Friedlich, aha. Diese Leute unterwandern unsere Jugendkultur mit westlicher Musik, tragen völlig unangemessene Trauerkleidung, und Sie nennen sie harmlos? Wo kommen wir denn hin, wenn hier jeder macht, was er will? Und was führt Sie zu dem Urteil, dass die harmlos sind? Lassen Sie sich nicht so vorführen, Falck!« Exner klopfte ungehalten mit dem Bleistift auf seinen Schreibtisch. »Da müssen Sie sich mal etwas reinhängen, mehr Elan zeigen.

Versuchen Sie doch mal, sich in deren Köpfe reinzudenken. Und diese anderen Subjekte, Genosse Falck, die revanchistisches, antisozialistisches Gedankengut verbreiten, die überlassen Sie mal besser den Leuten vom MfS und lassen sich von denen nicht vereinnahmen.« Exner hob für einen Moment bedeutungsvoll die Augenbrauen.

»Sie meinen die Leute in meinem Haus?«

»Die im Park. Besonders dieser Ralph Stein.«

Falck war verblüfft, wie schnell sich sein Treffen im Alaunpark herumgesprochen hatte. »Ich lasse mich von denen nicht vereinnahmen, Genosse Oberleutnant.«

Exner unterbrach ihn sofort mit einer Handbewegung. »Das können Sie gar nicht einschätzen. Da fehlt Ihnen noch das Rückgrat. Diese Leute verstehen es, ihre westliche Propaganda geschickt zu streuen. Was glauben Sie, wie es ihnen sonst immer wieder gelingen sollte, unbescholtene Bürger für ihre sogenannten *Friedensgebete*«, er malte dabei Anführungszeichen in die Luft, »zu begeistern? Sie sind ein guter Mann, Genosse Obermeister, aber Sie sind zu weich. Sie müssen sich erst die Härte aneignen, die es braucht, um sich nicht von deren angeblichen Leidensgeschichten beeindrucken zu lassen. Wer gegen unseren Staat agitiert, kriminell wird, unser sozialistisches Kollektiv in Gefahr bringt, der muss damit rechnen, verhaftet und verurteilt zu werden. Es wird ihnen auch klar sein, dass dann ihre Kinder in staatliche Obhut gegeben werden müssen, für die Zeit der Haft und notfalls auch darüber hinaus. Wir dürfen Kinder nicht dem schädlichen Einfluss solcher Leute überlassen.«

Falck hatte keine Miene verzogen. Aber die Worte seines Vorgesetzten hatten ihn tief verletzt. Was maßte Exner sich an zu behaupten, er habe kein Rückgrat? Gleichzeitig war er allerdings auch irritiert über das Detailwissen, das sein Chef hatte. Das war nur möglich, wenn jemand in der Gruppe für die Stasi spitzelte. Er hob die Hand, um anzuzeigen, dass er zu sprechen wünschte. Exner genehmigte es ihm mit einem Nicken.

»Ich wollte nur mit dieser Nadine Hauke sprechen, die, genau wie die Pliske, auch von einem Mann überfallen und belästigt wurde.«

»Aha?«, fragte Exner, und die Skepsis in seiner Stimme konnte nicht deutlicher sein. »Und? Was wissen Sie darüber?«

»Er griff sie an, ließ aber von ihr ab, ehe Schlimmeres geschehen konnte.«

»Er greift sie an und lässt dann von ihr ab? Sie wollen jemanden verfolgen, der nichts getan hat? Diese Hauke, lebt sie allein? Ist sie verheiratet?«

Falck schüttelte den Kopf.

»Sehen Sie, diese Pliske auch nicht. Alleinstehende Frauen, Falck, die wollen nur auf sich aufmerksam machen.«

Falck ignorierte Exners Theorie. »Der Täter scheint eine Vorliebe zu haben: Beide Frauen haben auffallend kurze Haare. Genosse Oberleutnant, sicher haben Sie von dem Vorfall gestern Abend erfahren.«

Exner seufzte und nahm einen Bericht von einem Stapel Papiere. »Ihnen lief ein Mann davon, der bei seiner Flucht eine Frau vom Rad stieß und mit dessen Hilfe entkam«, fasste er den Bericht auf das Nötigste zusammen.

»Der Mann kam aus einem Gebüsch, aus dem nur Sekunden zuvor ein weinender Junge von vielleicht zwölf Jahren gerannt kam. Könnte es nicht sein, dass der Mann, der die Frauen angriff, vielleicht eine Neigung zur Pädophilie hat und die Frauen wegen ihrer kurzen Haare und der eher zierlichen Statur versehentlich für Jungen oder junge Männer hielt? Kann es nicht sein, dass er sich an dem Jungen verging?«

»Genosse Wachtmeister, was Sie da sagen … überlegen Sie mal! Und wer soll denn dieser Junge gewesen sein? Wo kam er her um diese Uhrzeit? Wer sind seine Eltern? Es gibt keine Anzeige.«

»Er wird sich schämen …«

»Genosse, dieser *Täter*«, unterbrach Exner ihn unwirsch, »existiert nicht, da können Sie noch so viel spekulieren. Es wäre gut, Sie würden sich jetzt Ihrem Ermittlungsauftrag widmen.«

»Verzeihen Sie, Genosse Oberleutnant, aber das meine ich ja. Ich glaube, es sind zwei Männer, vielleicht sind sie sogar ein Paar. Und ich meine, es waren dieselben, die an dem Tag bei Wetzigs Haus gewesen waren.«

»Sie meinen also, ein schwules Paar bringt einen ABV um und terrorisiert nebenbei die Nachbarschaft mit sexuellen Übergriffen? Noch dazu sind sie vermutlich für alle Einbruchsdelikte verantwortlich. Hauptmann Schmidt hat uns schon informiert, dass es keinerlei Hinweise auf die Existenz dieses Mopeds und der Männer gab. Sie scheinen der Einzige gewesen zu sein, der sie gesehen hat!«

»Und gestern habe ich sie ebenfalls gesehen!«

»Sie sahen einen Mann, der vor Ihnen wegrannte, und später sahen Sie einen Typ auf einer Simson. Im Dunkeln, auf hundert Meter Entfernung. Und ich weiß gar nicht, wie viele Simsons in Dresden gemeldet sind. Tausend? Zehntausend? Genosse, wir wollen Fakten und keine Hirngespinste. Verstanden?«

Falck erhob sich und salutierte. »Jawohl!«

Für einen Moment war ihm der Schreck in die Glieder gefahren. Doch Schmidt hatte ihn anscheinend nicht hingehängt. Bisher zumindest nicht.

»Ihre Berichte, übrigens, sind zu ungenau, Falck. Versuchen Sie, die Gespräche, die Sie geführt haben, wortgenau wiederzugeben. Nennen Sie die Namen und geben Sie eine kurze Personenbeschreibung. Viel Erfolg. Abtreten!«

12

Christian saß am offenen Fenster und rauchte. Der war wirklich dauernd zu Hause, stellte Falck fest. Hatte er keine Arbeit?

»Na, frei heute?«, fragte Christian.

»Musste aufs Amt«, murmelte Falck. »Ich sag morgen einfach, es hat den ganzen Tag gedauert.« Erstaunt stellt er fest, wie gut ihm das Lügen gelang. So viel gelogen, wie in den letzten zwei Tagen, hatte er in seinem ganzen Leben nicht. Davon mal abgesehen, musste er sich tatsächlich überlegen, wie er es schaffte, täglich von sechs bis fünfzehn Uhr nicht daheim zu sein.

»Und selbst?«, fragte er.

»Muss nicht arbeiten«, erwiderte Christian. Asche fiel von seiner Kippe auf sein Jackenrevers.

»Na dann!« Falck wollte ins Haus gehen.

»Übrigens«, sagte Christian bedeutungsvoll, »im Hinterhof eines Abbruchhauses in der Pulsnitzer, gegenüber vom Judenfriedhof, hat sich einer in einem Schuppen breitgemacht. Der hat da mindestens eine Karre drinstehen, und manche sagen, dass er da nicht gemeldet sei.«

»Woher weißt du das?«

»Ist das nicht egal? Da sind überall Häuser ringsum. Das fällt den Leuten auf, wenn da plötzlich Bewegung ist. Du wolltest das doch wissen.«

»Ja, danke. Welche Hausnummer?«

»Die Pulsnitzer ist fünfzig Meter lang. Es gibt nur ein unbewohntes Haus!«

Falck winkte nochmals zum Dank und wollte los.

»Noch was«, sagte Christian.

Das machte der Idiot sicherlich absichtlich. Falck zwang sich zu lächeln.

»Das sind zwei Typen. Die rücken immer erst am frühen Abend aus. Nur so, falls du gucken gehen willst.«

13

»Sie wünschen?«, sprach ihn ein alter Mann an, der in Arbeitskleidung mit einer Schubkarre auf dem Inneren Neustädter Friedhof unterwegs war.

»Guten Tag«, grüßte Falck. »Ich suche die Friedhofsverwaltung.«

»Ach, da sind Sie ganz am falschen Ende. Sie müssen ganz durch.« Der Alte deutete hinter sich. »Da müssen Sie sich aber beeilen, in einer halben Stunde machen die Feierabend.«

»Ja, danke. Ach, arbeiten Sie hier?«

»Ich bin der Gärtner.« Der Alte lächelte. Er musste weit über siebzig sein, schätzte Falck. Wie viele andere musste er anscheinend auch noch im hohen Rentenalter arbeiten.

»Gibt es hier Jugendliche, die nachts über die Mauern steigen?«

»Gelegentlich. Die machen aber nichts weiter. Manchmal finde ich Kerzenstummel, die räume ich einfach weg.«

»Und was machen die hier? Den Satan beschwören?«

»Ach was«, der Mann lachte freundlich. »Das sind doch noch Kinder, die nichts mit sich anzufangen wissen.«

»Sie sind von der Polizei?«, fragte die Frau im Verwaltungsgebäude ihn etwas spitz. Sie war um die fünfzig, trug Dauerwelle und die Brille an einer langen dünnen Kette, die ihr vor der Oberweite baumelte.

Falck nickte.

»Das ist doch aber geklärt. Ich habe alles ans Meldeamt

weitergeleitet.« Leicht beleidigt begann die Frau in einer Hängeregistratur herumzusuchen.

»Es ist nur so, dass ein paar offene Vorgänge abgeschlossen werden müssen. Verzeihen Sie, dass ich Sie damit belästigen muss.«

»Jaja, schon gut, ich weiß ja, dass Sie auch nichts dafürkönnen.« Die Frau sandte ihm nun einen versöhnlichen Blick zu. »Hier, das ist die Akte.« Sie nahm den Hängeordner heraus und reichte ihn Falck.

Beyer, Alexandra war der Name der Toten. Das wusste er bereits. Er blätterte weiter, las den vom Arzt eingetragenen Todestag, den Tag der Einäscherung, den der Bestattung. Danach folgten zwei Bögen, auf denen in Maschinenschrift eine Art Protokoll verfasst war.

»Gibt es davon Durchschläge?«, fragte Falck.

»Tut mir leid, die sind alle ans Meldeamt gegangen.«

»Haben Sie vielleicht Stift und Zettel für mich, damit ich mir das Nötigste notieren kann?«

Die Frau nickte und reichte ihm das Gewünschte. Falck setzte sich auf einen Stuhl gegenüber von ihrem Schreibtisch. Erstaunlich, wie weit man kam, wenn man Autorität ausstrahlte. Die Frau hatte nicht einmal seinen Ausweis sehen wollen.

»Das muss für die Angehörigen sehr unangenehm gewesen sein«, kommentierte er.

»Ja, natürlich, und das alles nur wegen einer Verwechslung. Aber es will ja keiner gewesen sein. Bestimmt war einer besoffen. Eigentlich saufen alle«, fügte sie noch leise hinzu.

»Aber der Sarg war ja weg, oder?«

»Nein, das stimmt nicht. Es wurde nur der falsche Sarg eingeäschert, zufällig bemerkte das jemand. Ach, ich weiß auch nicht so genau. Da müssen Sie wohl besser im Bestattungsinstitut nachfragen. Jedenfalls hat sich alles aufgeklärt. So weit kommt es noch, dass Tote verschwinden.«

14

»Na?!« Claudia öffnete in dem Moment die Tür, als Falck an ihrer Wohnung vorbeiging.

»Na?!«, gab er einfallslos zurück. Nach dem unerquicklichen Besuch in der Friedhofsverwaltung, war er eigentlich nicht in der Stimmung für Treppenhauskonversation. Claudia trug eine weite leichte Stoffhose und ein Männerhemd, ihre Füße waren nackt. Ihm fiel auf, dass ihre Dauerwelle schon fast herausgewachsen war. Sie war wirklich hübsch, stellte Falck fest. Und sie hatte Grübchen, wenn sie lachte.

»Lust auf einen Kaffee?«, fragte sie.

»Also … vielleicht … Also … ja.«

»Biste verlegen?« Claudia grinste.

»Nee, warum sollte ich?«, erwiderte er reflexartig und machte es nicht besser damit. Er war tatsächlich verlegen.

»Was ist denn mit …?« Er deutete nach unten.

»Christian? Was soll denn mit dem sein?«, fragte Claudia.

»Ich dachte, ihr …?«

Claudia lachte schallend auf. »Nie im Leben. Komm!« Sie winkte ihn herein. Falck betrat die Wohnung und blieb im Flur abrupt stehen.

»Was ist denn, bist du doch schüchtern?«

»Nein, überhaupt nicht.« Falck steckte sich betont gelassen die Hände in die Hosentaschen und folgte ihr in die Küche.

»Na, ich weiß ja nicht!« Claudia lehnte sich ans Fensterbrett und machte keinerlei Anstalten, Kaffee zu kochen. »Samstagnacht hast du mir zuerst auch nicht den Eindruck gemacht.

Aber dann lieferst du mich artig an der Tür ab und torkelst hoch.« Sie lächelte ihn an.

»Was hätte ich denn tun sollen?«, fragte er und meinte seine Frage ernst.

»Du hättest mich ins Bett bringen müssen!« Claudia zwinkerte.

Für einen Moment war Falck sprachlos. Er hatte keinerlei Übung im Flirten. Er war drei Jahre lang mit Ulrike zusammen gewesen und hatte davor gerade einmal zwei Freundinnen gehabt. Vor allem staunte er über Claudias Direktheit. Die ließ nur noch wenig Spielraum.

Claudia dauerte das anscheinend alles zu lang. Sie stieß sich vom Fensterbrett ab. »Was macht denn ein Heizer, wenn es nichts zu heizen gibt?«, fragte sie. Währenddessen ließ sie Wasser in einen Topf und stellte einen Tauchsieder hinein. Dann nahm sie eine Filtertüte und stellte den Filterbehälter auf eine Kaffeekanne.

»Alles, was ein Hausmeister machen sollte, aber keine Lust dazu hat.«

Claudia dachte kurz nach und lachte dann. »Was hättest du denn studieren wollen?«, fragte sie.

Falck winkte ab. »Irgendwas mit Ingenieurswesen.«

»Bist wohl ein Schlauer?«

Falck ahnte, dass das hier mehr als nur ein albernes Geplänkel war. Er mochte Claudia, vor allem, weil sie so ganz anders war als alle die Frauen, die er bisher kennengelernt hatte. Aber vielleicht machte sie das ja mit jedem Kerl, der ihr über den Weg lief? Arbeitete sie womöglich für das MfS? War das hier gerade ein Test?

Unvermittelt stand Claudia jetzt dicht vor ihm. Sie legte ihre Hände auf seine Schultern, als tanzten sie zu einem langsamen Lied.

»Haste schon mal?«, fragte sie leise.

»Was? Natürlich!« Falck war beinahe beleidigt. Was dachte sie von ihm? Er war fünfundzwanzig!

»Hast du keine Freundin? Oder eine Frau? Oder bist du schon geschieden?«

»Nein … Nichts davon …« Falck spürte, wie sie ihre Hände in seinen Nacken legte. Es fühlte sich gut an, aber irgendwie auch falsch. Immerhin war er im Dienst, und die Trennung von Ulrike war noch nicht einmal drei Tage her.

»Und du?«, fragte er heiser. »Keinen Freund, keinen Mann, geschieden?«

»Doch, mein Mann ist bei der Fahne!«

»Ach so.« Falck stutzte.

»Mensch, Kerl, das war Spaß!« Claudia lachte, dann zog sie ihn plötzlich zu sich und küsste ihn, gefühlt eine halbe Ewigkeit. Sie nahm sein Gesicht zwischen ihre Hände.

»Ich mag dich wirklich«, sagte sie leise und sehr ernst. »Ich mochte dich schon, als wir uns das erste Mal gesehen haben.«

Falck nickte, halb betäubt. Aber er hatte ein schlechtes Gewissen, denn er war hier derjenige, der nicht die Wahrheit sagen konnte.

»Aber du bist nicht mit Christian zusammen?«

»Mensch, vergiss den doch endlich mal. Der möchte gern, aber ich mag nicht. Der denkt doch eh, dass er der Coolste ist mit seinen Schallplatten. Dabei ist der eine totale Nulpe.« Claudia nahm Falcks Hand und zog ihn aus der Küche durch den Flur ins Wohnzimmer.

Es sah wüst aus, überall Klamotten, auf dem Sessel und dem Sofa, das noch ausgeklappt war und auf dem noch Bettzeug lag, auf dem Tisch stand Geschirr herum und im Zimmer lagen diverse Zeitschriften herum, *Für Dich, Pramo,* einige Ausgaben des *Sputnik,* aber auch mehrere *Bravo* aus dem Westen.

»Woher hast du denn die?« Verlegen stand er herum.

»Von meiner Kusine aus dem Westen.« Claudia setzte sich auf die Sofakante und zog ihn zu sich herunter.

»Willst du nicht mal deine Jacke ausziehen?«, fragte sie und half ihm dabei. Es erübrigte sich, sich noch weitere Gesprächsthemen zu überlegen. Claudia setzte fort, womit sie in der Küche aufgehört hatte.

»Du bist schüchtern, das ist niedlich!«, bemerkte sie kurz darauf, dann drückte sie ihn aufs Polster. »Weißt du, was mir an dir aufgefallen ist?«, fragte sie und legte sich halb auf ihn.

Falck zuckte mit den Schultern. Er fühlte ihre Brust an seinen Rippen, ihr rechtes Bein hatte sie auf seines gelegt. Ganz bestimmt hatte sie schon bemerkt, dass ihm das gefiel.

»Du redest nicht so viel den ganzen Tag wie die anderen Typen. Alle maulen rum, wie sinnlos hier alles ist. Die Betriebe, die Musik, das ganze Leben. Die treffen sich jede Woche, saufen, meckern. Immer dasselbe. Du bist da eher ein Stiller, das finde ich gut.«

»Na ja …«, meinte Falck, und damit war sein Vokabular auch wieder erschöpft.

»Hast du schon mal drüber nachgedacht, in den Westen zu gehen?«

»Noch nie«, krächzte Falck und schüttelte den Kopf.

»Komm schon, jeder hat mal darüber nachgedacht.«

Falck stützte sich auf den Ellbogen auf und sah ihr fest in die Augen. »Weißt du, da drüben muss man auch arbeiten und zusehen, wie man klarkommt. Die haben zwar bessere Autos, aber das muss man sich erst mal leisten können. Und immer musst du Angst haben, deinen Arbeitsplatz zu verlieren.«

Claudia sah ihm für einen Moment fest in die Augen, als unterzöge sie ihn einer Überprüfung.

»Siehste, so hat das von denen noch keiner betrachtet. Die denken alle, da drüben sei das reinste Paradies.«

So hatte wahrscheinlich auch sie es noch nie betrachtet, vermutete Falck.

Plötzlich setzte sie sich auf. »Warte hier, ich komme gleich wieder!« Und schon war sie aus dem Zimmer gehuscht. Falck richtete sich auf und setzte sich auf die Bettkante. Ich sollte gehen, dachte er sich, eigentlich sollte ich gehen. Das war hier nicht sein Auftrag. Und wenn er etwas mit ihr anfing, wie sollte er jemals erklären, wer er wirklich war?

Falck stand auf und langte nach seiner Jacke. Es war besser so, redete er sich ein. Da hörte er Claudia zurückkommen. Schnell warf er die Jacke wieder hin und setzte sich wieder. Zur Ablenkung nahm er sich eine *Bravo*. Auf dem Titelblatt war eine junge Frau abgebildet, Taylor Dayne. Der Name war ihm völlig unbekannt. Außerdem eine Band namens BROS und dieser Außerirdische Alf aus dem Fernsehen, von dem er bisher nur gehört hatte. Er blätterte in der Zeitung herum. Kein Wunder, dass sie hier nicht gern gesehen waren. Eigentlich müsste man jeder Zeitschrift eine Erklärung hinzufügen, dass nicht alles so bunt und schön war, wie es hier dargestellt wurde. In der Welt gab es trotzdem Kriege, geführt von der Nato und den Amerikanern, von denen wurde hier nichts gezeigt. Vietnam, Nicaragua, die Unterstützung der Mudschaheddin in Afghanistan, die Besetzung Grenadas, die Bombardierungen in Libyen, der Krieg am Persischen Golf, Arbeitslosigkeit, Armut, Wohnungsnot, Obdachlosigkeit. All das gehörte auch zum Kapitalismus. Davon stand hier natürlich nichts.

Claudia hüpfte wieder zu ihm aufs Bett. »Na, holst du dir Rat bei Doktor Sommer?«

Falck wusste nicht, was sie meinte, klappte die Zeitung zusammen und warf sie auf den Tisch. Er staunte nicht schlecht, als er Claudia nur in dem zu großen Männerhemd auf dem Bett sitzen sah, die Beine angewinkelt.

»Ich dachte, ich mach es dir ein bisschen leichter«, sagte sie mit ernster Miene. Falck betrachtete ihre nackten Knie. Jetzt wäre der Moment gekommen, aufzustehen und zu gehen. Stattdessen streckte er seine Hand aus und legte sie auf ihren Oberschenkel. Claudia beugte sich zu Falck, und ihre Lippen berührten sich. Er schob seine Hand höher, berührte ihre Hüfte, fühlte den Saum ihres Slips. Claudia schlang ihren Arm um seinen Nacken und ließ sich mit ihm nach hinten kippen. Vorsichtig schob er seine Hand unter das Hemd, bis zu ihrem Busen. Er rechnete insgeheim noch immer damit, dass sie ihn zurückweisen würde. Doch im Gegenteil, als er ihre Brust berührte, atmete sie heftiger und tastete sich mit der Hand zu seinem Gürtel vor. Mit einer gekonnten Bewegung öffnete sie die Gürtelschnalle und den Reißverschluss und langte ihm in die Hose. Seine Lust war ihm fast etwas peinlich, doch was ihre Finger mit ihm anstellten, fühlte sich gut an, und er wollte sich ganz und gar nicht mehr dagegen wehren.

»Bist auf einmal nicht mehr schüchtern, was?«, stieß sie leise aus, und Falck schmeckte ihren Atem in seinem Mund. Er begann, ihr das Hemd aufzuknöpfen, doch irgendwann verlor sie die Geduld und zog es sich über den Kopf. Dann half sie ihm, sein Oberteil auszuziehen. Als er sich wieder über sie beugen wollte, stieß sie ihn lachend beiseite. Blitzschnell hatte sie sich die Unterhose ausgezogen.

»So«, sagte sie, »jetzt du!« Mit angezogenen Knien saß sie auf dem Bett und sah ihn in einer Mischung aus Herausforderung und Verlegenheit an.

Falck setzte sich auf. Ihm war heiß, sein Herz klopfte wild, seine Lust schmerzte ihn. Ungeduldig versuchte er, sich seiner Hose und Unterhose zu entledigen. Claudia sah ihm amüsiert zu. Schließlich schubste sie ihn zurück und half ihm kichernd und mit gekonnten Handgriffen dabei. Als Falck endlich nackt vor ihr lag, sah sie ihn lange ernst an. Langsam legte sie sich auf ihn. Falk spürte die Hitze, die von ihrem Körper ausging, ihr Haar, das ihm ins Gesicht fiel, ihre Brust, die ihn sanft berührte. Er stöhnte auf vor Lust und ließ seine Hände ihren Rücken hinuntergleiten, bis zu ihrem Po. Länger konnte er es nicht mehr aushalten. Er hielt sie an der Hüfte fest und drängte sich ihr entgegen. Claudia flüsterte etwas, was er nicht verstand. Sie sah ihm dabei in die Augen und küsste ihn. Wie von selbst fanden sie zueinander, und endlich dachte Falck einmal an gar nichts mehr.

Zwei Stunden später zog Falck die Tür von Claudias Wohnung von außen zu. Er war verschwitzt, ungekämmt, alles an ihm roch nach Claudia.

Fast erschrak er, als er im Treppenhaus einer jungen blonden Frau begegnete. Auch sie trug Jeans und Nicki und eine Handtasche, die irgendwie nicht zu ihrem lässigen Outfit passte. Ihre blonden Haare waren zu einem Zopf gebunden, was sie strenger und älter aussehen ließ, als sie wahrscheinlich war. Falck schätzte sie auf Mitte zwanzig.

»Hallo«, grüßte er knapp.

Die fremde Frau erwiderte seinen Gruß leise und ging weiter die Treppe hinunter. Falck wartete einen Moment und ging dann nach oben in seine Wohnung. Er fühlte sich ausgelaugt, erschöpft und euphorisch zugleich, zufrieden und doch mit einem Rest schlechten Gewissens. Claudia gegenüber, weil er ihr nicht gesagt hatte, wer er wirklich war, Exner gegenüber, weil sich gezeigt hatte, dass er tatsächlich kein Rückgrat besaß, und auch Ulrike gegenüber, an die er in den vergangenen Stunden nicht mehr gedacht hatte. So schnell hatte er sie also vergessen.

Er hatte sich von Claudia verabschiedet mit der Begründung, noch etwas zu tun zu haben. Und Claudia hatte ihm einen Abschiedskuss auf die Wange gegeben, der sich fast unpersönlich angefühlt hatte. Oder redete er sich das nur ein? War er wirklich nur einer unter vielen? Sollte er sie morgen besuchen? Er hatte keine Ahnung, wie es weitergehen sollte. Er würde sich erst mal frisch machen. Und etwas essen. Und die Gedanken an die letzten zwei Stunden zügeln, die ihn schon wieder überrollen wollten.

»Tobias Falck?«, rief es von unten. Falck blieb stehen. Die Frau war von oben gekommen, und da wohnte nur er. War sie wegen ihm hier?

»Ja?«, fragte er.

Die Frau kam zurück.

»Genosse Obermeister?«, fragte sie leise.

»Ja, das bin ich. Und wer sind Sie?«

»Können wir sprechen?« Sie wirkte reserviert, und er fürchtete, sie würde ihm ansehen, was gerade in Claudias Wohnung geschehen war.

»Also, ich …«, begann er stockend.

»Leutnant Bach«, stellte sie sich leise vor. »VP Kriminalamt.«

»Oh, ich …« Falck wurde immer unsicherer. Mit einer Frau Leutnant hatte er noch nie zu tun gehabt, noch dazu kannte sie ihn offenbar. Umso schlimmer, dass sie ihn in diesem Zustand aus Claudias Wohnung hatte kommen sehen. Würde sie das in einem Bericht anmerken? Falck deutete mit der Hand nach oben.

Leutnant Bach schüttelte den Kopf. »Nicht in der Wohnung, wir gehen eine Runde spazieren.«

»Gut, ja, gern.« Falck ließ ihr den Vortritt, und während sie die Treppe hinuntergingen, überlegte er angestrengt, wie er die peinliche Begegnung vor Claudias Tür erklären sollte. Doch egal, wie er es anstellte, es hörte sich immer nach einer schlechten Ausrede an.

»Da lang!«, sagte Bach und deutete nach links, in Richtung Rothenburger Straße. »Gehen wir zur Elbe.«

Sie gingen ein paar Schritte, bis sich Falk ein Herz fasste. »Genosse Leutnant«, begann er, »ich wusste ja nicht …«

Die Frau hob die Hand. »Sagen Sie Steffi. Oder Stefanie. Ich will auch nichts über Ihre Befehle hier wissen, ich bin in einer anderen Angelegenheit hier. Durch Zufall erfuhr ich, dass Sie gestern Nacht einen Mann verfolgt haben.«

Falck warf ihr einen prüfenden Blick zu. Der Bericht war für Exner gewesen. Wieso wusste sie davon?

»Ja, ich habe ihn offenbar dabei gestört, als er sich an einem Jungen vergreifen wollte.«

»Wie kommen Sie zu dem Schluss?«

»Er war mit dem Jungen im Gebüsch. Als ich mich bemerkbar machte, kam der Junge weinend rausgerannt. Ich lief ihm ein Stück hinterher, ich wusste ja von dem Mann noch nichts. In der Zeit ist er abhauen«, fügte Falck als Entschuldigung hinzu.

»Was sagte Ihr Vorgesetzter dazu?«, fragte Bach.

»Oberleutnant Exner maß dem keine Bedeutung bei. Er tat auch die anderen Vorfälle ab, von denen ich berichtete.«

»Welche waren das?«

»Frau Pliske und Frau Hauke. Das waren die beiden Frauen, die angegriffen wurden, von denen der Täter dann aber plötzlich abließ.«

Nun sah Steffi Bach ihn an. »Von Pliske weiß ich, von Frau Hauke nicht.«

»Nadine Hauke.« Falck räusperte sich. Nur zu gerne wollte er seine Theorie erläutern. Er zögerte kurz, denn er wollte sich auf keinen Fall ein zweites Mal lächerlich machen. Dann begann er zu reden.

»Es ist auffallend, dass beide Frau ihre Haare sehr kurz tragen. Auf den ersten Blick könnten sie auch als junge Männer durchgehen. Ich vermute, dass der Mann im Gebüsch mit dem bei den Überfällen identisch ist. Er glaubte, Pliske und Hauke seien Jungs. Als er seinen Irrtum bemerkte, ließ er von den Frauen ab.«

Bach wiegte nachdenklich den Kopf. Immerhin tat sie sie nicht von vornherein ab. »Wir haben es seit einiger Zeit mit einem Exhibitionisten zu tun, der vor Jungen und Mädchen sein erigiertes Geschlecht entblößt. Ich halte es für möglich, dass wir hier von ein und derselben Person sprechen.«

»Haben Sie von Leutnant Wetzig gehört? Das ist der ABV, der letzte Woche starb. Ich glaube, dass der Mann, den wir suchen, ihn umgebracht hat. Besser gesagt waren zwei Männer beteiligt. Sie fahren auf einer Simson durch die Gegend. Ich habe sie gesehen. Exner will mir das aber nicht abnehmen.«

»Aber warum sollten diese Männer Frauen überfallen und dann von ihnen ablassen?«

»Das meine ich ja. Weil sie glaubten, es wären Jungen.«

Stefanie Bach schwieg, der Gedanke schien ihr wohl doch zu abwegig zu sein.

Mittlerweile waren sie am Rosengarten angekommen.

»Darf ich fragen, was Sie jetzt direkt damit zu tun haben?«, fragte Falck.

Steffi Bach sah sich kurz um. »Ich habe in meiner Abteilung mit Sexualdelikten zu tun.« Sie grinste etwas gequält. »Ich bin ich da gelandet, weil ich eine Frau bin. Eigentlich hatte ich mir etwas anderes vorgestellt.«

Falck nickte automatisch, obwohl er keine Ahnung hatte, was sie sich vorgestellt hatte. In seinen Augen gab es genügend andere Berufe, die besser für Frauen geeignet waren.

»Und was ist Ihr Aufgabenbereich?«, versuchte er sein Interesse zu bekunden.

Bach maß ihn kurz mit einem abschätzenden Blick, kam aber offenbar zu einem eher ungünstigen Urteil. »Hauptsächlich bin ich dort Ansprechpartner für betroffene Frauen. Opfern von Gewalttaten und Sexualdelikten fällt es oft schwer, über das Geschehene zu sprechen. Frauen gegenüber können sie sich besser öffnen. Inzwischen darf ich den Vernehmungen beiwohnen, die häufig eine Tortur für sie sind.«

»Wieso das denn?«, fragte Falck.

»Dann stellen Sie sich doch mal vor, Sie sitzen zwei, drei Männern gegenüber, nachdem sie gerade vergewaltigt wurden, und sollen denen erklären, was geschehen ist. Die Genossen sind meist wenig verständnisvoll und gehen manchmal auch regelrecht rabiat vor. Noch dazu …« Bach sah sich wieder prüfend um, und Falck machte es ihr reflexartig nach. Aber es gab niemanden, der ihnen folgte.

»… noch dazu haben Sie bestimmt auch schon bemerkt, dass es nicht erwünscht ist, solchen Delikten nachzugehen. Die meisten Frauen«, fuhr Bach fort, »erstatten danach meist keine Anzeige, weil sie sich nicht noch einmal einer solchen Befragung unterziehen wollen. Sie bekommen keine Unterstützung, obwohl sie völlig verängstigt sind und oft auch körperliche Schäden davontragen.«

»Aber warum bekommen sie keine Unterstützung?«, fragte Falck.

»Weil nicht sein kann, was nicht sein darf!«, erklärte sie angesichts von Falcks Begriffsstutzigkeit in verärgertem Tonfall.

»Also, ich bin seit einigen Jahren auf Streife und höre nur selten von solchen Delikten. Dieser Kerl, der mir entkommen ist, war der erste Fall.«

»Sag ich doch, weil es unter den Teppich gekehrt wird. Was glauben Sie, wie viele Frauen allein in der Ehe vergewaltigt werden? Die schweigen, weil sie sich schämen, weil ihnen gesagt wird, sie sollen sich nicht so haben.«

»Was heißt denn in der Ehe vergewaltigt?«, fragte Falck nach.

Jetzt sah Stefanie Bach ihn mit einem wirklich verzweifelten

Blick an. »Mensch, was ist denn daran nicht zu verstehen? Vergewaltigt! Vom eigenen Ehemann!«

»Aber wieso vergewaltigt, wenn es doch ihr Mann ist?«, sagte Falck und erkannte im selben Moment, dass es wohl das Falscheste war, was er hätte sagen können. Er hatte es auch gar nicht so gemeint. Er fragte sich nur, wieso ein Mann seine Frau vergewaltigen sollte.

Steffi Bach ballte die Hände zu Fäusten und funkelte ihn wütend an.

»Wie kann man nur so ahnungslos sein!«, stöhnte sie. »Wenn eine Frau mit ihrem Mann keinen Geschlechtsverkehr haben will und Nein sagt, von ihm aber mit Gewalt dazu gezwungen wird, ist es natürlich eine Vergewaltigung! Auch wenn es nach dem Gesetz nicht so ist«, setzte sie noch nach. »Und was meinen Sie, wie viele Kinder sexuell missbraucht werden?«

Falck beschränkte sich darauf, ein fragendes Gesicht zu machen.

»Das passiert meistens in den Familien. Und natürlich gehen die auch nicht zur Polizei, dafür schämen sie sich viel zu sehr. Die wissen gar nicht, wem sie das erzählen sollen, weil es keine offizielle Stelle dafür gibt. Im Jugendamt nimmt man so etwas entgegen und leitet es direkt an uns weiter, und da landet es dann auf dem Schreibtisch von irgendeinem Genossen, der nicht glauben will, dass es so etwas überhaupt gibt.«

»Also, ich kann das, ehrlich gesagt, auch nicht glauben«, murmelte Falck und verstummte, als er die versteinerte Miene der Frau sah.

Schweigend gingen sie nebeneinander durch den Rosengarten.

»Ich meine«, begann Falck dann vorsichtig, »ich weiß schon, dass manche Väter ihre Kinder verprügeln. Das sind oft Alkoholiker …«

Bach blieb unvermittelt stehen und sah ihn direkt an. »Vergessen Sie es, ja?«, sagte sie, aber eher resigniert als zornig. »Ich dachte … Ach, egal.« Sie drehte um und lief den Weg zurück, den sie gekommen waren. Falck stand starr da und folgte ihr erst mit einiger Verzögerung.

»Was haben Sie denn gedacht?«, fragte er, als er sie eingeholt hatte.

»Egal. Bitte vergessen Sie das einfach, ja?« Leutnant Bach lächelte ihn knapp an. »Es steht mir gar nicht zu.«

»Was denn? Was steht Ihnen nicht zu?« Falck war die Situation unangenehm. Sie hatte sich offenbar Hilfe von ihm erhofft, und er hatte sie mit seiner naiven Nachfragerei abgewiesen.

»Bitte, es ist wirklich nicht wichtig«, wehrte sie ihn noch einmal ab. »Ich hätte Sie damit gar nicht belästigen sollen. Ich muss jetzt da lang!« Sie deutete auf die Brücke der Einheit. »Tschüss!«

Bach bog nach links ab, obwohl sie bis zur Brücke noch gemeinsam hätten gehen können.

So viel verstand Falck, dass er ihr besser nicht mehr hinterherlaufen sollte.

15

»War jemand da für dich!«, empfing ihn Christian am offenen Fenster, als Falck wenig später zurückkam.

»Und wer?«, fragte Falck.

»Hat sich nicht vorgestellt«, sagte Christian unfreundlich, »nur nach dir gefragt.«

Falck blieb ruhig. Christian war extrem sauer. Er war ganz klar verliebt in Claudia. Und bestimmt hatte er irgendetwas mitbekommen.

»Und sonst? Schönen Tag gehabt?«, fragte Christian gehässig.

»Na ja, ging so.«

»Wegen deiner Simse was erreicht?«

»Nichts. Wie sah denn der aus, der nach mir gefragt hat?«

»Keine Ahnung. Groß, schlank, dunkle Haare.«

»Keine Ahnung, wer das gewesen sein soll.« Falck wusste es wirklich nicht. »Na, ich geh dann mal rein, hab noch zu tun.« Er winkte lässig und wollte ins Haus.

»Warst du bei Claudia vorhin?«, fragte Christian nun doch weiter, ohne seinen Unmut verbergen zu können.

»Kann sein«, wich Falck aus.

»Und? Habt ihr's getrieben?«, fragte Christian und bleckte seine Oberlippe wie ein wütender Hund.

»Das geht dich nichts an.« Jetzt war Falck doch sauer. Er ließ ihn stehen und schloss die Haustür auf.

Doch so leicht wurde er Christian nicht los, der jetzt in der geöffneten Wohnungstür stand.

»Das macht sie übrigens mit jedem!«, rief er ihm zu, während Falck noch den Briefkasten öffnete. Er war leer. Nur mit dir nicht, erwiderte Falck in Gedanken und ging wortlos die Treppe hinauf. Unten warf Christian seine Wohnungstür wütend zu.

Falck schüttelte halb belustigt und halb verärgert den Kopf. Und er stellte fest, dass sich seine Laune gebessert hatte. Was immer Claudia sonst tat, das ging ihn nichts an. Und an Ulrike wollte er sowieso nicht denken. Für diesen Moment beschloss er, das Leben einfach zu nehmen, wie es war. Der Abend war viel zu schön, um ihn in der langweiligen muffigen Bude zu verbringen. Er könnte spazieren gehen, um darüber nachzudenken, wie er am besten an die beiden Typen im Abbruchhaus herankam. Er drehte noch auf der Treppe um und verließ das Haus.

Auf der Rothenburger holte er sich ein Eis und schlenderte weiter Richtung Straße der Befreiung und Goldener Reiter. Die Straße hatte man vor einigen Jahren aufwändig renoviert, neue Wohnungen gebaut, die heiß begehrt und sofort vergeben waren, und diverse Läden eingerichtet. Jetzt war es allerdings schon achtzehn Uhr und die Geschäfte hatten geschlossen. Ein paar Passanten und diverse Jugendliche in kleineren Gruppen waren noch unterwegs.

Auf dem Platz der Einheit ging er an dem hoch aufragenden sowjetischen Ehrendenkmal vorbei. Da bemerkte er einen Mann mit einem kleinkalibrigen Gewehr. Falck wusste, dass man gelegentlich einen Jäger in die Innenstadt auf Taubenjagd schickte, um der Überzahl der Vögel Herr zu werden. Bei einer Ruine blieb der Mann stehen und spähte mit einem Feldstecher das kaputte Dach aus.

Falck hatte sein Eis aufgegessen und folgte dem Mann, aus purer Neugier.

»Schon Erfolg gehabt?«, fragte er, als er ihn eingeholt hatte.

»Hab gerade erst angefangen«, erwiderte der Mann.

»Na dann, Weidmannsheil!«

»Weidmannsdank!«, erwiderte der Jäger.

Falck wollte weitergehen, da fiel ihm eine Gruppe von etwa zwölf-, dreizehnjährigen Jungen auf, die sich an der nächsten Kreuzung postiert hatten und den Jäger neugierig beobachteten.

Falck stutzte. Den einen kannte er.

»Sag mal …«, sprach er ihn an. Doch weiter kam er nicht, denn der Junge hatte sich umgedreht und war wie der Blitz davongerannt. Falck wollte seinem ersten Impuls folgend hinterherrennen, dann hatte er eine bessere Idee. Er nahm seinen Dienstausweis heraus und wandte sich an die anderen, die erstaunt ihrem Freund hinterhersahen.

»Passt auf, Jungs. Ich bin Polizist. Und ich will von euch wissen, wie euer Freund heißt, der gerade abgehauen ist. Und wo er wohnt. Und wehe, ihr lügt mich an!«

16

Als er in die Pulsnitzer einbog, war kein Mensch mehr auf der Straße. Rechts von ihm erkannte er den Friedhof, links eine Häuserzeile. Das vierte Haus schien leer zu stehen, die Durchfahrt war offen. Es würde nicht mehr lange dauern, bis es ganz dunkel war. Falck sah sich noch mal um, fühlte sich unbeobachtet und betrat das Haus. Mit leisen schnellen Schritten ging er an vernagelten Türen vorbei in den Hof. Das Hinterhaus war ebenso baufällig und der Hof gepflastert, aber längst überwuchert. Er zuckte zusammen, als plötzlich das helle Motorengeräusch einer Simson erklang. Hastig wich er zurück ins dunkle Haus. Das Moped näherte sich bedrohlich schnell. In letzter Sekunde konnte er sich in den Treppenaufgang retten, sprang fünf, sechs Stufen hoch. Im nächsten Augenblick fuhr das Moped durchs Haus. Falck war nur ein schmaler Spalt zwischen dem Treppengeländer geblieben, doch der reichte aus, um die beiden Männer mit dem blauen und dem braunen Helm zu erkennen. Falck verließ sein Versteck erst, als er sich sicher glaubte, und verfolgte dann im Hof die Spuren des Zweirads durchs Unkraut. Sie führten am Hinterhaus vorbei, zwischen Hauswand und Mauer entlang zu einem zweiten Hof, in dem ein Holzschuppen und ein kleineres Haus standen, das durchaus noch bewohnbar zu sein schien.

Falck drückte sich dicht an die Mauer. Er wollte verhindern, dass er aus den umliegenden Häusern eventuell beobachtet und als verdächtig gemeldet werden würde. Noch war es nicht dunkel genug. Er schlich erst zum Schuppen und warf einen

Blick durch das kleine Fenster. Er wusste nicht, was er eigentlich suchte, doch er war sich sicher, er würde es schon erkennen, wenn er es sah. Vielleicht irgendetwas, das die beiden mit Wetzig verband?

Die Tür zum Haus war nicht verschlossen. Er lauschte hinein. Es konnte durchaus sein, dass die beiden nicht allein hier wohnten. Doch es war komplett still. Falck nahm allen Mut zusammen und trat ein.

Die beiden hatten sich in der Erdgeschosswohnung breitgemacht. Wohnlich würde es Falck nicht nennen. In den Zimmern standen überall leere Flaschen und offene Konservenbüchsen herum, in einem zweiten Zimmer lagen Matratzen auf dem Boden zu erkennen. Die Toilette war in einem erbarmungswürdigen Zustand. In einem weiteren Raum entdeckte Falck ein Damenrad. Es musste sich um das handeln, welches der Verfolgte der Frau am Alaunplatz aus den Händen gerissen hatte. Ein Fernseher, ein paar Kassettenrekorder und verschiedene kleinere Haushaltsgeräte deuteten auf Diebesgut hin.

Falck kam rechtzeitig ins erste Zimmer zurück, um durch das Fenster eine Bewegung im Hof zu bemerken. Er duckte sich, überlegte hektisch, wohin er flüchten könnte. Doch es war schon zu spät, ein leises Quietschen verriet, dass die Haustür geöffnet wurde. Schnell zog er sich ins hintere Zimmer zurück, von wo aus ihm nur das Fenster zur Rückseite als Fluchtweg blieb. Hoffentlich würde es sich öffnen lassen. Sich den beiden Männern in den Weg zu stellen, wagte er nicht. Sie waren zu zweit und, falls er mit seiner Theorie richtiglag, sicherlich zu allem bereit.

Falck eilte leise zum Fenster und war erleichtert, als es sich lautlos öffnen ließ. Er zog sich hoch, stieg auf die Fensterbank und sprang hinunter ins Dunkel. Es handelte sich geschätzt um zwei Meter, und Falck war froh, als er verletzungsfrei auf dem sandigen Boden gelandet war. In der Wohnung oben klirrte es, und jemand fluchte leise. In Panik sah Falck sich um, aber außer dem dürren Gebüsch an der Mauer bot sich nichts als Versteck an. Auf allen vieren kroch er hinein. Die Finsternis war seine Verbündete, am helllichten Tage wäre er aufgeschmissen gewesen.

Einer der Männer trat jetzt ans Fenster, er hatte seinen Helm immer noch nicht abgenommen.

»Hast du das Fenster aufgelassen?«, fragte der Mann über die Schulter hinweg und erhielt eine Antwort, die Falck zu seinem Leidwesen nicht verstand.

»Musst du doch wissen!«, schimpfte er, beugte sich noch einmal aus dem Fenster.

»Willste behaupten, dass ich blöde bin?«, fragte er dann wieder drohend nach drinnen. Falck ahnte, das war noch nicht ausgestanden. Der Mann am Fenster zog sich zurück, diese Zeit musste er nutzen. Doch wie sollte er wissen, auf welcher Seite der Typ ums Haus kam? Sollte er es darauf ankommen lassen und loslaufen, den Mann einfach umrennen, wenn sie sich begegneten? Falck sah hinauf und schätzte die Höhe der Mauer. Ungefähr drei Meter hoch. Das war machbar, überlegte er, und schob sich aus dem Gebüsch, das knisterte und knackte. Er ging ein Stück zurück, um Anlauf nehmen zu können. Dann rannte er auf die Mauer zu und sprang ab. Mit den Händen bekam er die Oberkante zu fassen, zog sich mit aller Kraft hoch, schwang das rechte Bein hoch, wie er es auf der Hindernisbahn der NVA gelernt hatte. Auf dem Dach des niedrigen Gebäudes blieb er flach liegen. Auf der anderen Seite knirschten Schritte im Sand.

»Hab ich doch gesagt«, flüsterte jemand.

»Sag du mir nicht, was ich gesehen und gehört hab«, erwiderte der andere aggressiv.

»Aber hier ist doch niemand!«, widersprach der Erste.

»Ach, mach's Maul zu!«, knurrte der andere. Dann entfernten sich die Schritte. Falck atmete erleichtert aus. Fast wäre er in hysterisches Gelächter ausgebrochen. Das war knapp gewesen. Doch immerhin hatte er nun Ergebnisse. Das hier konnte man nicht ignorieren.

17

Oberleutnant Exner las Falcks Bericht und kratzte sich am Hals.

»Die Sache mit der Toten hat sich also erledigt, Falck. Tja, buchen Sie es als Erfahrung, wer weiß, wofür es noch mal gut ist.«

Falck versuchte seine Nervosität zu verbergen. Wegen dieser Sache war er nicht hier. Die ganze Nacht hatte er an seinem Bericht geschrieben, nicht geschlafen und war zu Dienstbeginn umgehend auf dem Revier erschienen, um Exner zu sprechen

»Die andere Sache ... na ja, ich weiß ja nicht. Wetzig kriminelle Machenschaften zu unterstellen, lieber Genosse ...«

»Es ist doch nur ein mögliches Szenario, Genosse Oberleutnant.«

»Mögliches Szenario«, wiederholte Exner und schmunzelte. »Grundsätzlich erscheint mir dieses Szenario recht plausibel. Aber Sie sind längst nicht in der Position, irgendwelche Aktionen zu befehlen. Sofortige Hausdurchsuchung. Festnahmen.«

»Ich weiß, dass ich nicht in der Position bin, deshalb komme ich ja zu Ihnen. Ich habe auch in der Nacht im Kriminalamt angerufen, wurde jedoch abgewiesen, nachdem ich fast zwanzig Minuten am Telefon gewartet habe.«

»Wen wollten Sie denn da sprechen?«, fragte Exner misstrauisch.

»Hauptmann Schmidt, der war doch für diesen Fall zuständig. Ich glaube, man hat ihn daheim angerufen, er war offenbar nicht erreichbar.« Oder hatte keine Lust auf eine Nachtschicht, setzte Falck in Gedanken fort.

Exner war beleidigt und fühlte sich anscheinend übergangen. »Na ja, wenn Schmidt als Hauptermittler dem keinen Wert beigemessen hat, wieso soll ich das dann?«

Hier verging mal wieder wertvolle Zeit mit sinnlosem Geschwätz, dachte sich Falck, wusste aber trotzdem nichts darauf zu antworten. Doch offenbar war das keine schlechte Strategie. Immerhin schien sein Bericht so glaubwürdig zu sein, dass Exner nach wenigen Sekunden nach dem Telefonhörer griff.

»Warten Sie draußen!«, befahl er.

Falck sprang auf, salutierte und verließ den Raum.

»Falck!«, rief es einige Minuten später.

Falck, der absichtlich ein Stück von der Tür entfernt gewartet hatte, eilte in Exners Büro. Da der Oberleutnant keine Andeutungen machte, dass er sich setzten sollte, blieb er stehen.

»Folgendes. Schmidt hat der Aktion zugestimmt. Um elf werden die Genossen vor Ort sein. Schmidt bestand darauf, dass Sie mit anwesend sein sollen! Darüber hinaus betrachten Sie die Aktion als beendet. Holen Sie Ihre Sachen aus der Wohnung, und ab morgen treten Sie wieder Ihren normalen Dienst an.«

»Jawohl, Genosse Oberleutnant.« Falck salutierte noch einmal und glaubte sich entlassen. Er war zutiefst enttäuscht. Um elf war viel zu spät, das waren noch fast vier Stunden. Jetzt musste man handeln, wenn es nicht sowieso zu spät war. Noch in der Nacht hätte man den Männern auflauern müssen. Darüber hinaus hatte man das Vertrauen in ihn verloren, so dass er zum normalen Dienst zurückbeordert wurde.

Exner jedoch entließ ihn noch nicht. »Moment noch! Ist Ihnen eine Bürgerin namens Brauer Ulrike bekannt?«

Falck erstarrte. »Ja. Das war meine Verlobte.«

»Sie war es?«

Falck nickte. »Wir haben die Verlobung aufgelöst.«

»Ah ja?« Exner sah Falck unverwandt in die Augen. »Wissen Sie, dass diese Frau zusammen mit ihren Eltern Antrag auf Ausreise gestellt hat?«

»Nein, das wusste ich nicht«, brachte Falck hervor. Sie hatte es also getan. Sie war ihm so gewaltig in den Rücken gefallen, wie es nur irgend möglich war.

»Haben Sie eine Erklärung dafür, Genosse Falck?«, fragte Exner.

»In der Familie herrschte immer schon eine latente Unzufriedenheit. Es wurde nie ausgesprochen, doch es war ihnen deutlich anzumerken, dass sie unserem Staat gegenüber nie wirklich loyal waren.«

»Haben Sie nicht dagegen agitiert?«

»Doch, natürlich Genosse Oberleutnant. Bei jeder Gelegenheit.«

»War dies letztlich der Grund, warum Sie die Verlobung aufgelöst haben?«

Nun hätte Falck beinahe gelacht, denn Exner mit seiner altmodischen Einstellung, ging natürlich davon aus, dass er als Mann das entschieden hatte. »Jawohl«, sagte er und fragte sich, was geschehen war, dass ihm das Lügen so leichtfiel.

Exners strenger Blick wurde freundlicher. »Das war wohl keine leichte Entscheidung«, mutmaßte er. »Aber Sie haben richtig gehandelt. So kann ich das besten Gewissens weitergeben.« Exner erhob sich und war um seinen Tisch herumgekommen. Dann streckte er die Hand aus. Falck griff erstaunt zu.

»Ich wurde von der Bezirksleitung informiert, dass Sie zur Ausbildung zum mittleren Dienst zugelassen wurden. Gratulation! Auch wenn mir dadurch ein guter Mann verloren geht. Die Unterlagen können Sie sich in den nächsten Tagen in der Bezirksbehörde abholen!«

Er verließ das Revier und lief los, ohne zu wissen, wohin. Die unterschiedlichsten Gefühle kämpften in ihm, verwischten ihm die Sicht und ließen seine Augen brennen. Innerhalb von wenigen Tagen hatte sein Leben mehrere unerwartete Wendungen genommen. Neben Trauer und Erleichterung empfand er vor allem Wut über Ulrikes Verhalten. Sie musste gewusst haben, dass sie mit ihrem Ausreiseantrag auch in sein Leben massiv eingriff.

Trotzdem musste er sich eingestehen, dass ihm Ulrike fehlte. Er vermisste ihre Albernheiten, ihr verlegenes Lächeln, er vermisste ihren Geruch und ihr grünes Kleid, das er immer schon von Weitem hatte leuchten sehen. Und er vermisste ihre gemeinsamen Spaziergänge. Manchmal war er in Gedanken sogar schon mit ihr und den Kindern, die sie mal haben wollten, spazieren gegangen. Und wie schön hatte sich die Vorstellung angefühlt, wie sie ihn am Bahnsteig abholen würde, wenn er von einer Ausbildung nach Hause käme.

Stattdessen hatte sie das Ende sehr gründlich vorbereitet. Und so hinterhältig war ihr Verrat gewesen, dass es doppelt und dreifach wehtat. Falck unterdrückte die Tränen, die seine Augen füllten, und ignorierte den Klumpen in seinem Magen. Sollte sie doch in den Westen gehen und dort ganz unten anfangen. Mit nichts. Mit einem halben Studium, das da drüben sowieso nichts wert war. Sollte sie doch stundenlang beim Arbeitsamt anstehen, mit Tausenden anderen. Sie würde schon noch bereuen, dass sie ihn und die DDR verlassen hatte. Er blieb jetzt stehen und musste tief durchatmen.

Er vermisste sie so sehr, dass es ihm in der Brust schmerzte.

18

Punkt elf Uhr war Falck vor Ort. Er stand etwas abseits und beobachtete die Polizisten, die das Gelände absuchten, den Schuppen und das Haus durchkämmten. Es hatte keinen Sinn. Es war zu spät. Schon als sie gekommen waren, hatte der Schuppen offen gestanden und war leer gewesen. Falck musste gar nicht in die Wohnung gehen, um zu sehen, dass da niemand mehr war, kein Fahrrad, kein Diebesgut.

Schmidt kam aus dem Haus, wischte sich die Hände ab und holte die Zigarettenschachtel aus der ausgebeulten Hemdtasche. Mit der brennenden Kippe im Mundwinkel schlenderte er nun auf Falck zu. Schweigend lehnte er sich neben Falck an die Wand.

»Waren Sie gestern da drin?«, fragte er.

»Jawohl«, antwortete Falck müde.

»Entgegen Ihrer Befehle?«

»Jawohl, ich hielt es für angebracht.«

»Kannste mal mit diesem bescheuerte *Jawohl* aufhören!«, raunzte Schmidt. »Da drinnen sind nur leere Flaschen und Kippen. Und ein hübsches Andenken im Klo. Sonst nichts.«

»Man muss Fingerabdrücke nehmen und Speichelproben.«

Schmidt brachte Falck mit einem mahnenden Zeigefinger zum Schweigen. »Sie müssen uns schon auch etwas zutrauen«, meinte er bitter ironisch.

Falck ersparte sich jegliche Erwiderung. Er wusste, dass jede Art von Reaktion nicht gut gewesen wäre.

Schmidt rauchte in Ruhe seine Zigarette auf. Es störte ihn

offensichtlich nicht, dass der Rauch Falck direkt ins Gesicht wehte. Schließlich warf er die Kippe weg.

»Wetzig hatte ein Komma eins Promille im Blut«, sagte er in etwas versöhnlicherem Ton. »Er muss müde gewesen sein, vielleicht hatte er Kopfschmerzen. Sein Bruder hatte am Vorabend Geburtstag gefeiert, den Nachbarn zufolge waren die Wetzigs erst um ein Uhr nachts daheim. Am Geländer haben wir seine Abdrücke von Fingern und Handfläche gefunden. Nicht am Handlauf, sondern in den Streben. Er hat wohl versucht sich festzuhalten und ist nach unten gerutscht. Dass er so mit dem Kopf aufschlug, war einfach Pech. Da reichen fünf Meter, und die Murmel platzt.«

Schmidt stieß sich von der Wand ab und salutierte so lässig, dass es fast schon eine Beleidigung war. Falck sah ihm nach.

19

Falck warf noch einen raschen Blick in die Wohnung, die für kurze Zeit sein Zuhause gewesen war, hatte aber nichts weiter zu holen außer seinem Rucksack mit den wenigen Kleidungsstücken, seinem Wecker, einer Flasche *Karena*-Limonade und den restlichen Lebensmitteln. Er war froh, hier wegzukommen, von dem muffigen Sofa, dem knarzenden Fußboden und dem Klo auf halber Treppe.

Sorgfältig schloss er die Tür ab und lief die Treppe hinunter. Vor Claudias Wohnung blieb er stehen und hob zögernd die Hand zum Klopfen. Sie war jetzt zurück von der Arbeit und würde später noch einmal hingehen, er hörte sie in der Küche klappern. Im Radio lief DT64, der Sender, den er auch zuhause immer hörte. Was sollte er ihr sagen? Hallo, Claudia, ich bin gar kein Heizer, sondern Polizist. Sind wir jetzt eigentlich ein Paar, oder war das ein Zeitvertreib?

Falck ließ die Hand wieder sinken. Bestimmt war es besser, alles blieb, wie es war. Er würde sowieso keine Zeit haben, jetzt, wo er zur Weiterbildung delegiert war. Und wenn er ehrlich war, hatte er noch immer Ulrike im Kopf.

Als er Schritte im Flur hörte, hatte es Falck plötzlich sehr eilig, von hier wegzukommen. Er wollte Claudia nicht noch einmal begegnen. Jetzt rannte er fast die Treppe hinunter, warf den Schlüssel unten in den Briefkasten, wie es ausgemacht war, und wollte das Haus verlassen. Dabei prallte er beinahe mit Christian zusammen, der im Begriff war, das Haus zu betreten.

»Hallo«, grüßte Falck und vermied den Augenkontakt. Er drängte sich an ihm vorbei.

»Auch hallo«, erwiderte Christian, und Falck wagte es nicht, sich umzusehen. Er war sich sicher, dass Christian ihm hinterhersah.

Bloß weg hier, dachte Falck. Doch bevor er zu sich fuhr, wollte er noch etwas erledigen.

»Leutnant Bach ist versetzt worden, Genosse Falck«, sagte die Sekretärin, nachdem sich Falck in Stefanie Bachs Abteilung im Kriminalamt durchgefragt hatte.

»Versetzt? Gestern war sie doch …?«

»Ja, das ging heute sehr schnell.«

»Und Sie können ihr auch nichts ausrichten?«

»Nein, sie ist gar nicht mehr da, wie gesagt …« Die Frau sprach den Satz nicht zu Ende und sah ihn teilnahmslos an.

»Und wohin ist sie versetzt worden, wenn ich fragen darf?«

»Ins Landwirtschafts- und Forstministerium«, antwortete die Frau schnell und hob für einen kurzen Augenblick die Augenbrauen. Falck schloss daraus, dass er wohl nicht weiter fragen sollte. Offenbar war Stefanie Bach schon vor längerer Zeit in Ungnade gefallen, dass man sie so schnell versetzt hatte, noch dazu in eine völlig andere Abteilung, weg von der Polizei. Dass sie ihn gestern aufgesucht hatte, musste wohl das Fass zum Überlaufen gebracht haben. Hoffentlich glaubte sie nicht, dass es seine Schuld wäre.

ZWEI

Herbst 1989

1

Es war still auf dem Laster, als sie irgendwann mitten in der Nacht heimfuhren. Die Kälte der Oktobernacht kroch ihnen unter die Uniform. Die Erschöpfung überrollte sie. Falck sah nach hinten, die Heckplane war hochgerollt. Die Lichter des ihnen folgenden Lasters glitten über die wächsernen Gesichter der Männer. Keiner sagte etwas, im gleichen Takt schwankten sie mit den Bewegungen des Fahrzeuges. Es ging zurück nach Aschersleben.

Es war noch mal gut gegangen. Sie hatten nicht kämpfen, niemanden niederknüppeln müssen, weder Männer noch Frauen, Menschen, die ihre Väter und Mütter hätten sein können, ihre Brüder und Schwestern. Es hatte keine chinesische Lösung gegeben, wie sie alle befürchtet hatten. Auch wenn zuvor immer wieder die Kampfbereitschaft der Truppen beschworen wurde, auch wenn es hieß, man solle den Sozialismus aufs Blut verteidigen. Doch niemand hatte geschossen. Vorerst. Stattdessen hatte man sich geschlagen gegeben und zurückgezogen.

Doch was war da geschehen? Was würde das für die nächsten Tage bedeuten, die nächsten Monate? Das konnte nicht ignoriert werden, hier konnte man nicht so tun, als sei nichts gewesen.

»Habt ihr das gehört?«, flüsterte jemand. »Die Unteroffiziersschüler von den Luftstreitkräften in Bad Düben haben sich dem Marschbefehl verweigert.«

»Welchem Marschbefehl?«, fragte einer.

»Na, dem nach Leipzig! Andere angeblich auch.«

»Einfach verweigert?«

»Blödsinn!«, zischte ein anderer. »Woher willst du das denn wissen?«

»Das hat mir jemand gesteckt vorhin.«

»Wer soll das denn gewesen sein?«

»Weiß ich doch nicht! Aber es war einer in Uniform!«

»Das ist Unsinn! Das wäre Befehlsverweigerung!«

»Dann wäre es das eben«, raunte jemand heiser. Falck erkannte die Stimme, das war Karl-Heinz aus Leipzig.

»Kalle! Psst«, mahnte eine Stimme.

»Mensch, das können die nicht durchgehen lassen. Das kommt ins Westfernsehen, dann sehen das alle, und dann gehen die überall auf die Straße. Das gibt noch was, sag ich euch«, orakelte ein Kamerad, und es wurde wieder still.

Falck versank ins Grübeln. Sein Vater hatte ihm neulich von Anke erzählt. Falcks Schwester war Ärztin, und angeblich hatten sie extra Blutkonserven und extra Betten angefordert. Alle Ärzte standen in Bereitschaft. Wenn das mal kein Zeichen war.

»Wie soll denn das ins Westfernsehen kommen?«, fragte jemand leise.

»Irgendjemand filmt immer. Ihr seht doch, dass immer wieder was ins Fernsehen kommt. Verräter gibt's überall.«

»Was heißt denn hier *Verräter*?«, fragte Karl-Heinz, »das wäre doch nicht gelogen, du hast doch die Leute gesehen.«

»Klar sind's Verräter. Mit so einer Aktion verraten sie unser Land! Fragt sich, was mit dir ist, du bist doch auch in der Partei!«, fragte der andere. Es könnte Holger sein, mutmaßte Falck, dessen Vater war selbst Polizeimajor. Er schien auf Krawall aus, wollte Streit provozieren, und viele vermuteten, dass er für die Stasi Augen und Ohren offen hielt unter den Mitschülern seines Lehrgangs.

»Wir sind alle in der Partei!«, gab ein anderer die Antwort. »Und jetzt einfach alle das Maul halten!«

2

»Die können nicht einfach so tun, als wäre nichts gewesen«, murmelte Alex.

Gemeinsam liefen sie vom Sportgelände zurück zum Wohngebäude. Falck schwitzte vom Dauerlauf. Noch immer hing ihm das Gesehene von gestern nach. Heute war der Unterricht einfach so weitergegangen wie jeden Tag. Dabei hatten sie gerade im Staatsbürgerkundeunterricht erwartet, dass ihr Ausbilder auf die Geschehnisse einging, sie analysierte. Stattdessen aber vertieften sie sich weiter in den Marxismus-Leninismus und paukten für die anstehenden Prüfungen. »Doch, die tun so«, antwortete er endlich, um seinen Freund nicht langer warten zu lassen. Bei Alex konnte er sich darauf verlassen, dass der nichts weitersagte. »Die schieben sich gegenseitig die Verantwortung zu. Weil keiner den Befehl zum Schießen geben will.«

»Ach, Quatsch!« Alex lachte, doch nicht, weil er amüsiert war.

»Sieh dir doch Leutnant Berger an. Der hatte Schiss. Alle hatten Schiss. Und die Alten, die merken das gar nicht. Honecker versteht doch gar nicht, was los ist. Der hat noch dafür gesorgt, dass sie die Züge aus Prag durch Dresden leiten. Keine Ahnung, warum der das gemacht hat. Der wollte noch mal provozieren. Aber deshalb kam es überhaupt erst zu der Randale am Bahnhof.«

»Woher willst du das wissen?«

»Mein Vater kennt Leute, die direkt unter Modrow und Berghofer arbeiten.«

»Und wer sind die genau?«

»Der Erste Sekretär der Bezirksleitung in Dresden und der Bürgermeister. Beim Bahnhof waren mehr als fünftausend Leute, die haben Anlagen zerstört, die Gleise blockiert, weil sie mit aufspringen wollten. Angeblich haben Leute auch Kinderwagen auf die Schienen gestellt, damit die Lokführer anhalten. Transport- und Bereitschaftspolizei sind mit Wasserwerfern und Knüppeln auf die Menschen losgegangen. Aber gegen so eine Masse wie gestern Nacht, kommst du nicht an.«

Nun hatten sie das Gebäude erreicht. »Aber denkst du nicht, die Sowjets werden eingreifen?«, fragte Alex leise.

Diese Befürchtung hatte Falck schon die restliche Nacht um den Schlaf gebracht. Trotzdem wollte er sie nicht mit Alex teilen. »Ich glaube nicht. Nicht mit Gorbatschow.« Er wollte ins Haus, doch Alex hielt ihn am Ellbogen fest.

»Wenn wir wieder nach Leipzig fahren sollen, was machen wir dann?«

»Wie meinst du das?«

Alex flüsterte noch leiser, Falck verstand ihn kaum noch. »Ich meine, wollen wir dann auch verweigern?«

Vor einer Woche noch hätte Falck nicht einen Gedanken daran verschwendet. Vor einer Woche war sein Leben geregelt gewesen, bis zur Rente. Niemals hätte er daran gedacht, einen Befehl zu verweigern oder dass Hunderttausende auf die Straße gehen.

»Ich weiß nicht«, wich er einer richtigen Antwort aus und hoffte, er würde nie auf die Probe gestellt. Was war ein Eid denn wert, wenn man ihn nicht hielt?

Alex hatte sich vermutlich mehr erhofft, doch auch er legte sich nicht fest. Sie gingen ins Haus um zu duschen und um nachher auf dem Zimmer noch zu lernen.

3

Vier Wochen waren vergangen, als Kalle, ohne zu klopfen, ins Zimmer kam. Falck, der schon eine Weile in einem halbwachen Zustand vor sich hingedöst hatte, öffnete jetzt die Augen. Alex wälzte sich murrend auf seinem quietschenden Metallbett.

»Eh, Leute, ihr glaubt nicht, was letzte Nacht passiert ist«, flüsterte Kalle heiser und konnte seine Aufregung kaum verbergen.

»Was soll denn passiert sein? Ich will pennen«, maulte Alex.

»Die haben die Mauer aufgemacht!«

»Quatsch!«, fuhr Alex hoch, und Falck zog es für eine Sekunde das Herz zusammen.

»Doch, Leute, ich hab es im Radio gehört!«

»Du hast RIAS gehört?«, sagte Holger, der plötzlich in der Tür stand. »Ich zeig dich an!«

Alex sprang aus dem Bett und stürmte zur Tür. »Fresse halten, du Bonzenkind!«, schrie er Holger an und ging ihm ohne Vorankündigung an die Kehle. Holger wehrte sich, und es entwickelte sich augenblicklich ein verbissener Ringkampf. Falck warf die Decke beiseite und ging sofort dazwischen.

»Die sind alle zur Mauer, weil sie im Fernsehen was gesagt haben«, erklärte Kalle weiter, ohne sich von dem Gerangel stören zu lassen. »Hört doch mal auf mit dem Scheiß! Schabowski soll gesagt haben, dass ab sofort Reisefreiheit herrscht!«

Inzwischen war es Falck gelungen, Alex und Holger auseinanderzubringen. Keuchend standen sich die Kontrahenten gegenüber, Falck stemmte sich gegen seinen Freund. »Hör auf, Alex«, ermahnte er ihn, »wir sind erwachsene Männer!«

»Red doch keinen Stuss, das ist Propaganda! Feindpropaganda, hast du nichts gelernt?«, schrie Holger und kämpfte vor Wut mit den Tränen.

»Quatsch! Das kommt überall jetzt«, pflichtete jemand Kalle bei.

»Ja klar, auf allen Westsendern!«, schrie Holger, und seine Stimme überschlug sich. »Die wollen uns fertigmachen, die wollen alles kaputt machen! Freut ihr euch etwa? Wollt ihr alles aufgeben? Was ist denn los mit euch? Ihr alle habt einen Eid geschworen! Ihr seid alle in der Partei, ihr seid Polizisten. Und jetzt? Werdet ihr alle zu Verrätern? Was soll denn aus uns allen werden?«

»Mensch, Holger, beruhig dich mal!«, meinte sein Zimmergenosse besorgt und fasste ihn am Arm.

»Lasst mich!«, brüllte Holger und stürmte davon.

Jetzt standen sie ratlos herum und wussten nicht, was sie machten sollten. Gestern hätten sie sich lustig darüber gemacht, dass ein Kerl heulte. Nun sahen sie betreten zu Boden. Holger hatte recht. Sie waren Staatsdiener. Sie lebten von diesem Staat und hatten ihm Treue geschworen.

»Gehen wir wieder rein«, sagte Falck zu Alex. »Erzähl mal in Ruhe, Kalle!«

»Das war gestern auf einer Pressekonferenz. Schabowski hat angeblich verkündet, dass man uneingeschränkt reisen dürfe, auch ins nicht sozialistische Ausland. Als er gefragt wurde, ab wann, hat er gesagt: Das gilt ab sofort.«

»Schabowski hat das gesagt?«

»Ja doch! In unserem Fernsehen, DDR 1! Und noch am Abend haben sich an Grenzübergängen in Berlin Leute versammelt, die die Grenzer überredet haben, die Schranken zu öffnen. Könnt ihr euch das vorstellen? Das sollen Hunderte gewesen sein. Und überall saßen Westberliner auf der Mauer. Die sind da einfach hochgeklettert.«

»Die haben die Grenzer überredet?«, fragte jemand fassungslos.

»Ja, und die haben tatsächlich aufgemacht! Bornholmer Straße.« Kalle zuckte mit den Schultern. »Da sind dann unsere rüber, und die Westberliner kamen zu uns. Ich war vorhin beim Pförtner, der hat mich ans Telefon gelassen. Meine Mutter hat es gesehen. Es kam eine Sondersendung von der *Tagesschau* noch mitten in der Nacht, die haben sich alle durch das Tor gedrängt und gejubelt. Mutter musste meinen Alten zurückhalten, der wollte gleich nach Berlin.«

»Die haben die Grenzer bestimmt im Stich gelassen, so wie uns in Leipzig«, raunte Alex. »Da hat garantiert wieder keiner irgendwas gewusst. Mann, in deren Haut will ich nicht gesteckt haben! Stell dir vor, du bewachst das Ding dein Leben lang, und dann musst du einfach so die Schranke aufmachen!«

Ja, stellen wir uns das mal vor, dachte Falck. Was hatte das zu bedeuten für sie alle? Wenn jetzt die Grenze offen sein sollte, dann würden Millionen fliehen. Dann würde das Land vollends kaputtgehen. Dann war es aus mit dem Traum vom Sozialismus. Und alles, wofür sie gelebt hatten, war dahin.

»Wir sind alle in der Partei. Wir sind Polizisten«, murmelte Alex.

»Jetzt kann man nur hoffen, dass nicht alle durchdrehen und vielleicht noch anfangen, Leute zu lynchen. Bei der Stasi will ich jetzt auch nicht sein. Die hängen die doch auf!«

»Nun mal nicht den Teufel an die Wand, Alex«, beschwichtigte jemand anderes. Falck spürte, wie ein seltsames, ein dumpfes Gefühl sich in ihm breitmachte, das fast schlimmer war als die Panik, die ihn angesichts dieser Menschenmenge in Leipzig erfasst hatte. Das war blanke Angst gewesen, vor einem Kampf, davor, vielleicht überrannt und getötet zu werden oder selber töten zu müssen. Doch das Gefühl jetzt war anders, subtiler, kam von ganz unten. Er hatte so etwas noch nie gespürt. Und es brauchte eine Weile, bis er verstand, was das war. Es war die Angst vor dem Morgen. Was kam jetzt auf sie zu? Was sollte aus ihnen werden, aus ihnen allen? Plötzlich war die Zukunft offen, aber auch ungewiss. Plötzlich schien nichts mehr sicher.

Irgendetwas hatte geschehen müssen, das war klar. Seit ihrem nächtlichen Einsatz in den Straßen Leipzigs war keine Ruhe eingekehrt im Land. Immer wieder wurde darüber gesprochen, dass einige Reisebeschränkungen aufgehoben werden mussten. Täglich verließen hunderte oder sogar tausende Menschen das Land, aber dass es so schnell gehen sollte, das überforderte Falck in diesem Moment. Der 9. November 1989. Sollte das tatsächlich der Tag sein, an dem eine neue Freiheit begann?

Eine Pfeife schrillte zum Antreten. Niemand reagierte.

Schon vor knapp zwei Wochen, als es hieß, Honecker sei aus gesundheitlichen Gründen zurückgetreten, da war es ihm flau im Magen geworden. Honecker war nicht mehr tragbar gewesen, so wie alle alten Männer da oben. Sie hatten die Zeichen der Zeit nicht erkannt, hatten sich darauf versteift, unbequeme Leute zu verhaften oder abzuschieben. Aber als Honecker wirklich gegangen war, war plötzlich auch eine Konstante aus Falcks Leben verloren. Und nun sollte der antifaschistische Schutzwall verloren sein, von einer Minute auf die andere. Dieses Bollwerk, von dem er geglaubt hatte, dass es ihn vor allen Unbilden dieser Welt beschützte. Kam nun auf sie zu, was sie gelernt hatten im Staatsbürgerkundeunterricht und auf Schnitzlers *Der schwarze Kanal*? Krieg, Ausbeutung, Arbeitslosigkeit, Mietwucher, Obdachlosigkeit?

Falck schüttelte den Kopf, ohne es zu bemerken. Er wusste, dass nicht alles so war, wie immer gesagt wurde. Auch im

Westen wollten die Leute keinen Krieg, wollten arbeiten und leben. Ganz so schlimm konnte es schließlich nicht sein, denn sie fuhren teure Autos und tranken *Jacobs*-Kaffee. Und was war eigentlich mit den Russen? Würde eine Sowjetunion unter Gorbatschow so etwas einfach so hinnehmen? Oder war es vielleicht doch möglich, noch einmal von vorn zu beginnen, mit einem guten Sozialismus?

»Antreten!«, brüllte jemand. Doch noch immer reagierte niemand.

Kalle war es, der zuerst den Kopf hob. »Also, ich find's geil!«, rief er. »Überlegt mal, wir können reisen! Egal wohin! Ich wollte schon immer mal nach Australien. Das mach ich!«

Niemand stimmte in Kalles Begeisterung ein. Auch Falck nicht. Und was war mit dem Geld?

»Antreten!«, brüllte es erneut, und Berger erschien in der Tür.

»Männer, raus jetzt, dalli!«, fuhr er sie an. Sein Kopf war rot vor Zorn, oder war es Scham? Hatte er nicht die gleichen Sorgen wie sie?

»Ich lass mir nicht auf der Nase rumtanzen. Ihr seid immer noch in der Ausbildung, ihr seid immer noch Genossen. Es hat sich daran nichts geändert!«

»Ach, halt doch das Maul«, brummte jemand, und das ließ alle aufschrecken. So etwas hatte vorher keiner gewagt zu sagen.

Berger sog hörbar die Luft ein. Prüfend wanderte sein Blick von einem zum anderen, um dann an Falck hängen zu bleiben. Klar, er war immer einer der besten Schüler, wusste Falck, und galt bei Berger wohl als der Vernünftigste.

Jetzt war er wie erstarrt. Eine Stimme in ihm befahl zu gehorchen. Aber es gab auch eine andere Stimme, die immer lauter wurde. Und die sagte ihm, er solle sich nicht mehr herumkommandieren lassen, er solle zeigen, dass er mehr konnte als gut schießen, Russisch sprechen und sich argumentativ für den Arbeiter- und Bauernstaat einsetzen. Er hielt Bergers Blick stand. Das war ein neues Gefühl, beängstigend und erhebend zugleich.

Berger gab sich geschlagen. »Kommt schon, Leute«, sagte er plötzlich in moderatem Ton. »Überlegt doch mal. Ihr müsst doch die Ausbildung beenden. Kriminalpolizisten werden immer gebraucht. Ihr könnt doch jetzt nicht einfach schwänzen. Ich weiß ja selbst, dass nicht alles Gold ist, was glänzt.«

Kalle schnaubte abschätzig, was Falck nicht in Ordnung fand. Und er überraschte sich selbst mit seiner Reaktion am meisten.

»Ich mache den Unterricht weiter, aber Marxismus-Leninismus können wir uns ab jetzt sparen.« Alle starrten ihn an, und für einen Moment fühlte sich Falck komplett verlassen.

»Sehe ich auch so«, sagte Alex dann.

»Das habe nicht ich zu entscheiden.« Berger verzog das Gesicht, wollte Bedauern ausdrücken, dabei sah er Falck an. »Der Lehrplan steht noch immer, und es werden auch Prüfungen abgehalten. Nur weil letzte Nacht ein paar Leute nach Westberlin gelangt sind, heißt doch nicht, dass jetzt jeder machen kann, was er will.« Es war ein letzter Versuch des Leutnants, die Autorität zu wahren, doch jedem war klar, dass er in dem Moment die neue Realität benannt hatte.

Falcks Herz schlug schneller. Er hatte widersprochen und seine eigene Meinung gesagt. Und er hatte Erfolg damit gehabt.

Ein gutes Gefühl. War das ein Zeichen der neuen Zeit? Jeder konnte machen, was er wollte.

DREI

Winter 1989

1

»Zum KDD? Da müssen Sie da hinter gehen, das Büro neben dem Treppenhaus!« Die kleine energische Frau deutete den Gang hinunter. Sie hatte sich als Erika Zille vorgestellt, Schreibkraft ohne Dienstrang, und wirkte wie ein Feldwebel. Sie war sicherlich seit jeher gewöhnt, dass alle nach ihrer Pfeife tanzten, dachte Falck. Für ihn war heute, am 1. Dezember, der erste Arbeitstag bei seiner neuen Dienststelle. Und es war ihm wie ein Spießrutenlauf vorgekommen, bis er hier endlich angekommen war. Er hatte sechs oder sieben Büros durchlaufen müssen, um seine Unterlagen abzugeben, die Dienstpistole, eine Makarow, in Empfang zu nehmen, seine Dienstmarke abzuholen, Dokumente zu unterzeichnen und das ärztliche Attest vorzuweisen. Irgendwie hatte er sich den Einstieg beim KDD Dresden etwas bombastischer vorgestellt, mit einem kleinen Begrüßungskomitee und etwas Beifall. Stattdessen schlappte er schon seit einer Stunde durch die Gänge und Büros der Polizeidirektion, grüßte unbekannte Gesichter, die routiniert zurückgrüßten, und roch den alten Linoleumfußboden und den Muff von vier Jahrzehnten.

»Danke schön.« Falck nickte Frau Zille zu.

»Moment noch. Wie soll ich Sie denn ansprechen?«, fragte sie ihn. »Herr oder Genosse?«

»Ich …« Er war noch immer Genosse, war noch nicht aus der SED ausgetreten. Er wusste auch nicht so genau, warum. »Herr Leutnant genügt«, entschloss er sich zu sagen.

»Gut!«, meinte Frau Zille freundlich. »Na dann, auf gute Zusammenarbeit!«

»Ja, danke.« Falck nickte noch einmal, das waren die ersten netten Worte, seitdem er das Gebäude betreten hatte.

Jetzt stand er endlich vor der richtigen Tür, hinter der man eine Männerstimme sprechen und das Klackern einer Schreibmaschine hörte. Das Schild neben der Tür war mit Papier überklebt. *Kriminal-Dauer-Dienst* hatte jemand mit Kugelschreiber geschrieben. Falck klopfte. Die Stimme drinnen verstummte. Falck wagte es nicht, die Tür zu öffnen. Niemand rief ihn herein. Nun überwand er sich und klopfte noch einmal.

»Ja, bitte, herein!«, rief es von drinnen.

Falck öffnete die Tür und prallte gleich wieder zurück. Ein Schwall kalte Luft durchsetzt mit Zigarettenrauch kam ihm entgegen.

Falck salutierte. »Guten Morgen, ich soll …« Er verstummte. Eine Frau und ein Mann sahen ihn an. Beide kannte er.

»Ja?«, fragte der Mann, und eine Zigarette wippte zwischen seinen Lippen. Er saß hinter einem Schreibtisch, der überhäuft mit Zetteln und Papieren war, über denen wiederum ein übervoller Aschenbecher mit ausgedrückten Kippen thronte. Der Mann war unrasiert, trug das Haar für einen Polizisten eigentlich viel zu lang und wirkte insgesamt ungepflegt. Hauptmann Schmidt schien noch mal zugenommen zu haben, dachte sich Falck.

Die junge Frau, die am Schreibtisch links hinten beim Fenster saß, hatte ihre damals glatten blonden Haare jetzt dauergewellt. Sie trug einen beigen Rollkragenpulli und Jeanshosen. Es war Stefanie Bach.

»Leutnant Falck, melde mich zum Dienst«, grüßte er nun vorschriftsmäßig.

Schmidt drehte die Handflächen nach oben und schüttelte verständnislos den Kopf. »Wer hat denn Sie geschickt?«

Damit hatte Falck nicht gerechnet. »Man hat mir gesagt, ich bin jetzt Ihrer Abteilung zugeteilt, Gen... Herr Hauptmann.«

»Meiner Abteilung«, wiederholte Schmidt, als wäre das etwas Unanständiges. »Und was sollen Sie machen?«

»Machen?«

»Welche Aufgaben sollen Sie übernehmen?« Nun sprach Schmidt betont laut und überdeutlich.

»Also, ich komme von der Ausbildung in Aschersleben, und mir wurde Ihre Abteilung zugewiesen, damit ich ...«

»Meine Abteilung ... meine Abteilung ... Mensch, das ist nicht meine Abteilung. Das ist der Kriminaldauerdienst, kapiert?« Schmidt schüttelte zornig den Kopf.

»Chef!«, mischte sich jetzt Stefanie Bach ein und zwinkerte Falck dann kurz zu. »Das kann er doch nicht wissen. Wenn es ihm so gesagt wurde.«

»Ja, und? Kann mir nicht mal jemand was sagen? Keiner sagt mehr was! Hier macht jeder, was er will.« Schmidt nahm sich einen Pappordner, blätterte darin herum, schob ihn dann beiseite, nahm einen Stapel Papier, stellte ihn senkrecht auf und knallte ihn zweimal heftig auf den Tisch, um die Blätter zu richten. Erfolglos. Die Blätter bekamen lediglich Eselsohren. Mürrisch warf Schmidt den Stapel auf einen anderen Papierstapel. »Na ja, dann.« Er machte eine weitläufige Geste. »Suchen Sie sich mal einen Platz in unserem prächtigen Büro, Herr Leutnant ...«

»Falck!«

»Falck«, wiederholte Schmidt, ohne ihn erkannt zu haben. »Spinde gibt es den Gang raus, übernächste Tür rechts, wenn Sie was abzulegen haben. Müssen sich aber ein Vorhängeschloss mitbringen. Weiß auch nicht, ob wir noch einen Schreibtisch bekommen. Sie müssen vorerst einen von denen nehmen.« Er zeigte auf zwei quadratische Tische, auf denen sich neben einem DDR- und Volkspolizeiwimpel Akten und Ordner stapelten. »Einen Drehstuhl müssten Sie noch beantragen. Ach ja, eine Schreibmaschine hab ich übrigens auch nicht für Sie. Zumindest keine elektrische. Im Lager müsste aber noch so ein altes Klapperding stehen.«

»Geht klar«, sagte Falck, was ihm im selben Moment unangemessen vorkam, doch niemand störte sich daran. Um einen der Tische benutzen zu können, würde er ihn erst mal frei räumen müssen. Außerdem stand ein Pflanzenkübel im Weg, in dem eine Monstera in der kalten, nikotingeschwängerten Luft ihr Dasein fristete. Falck stellte unschlüssig seine Aktentasche ab und wusste nicht so richtig, womit er anfangen sollte.

Bach erhob sich. »Na, gute Zeit gehabt in Aschersleben?«, fragte sie.

»Schlecht war es nicht«, erwiderte Falck vage. Er wusste nicht, was sie mit der Frage bezweckte.

»Kennt ihr euch?«, fragte Schmidt misstrauisch.

»Ja, flüchtig«, erwiderte Stefanie Bach.

Falck spürte, wie seine Ohren rot wurden. Bei dieser Begegnung hatte er sich nicht besonders hervorgetan.

»Ich habe Sie noch mal besuchen wollen, da hieß es, Sie seien versetzt worden.«

Leutnant Bach lachte auf. »Ja, ins Landwirtschaftsministerium, zur Aufklärung von transportbedingtem Mengenschwund. Man wollte mich loswerden. Denen war aufgestoßen, dass ich auf eigene Faust losmarschiert bin.«

»Ich verstehe nicht …?«

»Na, es ging um Diebstahl. Kartoffelklau, Obstklau, Fleischklau. Da hat sich doch jeder genommen, was er brauchte. Manche sogar in erstaunlich großen Mengen. Die haben manchmal vorn aus dem Laden Pflaumen geklaut und sie hinten wieder reinverkauft.«

»Wollt ihr euren Flirt vielleicht besser auf den Dienstschluss verschieben?«, raunzte Schmidt sie ungehalten an.

»Ich kann ja mit meinem Schreibtisch ein bisschen herüberrücken, dann kannst du den Tisch dahin schieben. So viel Platz ist ja nicht. Wenn sie uns noch einen Kollegen schicken, müssen wir anbauen«, lachte Bach. Gemeinsam begannen sie, einen Tisch zu räumen, und stapelten alles auf den zweiten Tisch.

»Alles alte Vorgänge, interessiert keinen mehr«, kommentierte Bach.

Unter dem misstrauischen Blick von Schmidt stellten sie die Tische so, dass jeder von ihnen Platz hatte. Zuletzt schob Falck noch den Pflanzkübel zur Seite.

»Sagen Sie mal, ich kenn Sie doch!« Jetzt war auch bei Schmidt der Groschen gefallen. »Sie sind doch der kleine Streber, der den toten Wetzig gefunden hat.« Schmidt schnalzte mit der Zunge.

Falck ärgerte sich über diese verletzende Bemerkung. Er war kein Streber, er hatte nur alles richtig machen wollen.

»Ist dabei noch etwas rausgekommen?«, fragte Falck, entschlossen, sich nicht provozieren zu lassen.

»Hab ich Ihnen doch schon letztes Jahr erzählt!«, grunzte Schmidt und wendete sich demonstrativ ab. Das Thema war erledigt.

Falck setzte sich an seinen Schreibtisch, vorerst auf einen normalen Besucherstuhl. Er fühlte sich auch mehr wie ein Besucher. Er wusste nicht, was er jetzt machen sollte. In seiner Aktentasche befand sich nichts weiter als eine blecherne Brotbüchse mit zwei belegten Doppelschnitten und die Dienstwaffe russischer Bauart. Draußen rauschte der Verkehr, und im Büro stank es nach Zweitaktabgasen.

Eine Weile saßen sie da. Schmidt links neben der Tür, Steffi Bach auf der anderen Seite, er selbst an der Fensterwand.

Schmidts Schreibtisch ein wildes Durcheinander. Bachs Schreibtisch sortiert. Sein eigener Tisch leer. Eigentlich war das Zimmer zu klein für sie drei. Schmidt rauchte unablässig und blätterte in Unterlagen, sein Drehstuhl quietschte bei jeder Bewegung. Bach füllte an der Schreibmaschine ein Formular aus.

»Und ... ähm ... was machen wir jetzt?«, fragte Falck nach einer Weile.

»Wir sitzen und warten«, brummte Schmidt.

»Worauf?«, fragte Falck.

Schmidt hob den Zeigefinger und lauschte demonstrativ, doch nichts geschah. Er verzog das Gesicht. »Eigentlich hätte das Telefon jetzt klingeln müssen.«

Bach seufzte und fügte sich ein weiteres Mal in ihre Rolle als Vermittlerin. »Wir warten hier auf Anrufe aus der Zentrale. Wenn eine Streife auf etwas stößt, um das die Kripo sich kümmern sollte, rücken wir aus. Wir sind die Ersten vor Ort und entscheiden dann, welche Abteilung übernehmen soll. Bis dahin betreiben wir Tatortsicherung und so etwas.«

Das hörte sich interessant an, dachte sich Falck.

Nun mischte Schmidt sich wieder ein. »Der Witz ist nur, die meisten haben kaum Zeit. Es hat einige Veränderungen gegeben. Der Kader ist geschrumpft. Keiner fühlt sich mehr richtig zuständig. Außerdem werden Sie sehr schnell eines erkennen: Die Zeiten haben sich geändert. Also auch, was die Kriminalität betrifft. Man könnte meinen, sie sind alle verrückt geworden.«

»In den paar Wochen?«, fragte Falck.

»In den paar Wochen!« Schmidt nickte bedeutungsschwanger. »Die Kriminalitätsrate steigt rasant. Leute gehen stiften, in den Westen, Wohnungen stehen leer und werden besetzt. Straßenhändler bescheißen die Leute. Punker und Faschos prügeln sich. Ausländer werden angegriffen. Diebstahl hat zugenommen. Autos werden gestohlen. Täglich gibt es Überfälle auf Einzelpersonen. In den zwei Wochen, in denen ich hier bin, hatte ich zwei Banküberfälle und sogar einen Toten bei einer Schlägerei in einer Diskothek.«

»Quatsch.« Falck schaute irritiert von Schmidt zu Bach und wieder zurück.

»Von wegen. Ich denk mir das doch nicht aus! Respekt hat eh keiner mehr vor uns, da darfst du nichts erwarten. Ist ja auch logisch, die haben die ganzen Jahre kuschen müssen, jetzt lassen sie die Wut an uns aus. Jeder denkt, dass er dich anpflaumen kann. Abgesehen davon weiß gerade eh keiner, was läuft. Darf man Hausdurchsuchungen machen? Darfst du jemanden festnehmen?« Er hob fragend die Schultern. »Die Staatsanwälte halten sich bedeckt, die Direktion sowieso, keiner will Fehler machen. So sieht's aus. Es gibt niemanden mehr, der dir sagt, was zu tun ist. Und draußen tanzen uns die Leute auf der Nase rum.«

Falck konnte das nicht glauben. Was sollte denn in den vier Wochen geschehen sein? Im Fernsehen sah man das Volk auf riesigen Demonstrationen einen besseren Sozialismus fordern, Neuwahlen, alle an einen Tisch, Stasi in die Produktion, Honecker hinter Gitter. Doch darüber hinaus schien alles noch seinen gewohnten Gang zu gehen.

»Aber das sind doch dieselben Menschen, wieso sollen die denn plötzlich alle kriminell werden?«, fragte er.

Schmidt stöhnte genervt auf. »Nicht alle, aber viele. Weil jetzt jeder denkt, dass alles möglich ist. Dass er machen kann, was er will. Weil zu wenig Polizisten da sind. Bei dem zweiten Banküberfall gab es zehn Zeugen, die haben sich köstlich amüsiert! Für die war das eine Gaudi. Und die Typen, die die Sparkasse überfallen haben, die saßen abends in der Kneipe und haben geprahlt damit. Wenn das so weitergeht, herrscht hier Anarchie!« Schmidt schniefte.

»Erzählen Sie von dem Kind!«, sagte Bach.

»Erzähl doch selber von dem Kind!«, fuhr Schmidt sie barsch an.

Falck sah fragend zu seiner neuen Kollegin. Bach aber tat nichts dergleichen. *Später*, formte sie lautlos mit ihren Lippen.

»Na los, erzähl es nur!«, forderte Schmidt sie auf. Offensichtlich wechselte er immer ins Du, wenn ihm etwas gegen den Strich ging, stellte Falck fest.

»Stell dir vor«, begann Bach mit gedämpfter Stimme nach einem prüfenden Blick auf ihren Chef, »letzten Donnerstag ...«

Schmidt stand unvermittelt auf. »Ich geh mal schiffen!«

Bach lehnte sich zurück und wartete, bis Schmidt das Zimmer verlassen hatte. Geräuschvoll fiel die Tür ins Schloss.

»Das war mein Fehler«, sagte Bach, erhob sich, um das Fenster zu schließen, und setzte sich wieder. »Der tut nur so hart, in Wirklichkeit ist der gar nicht so.« Sie zuckte mit den Achseln. »Ich kenn ihn ja auch erst seit zwei Wochen, aber irgendwas muss da sein. Ich glaube, er lebt in Scheidung und darf seine Kinder nicht mehr sehen, oder so. Also, stell dir vor, letzten Donnerstag, eine Frau bringt abends ihren Müll raus, in Seidnitz, Nähe Pferderennbahn. Es ist dunkel. Da sieht sie jemanden über die Straße laufen, sie wundert sich, geht näher. Und sieht einen kleinen Jungen, zwei Jahre alt, der spricht nicht, weint nur. Er ist dreckig und stinkt ganz schrecklich. Sie nimmt das Kind mit zu sich und ruft die Polizei. Inzwischen kommt eine Nachbarin, sie weiß, wo das Kind hingehört. Mit den Kollegen von der Streife gehen sie rüber. Die Wohnung steht offen, ein zweites Kind, ein vierjähriges Mädchen, sitzt vor der Glotze, apathisch, unterernährt, stinkend. Die Eltern sind nicht da. Da haben die Kollegen uns angerufen und wir sind hingefahren ...«

Steffi Bach hielt inne und hob die Hand.

»Und wie weiter?«, fragte Falck, der das Handzeichen nicht deuten konnte.

»Mensch, warte doch mal, das ist harter Tobak.« Sie atmete noch einmal durch. »Wir kommen da hin, gucken uns die Bude an. Ich frage das Mädchen: *Wo ist denn die Mutti?* Kann ja sein, dass die eine Suffi ist, wäre ja nicht die Erste, die ihr Kind vergisst. *Die ist nicht da*, sagt das Kind. Die sei vor drei Tagen gegangen, habe Schnitten gemacht, damit sie was zu essen haben. *Und der Vati?*, frag ich. *Der ist mit der Mutti gegangen.* Da bin ich ins Schlafzimmer, mach den Kleiderschrank auf, alles leer, die Klamotten weg, Koffer weg, kein Ausweis, keine Unterlagen, alles weg!«

»Gestohlen?«

Bach schüttelte heftig den Kopf und hatte auf einmal mit den Tränen zu kämpfen. »Nee, die sind rübergemacht! Die haben ihre Kinder einfach dagelassen.«

»Quatsch, oder?«

»Nee, kein Quatsch. Die sind abgehauen. Nicht aufzufinden. Vielleicht sind sie gleich weiter, nach Amerika? Was weiß ich denn. Das ist das, was der Alte vorhin sagte, manche ticken aus, die denken, jetzt darf man alles. Vielleicht war das ja auch eine Kurzschlussreaktion. Aber stell dir vor. Die macht Schnitten, sagt Tschüss zu den Kindern und haut ab. Für immer.«

»Und die Kinder?«, fragte Falck heiser.

Bach hob kurz die Hände, presste aber die Lippen zusammen. »Im Heim«, stieß sie dann hervor, fächerte sich dann mit der flachen Hand Luft ins Gesicht. »So was passiert eben, da muss man durch als Polizist.« Sie lächelte gequält. »Hattest du schon mal eine Leiche?«

Der Themenwechsel war abrupt. Aber Falck ging darauf ein und nickte. »Ja, du weißt schon, dieser Wetzig. Und mal eine alte Frau, die hatte sich vergast. Wir mussten das damals als Unfall deklarieren.«

153

Bach nickte. »Ich weiß schon, im Sozialismus bringt sich niemand um, höchstens vor Glück. Letzte Woche hatten wir einen Stasioffizier, der hat sich erschossen. Oben an der Bautzner, wo die ganzen Stasileute wohnen. Hat einen Abschiedsbrief hinterlassen, dass er sich für den Niedergang der DDR mitverantwortlich fühlt und sich der Siegerjustiz nicht stellen will.«

»Siegerjustiz?«

»So hat er es geschrieben.« Bach zuckte mit den Achseln. »Warst du schon mal drüben?«, fragte sie im nächsten Moment. Falck sah ihr an, wie ihr die Sache mit dem Kind noch immer nachging.

»Ja, mit meinen Eltern, in Westberlin, letzte Woche ...«

Die Tür sprang auf, Schmidt kam herein und setzte sich wortlos an seinen Platz.

»... Begrüßungsgeld abholen.« Falck hob entschuldigend die Schultern.

»Kamen Sie sich dabei nicht blöd vor?«, mischte sich Schmidt ungehalten ein.

»Na ja ...« Falck wusste darauf nichts zu sagen. Sie hatten sich in Kreuzberg an einer Sparkasse angestellt, mit Hunderten anderen. Die Bankangestellten hatten das Geld kommentarlos über die Theke geschoben, und wie unzählige andere DDR-Bürger waren er und seine Eltern in die nächste Kaufhalle gegangen und hatten das Geld für *Milka, Haribo, Nesquik, Jacobs*-Kaffee, Leerkassetten, Mandarinen, eine Ananas und eine Kokosnuss ausgegeben. Letztere hatte ekelhaft geschmeckt, und von der Fruchtsäure der Ananas hatte ihnen die Zunge gebrannt. Falck hatte noch immer den Duft in der Nase, der ihn im Supermarkt empfangen hatte, diese Mischung aus Südfrüchten, Waschmitteln und Duschbad. Das würde ihm wohl für immer als erster Eindruck in Erinnerung bleiben. Natürlich war ihm das unangenehm gewesen. Anzustehen wegen etwas geschenkten Geldes, das sie eigentlich nicht nötig gehabt hätten. Vater, Mutter und er waren alle drei SED-Genossen. Und alle drei eigentlich Verlierer des Klassenkampfes, des Kalten Krieges. Sie hatten sich alle sofort ergeben und waren dem Kaufrausch verfallen. Und dann diese Unruhe, die sie ergriffen hatte, als die Dämmerung eintrat, eine unterschwellige Angst, die sie angetrieben hatte, wieder zurück in den Osten, nach Hause zu gehen. Da hatte die Staatspropaganda, die ihnen lebenslang vermittelt hatte, wie gefährlich es im Westen sei, ihre Wirkung gezeigt.

»Also, ich war auch drüben«, sprang ihm Bach zur Seite. »Zweimal sogar, in Bayern, da gab's nämlich hundertzehn D-Mark. Und dann noch einmal in Westberlin. In Tempelhof, da haben wir entfernte Bekannte. Die haben gar nicht mit uns gerechnet, und ich sag euch, die waren vielleicht geizig!« Bach musste lachen. »Die haben noch nicht mal das Licht angemacht, als es schon fast ganz dunkel war. Eine Tütensuppe haben sie uns gekocht und das Brot mit Wurst von unseren mitgebrachten Schnitten belegt, weil wir angeblich zu viel Wurst drauf hatten. Abends wurden sie nervös und haben immer wieder gefragt, wann wir zurückfahren. Die hatten Angst, wir nisten uns bei denen ein«, erzählte Bach und musste wieder lachen.

Schmidt schüttelte mürrisch den Kopf. »Habt ihr gar keine Ehre im Leib?«

»Ehre?« Bach winkte ab. »Aber es wäre doch blöd gewesen, auf das Geld zu verzichten, oder?«

»Dass sie sich das leisten können«, sagte Falck, um einem Disput vorzubeugen. »Ich meine, hundert Mark für achtzehn Millionen DDR-Bürger.«

»Siebzehn bloß noch«, knurrte Schmidt. »Und außerdem fließt das doch umgehend wieder zurück in die Wirtschaft, hast du doch selbst gerade erzählt. Die Leute kaufen wie die

Irren das überteuerte Zeug. Mein Schwager brachte einen Doppelkassettenrekorder mit, der hat genau hundert Mark gekostet, wert ist er vielleicht zehn, wenn überhaupt. Billiges Plastegehäuse und der Motor leiert.«

In dem Augenblick öffnete sich die Tür und eine Frau betrat den Raum. Ihr unerwartetes Erscheinen und ihr Anblick verschlugen den drei Polizisten für einen Moment die Sprache.

Sie trug einen knielangen engen grauen Rock und darüber eine schwarze Lederjacke mit breiten Schulterpolstern. In ihren hohen Stöckelschuhen war sie größer als Falck. Über ihrer Schulter hing eine schwarzglänzende Handtasche an einem dünnen Riemchen. Ihre glatten blonden Haare hatte die Frau zu einem straffen Zopf gebunden. Ihr Gesicht wirkte eher bleich durch das Make-up, die knallrot geschminkten Lippen bestärkten den Eindruck noch. Alles in allem schien sie für die Jahreszeit viel zu dünn gekleidet. Im Nu breitete sich der Geruch ihres inflationär aufgetragenen Parfüms aus. Die Frau trug einen Bastkorb mit Früchten auf dem Arm, den sie genau vor Schmidt auf den Tisch stellte.

»Das ist doch hier der Kriminaldauerdienst?«, fragte sie in einem westdeutschen Dialekt, den Falck nicht einordnen konnte. Bayrisch war es nicht, so weit war er sich sicher. Hessisch vielleicht.

»Ja!«, blaffte Schmidt und sah dabei den Korb an wie eine tickende Zeitbombe.

»Gut, dann bin ich ja richtig!«

»Und Sie sind wer?«, fragte Hauptmann Schmidt mit nicht zu überhörender Skepsis. Da nicht jeder einfach so das Präsidium betreten konnte, musste die Frau von jemandem offiziell hereingelassen worden sein.

»Ich heiße Suderberg, Sybille Suderberg. Ich bin Hauptkommissarin der Kriminalpolizei Frankfurt am Main. Von

Ihren Vorgesetzten erhielt ich die Weisung, mich bei Ihnen zu melden. Sie sollten eigentlich ein diesbezügliches Schreiben erhalten haben.«

»Haben wir nicht!«, entfuhr es Schmidt.

»Gerade eben in der Zentrale hat man mir versichert, die Sache sei geklärt.« Suderberg zog die Augenbrauen hoch.

»Also, echt mal …« Schmidt wühlte in den verschiedenen Zetteln und Papieren auf seinem Tisch, fand aber offenbar nicht die gewünschte Information. »Keiner sagt mir irgendwas«, rief er wütend. »Ich hab die Faxen dicke!«

Hauptkommissarin Suderberg blieb unbeeindruckt von Schmidts Ärger. »Wie dem auch sei. Ich bin jedenfalls in einer grenzübergreifenden Angelegenheit hier in Dresden. Es hieß, Sie werden mich bei meinen Ermittlungen unterstützen.« Sie gab sich Mühe, freundlich zu sein, aber Falck glaubte in jedem ihrer Worte eine gewisse Überheblichkeit mitschwingen zu hören.

»Und mit wem ist das abgesprochen?«, fiel Schmidt ihr ins Wort.

Falck warf einen Seitenblick zu seiner Kollegin. Steffi Bach wusste scheinbar auch nichts, zog nur die Mundwinkel nach unten und die Schultern nach oben. Dieser Tag, der für Falck so hoffungsvoll begonnen hatte, entwickelte sich immer mehr zu einem absurden Bühnenstück.

Suderberg stöhnte leise auf, öffnete ihre Handtasche und kramte einen Zettel hervor, hielt ihn Schmidt hin, doch nur so weit, dass er gezwungen war, sich weit nach vorn zu beugen, um ihn abzunehmen. Er entfaltete das Blatt und las stumm. Falck beobachtete, wie sich unmerklich seine Lippen dabei bewegten, und er schämte sich etwas für seinen Chef. Als er die westdeutsche Polizistin ansah, glaubte er, eine leicht belustigte Miene zu entdecken. Gleich würde sie fragen, ob hier alle des Lesens mächtig wären.

Schmidt reichte der Suderberg den Zettel zurück, und zwar so, dass sie nun ihrerseits gezwungen war, sich um den Zettel zu bemühen.

»Und wobei sollen wir Sie unterstützen?«

»Darüber werde ich Sie morgen informieren. Ich habe es eilig. Heute wollte ich mich eigentlich nur vorstellen und mit diesem kleinen Präsent meiner Hoffnung auf gute Zusammenarbeit Ausdruck verleihen.« Sie zeigte ein verhaltenes Lächeln und wollte sich verabschieden. Doch so schnell ließ Schmidt sich nicht abwimmeln.

»Sie werden uns doch sagen können, worum es sich bei der Sache handelt! Sie müssen ja keinen Roman erzählen«, blaffte er die Frau an.

Suderberg seufzte wieder. War sie nur von Schmidt genervt oder allgemein von den Umständen? Falck wusste es nicht. Vielleicht hatte man sie ja auch gegen ihren Willen hierher abkommandiert.

»Okay, wenn Sie es genau wissen wollen: Wir suchen einen Auftragsmörder und vermuten, dass er sich seit einiger Zeit hier in Dresden aufhält.«

»Einen Auftragsmörder?«, fragte Schmidt.

Die Suderberg antwortete nicht, und Falck konnte sich vorstellen, dass sie dieses Gespräch wahrscheinlich schon ein Dutzend Mal geführt hatte, von der Kreisleitung abwärts, auf jeder Befehlsebene.

»Sie meinen einen Killer?«, fragte Schmidt spitz.

Falck störte die überzogene Ironie von Schmidt, die herablassende Art der Hauptkommissarin fand er allerdings auch unangemessen.

»Ich sagte ja, ich werde Ihnen morgen alles im Detail erklären. Heute bin ich zwar im Haus, aber ich muss noch einiges erledigen. Und ich weiß auch nicht, wo ich heute Nacht unterkommen kann. Da gab es offenbar ein Kommunikationsproblem.« Wieder machte sie Anstalten, das Zimmer zu verlassen. Doch Schmidt war noch nicht fertig.

»Und wie stellen Sie sich das vor? Wie sollen wir Ihnen helfen?« Sein Widerwillen war deutlich herauszuhören.

Die westdeutsche Kollegin sah ihn einen Augenblick resigniert an. Dann straffte sie sich wieder. »Sie sollen mir dabei helfen, den Mann ausfindig zu machen.«

»Aha. Und wie genau, wenn ich fragen darf?«

Was war nur mit Schmidt los, fragte sich Falck. Seine Aggressivität nahm immer mehr zu.

»Ich dachte, Sie haben hier so Ihre Methoden!«, sagte Suderberg und sah Schmidt provozierend an.

Schmidt schob sich in seinem Stuhl hoch. »Sie meinen Stasimethoden?«

»Hat ja ganz gut funktioniert, vierzig Jahre lang.« Sie zuckte mit den Achseln.

Entweder war sie naiv oder einfach nur unverschämt.

»Meinen Sie, dass wir hier alle bei der Stasi waren?«

»Waren Sie das nicht?«, fragte sie zurück und hatte damit ein Tabu gebrochen. »Es ist mir tatsächlich völlig egal, ich habe gerade andere Sorgen. Wir sehen uns morgen. Guten Tag noch!« Damit drehte sie sich um und verließ den Raum.

Eine Weile war es still im Zimmer. Alle drei starrten auf ihre Schreibtische.

»Tobias, kannst du mal das Fenster wieder aufmachen!«, bat Steffi Bach schließlich. »Mir wird übel von dem Dunst!«

Falck stand auf und öffnete einen Fensterflügel. Sofort drangen Straßenlärm und Autoabgase in den Raum, aber das war alles trotzdem besser als die aufdringliche Parfümwolke der Hauptkommissarin.

»Das reicht mir für einen Monat, was die sich morgens an den Hals sprüht«, kommentierte Bach. »Die merkt das gar nicht mehr. Sagen Sie doch auch mal was, Herr Hauptmann!«

Seit Sybille Suderberg gegangen war, saß Edgar Schmidt auffallend stumm an seinem Tisch. Jetzt langte er in seine Hemdtasche, nahm sich seine Zigarettenschachtel heraus und schüttelte die Kippe hoch. All das tat er, ohne seinen Blick von dem Korb vor sich auf dem Schreibtisch zu wenden. Er riss ein Streichholz an, zündete sich die Zigarette an und nahm einen tiefen Zug.

»Macht die sich lustig über uns?«, fragte er. »Ein Obstkorb!«

»Ist doch eigentlich nett von ihr, oder?«, sagte Bach freundlich. Sie war aufgestanden, um den Geschenkkorb näher zu betrachten. Dann hob sie eine Ananas heraus und eine andere kleinere Frucht.

»Was ist denn das?«, fragte sie und hielt eine dunkle Frucht, etwas größer als ein Tischtennisball hoch.

»Eine Kiwi, oder?«, sagte Falck.

Schmidt schüttelte den Kopf. »Nee, Maracuja, glaube ich. Kiwi sehen aus wie …«

»Sagen Sie's nicht!«, rief Steffi Bach schnell, weil sie wohl schon ahnte, was jetzt kommen würde.

»… Eier mit Haaren!«, führte Schmidt seinen Satz demonstrativ zu Ende.

»Das da, jedenfalls, ist eine Sternfrucht«, erklärte Falck fachmännisch und zeigte auf die entsprechende Frucht. Er hatte davon erst kürzlich in einer Sendung auf RTL gehört, das er neuerdings empfangen konnte.

»Das weißt du nur, weil die wie ein Stern aussieht«, widersprach Bach. »Und das ist dann wohl eine Krummfrucht, oder was?« Sie deutete auf eine Banane.

»Das sind locker zwei Kilo Bananen«, knurrte Schmidt. »Und Konserven. Mandarinen und Pfirsiche. Was denkt die eigentlich? Dass wir hier so was nicht haben?«

»Sie hat es bestimmt nur gut gemeint!«, sagte Bach, um nicht den nächsten Streit vom Zaun zu brechen und ihre Kollegin aus dem Westen zu verteidigen. »Also, ich esse jetzt eine!«

Schmidt nahm noch einen tiefen Zug von seiner Kippe. »Und was soll das eigentlich heißen: *Wir sollen sie unterstützen*? Kommt das von ganz oben? Hat die Suderberg uns jetzt was zu sagen, oder wer ist hier der Vorgesetzte?«

Für Bach war das offenbar keine Frage. »Sie sind der Vorgesetzte, ist doch logisch«, nuschelte sie mit vollem Mund. »Ich frag mich nur, ob sie ausgerüstet ist? Hat sie ein Auto?«

»Nix da, die fährt schön im Trabi mit!« Es war Schmidt anzumerken, wie unglücklich ihn diese Situation machte. »Ich vermute mal, sie wurde hier bei uns aufs Abstellgleis gestellt, weil keiner was mit ihr zu tun haben wollte. Wie alles bei uns abgeladen wird, womit sich niemand beschäftigen will. Wie der Mist mit dem Sexualstraftäter.« Er nahm einen letzten Zug, drückte die Kippe wütend im Ascher aus, ohne den Rauch ausgeatmet zu haben.

»Ehrlich gesagt, Herr Hauptmann, das mit dem Sexualstraftäter, das habe ich eingerührt«, sagte Bach sehr leise.

Schmidt winkte unwirsch ab. »Mach mal das Fenster zu! Ich versteh überhaupt nichts. Außerdem ist es kalt! Was hast du gesagt?«

»Dass ich die Sache eingerührt habe.« Bach hob entschuldigend die Schultern.

Schmidt runzelte erstaunt die Augenbrauen. »Warum das denn?«

»Wenn wir hier eh nur rumsitzen …«, wagte sie anzumerken und ließ den Satz offen. Sie wäre auch nicht viel weitergekommen.

»Rumsitzen? Spinnst du?«, polterte Schmidt los. »Jeden Tag werden wir rausgerufen, ist euch das nicht genug?«

»Das ist doch aber meist nur dummes Zeug, was wir da machen. Eigentlich Arbeit für die Schutzpolizei.«

»Und da ziehst du dir einen Vergewaltiger an Land, obwohl es dafür eine ganze Abteilung gibt?« Schmidt zeigte ihr einen Vogel.

»Was denn für ein Sexualstraftäter? Ist das vielleicht der Typ vom letzten Jahr, in der Neustadt?«, fragte Falck. Sein Interesse war schlagartig geweckt.

»Ich vermute es«, meinte Steffi Bach knapp. »Ich habe auch einen Verdächtigen. Hab mich kundig gemacht in alten Strafregistern.« Bach langte in ihr Schreibtischschubfach und holte eine Mappe hervor. »Der heißt Heiko Rühle, vierundzwanzig Jahre alt, keine Arbeit, lebt in der Neustadt in einem ziemlich heruntergekommenen Haus.«

»Da ist doch jedes Haus heruntergekommen«, murmelte Schmidt.

Bach ging nicht darauf ein. »Der ist schon zu DDR-Zeiten auffällig geworden. War nie arbeiten, hat nie etwas gelernt, Schule abgebrochen. War mehrmals im Jugendwerkhof und auch schon im Knast. Wegen Diebstahls, aber auch Entblößung, tätlichen Angriffs und versuchter Vergewaltigung.«

Schmidt langte über den Tisch und verlangte mit einem ungeduldigen Fingerwinken den Ordner. Er blätterte ihn durch, schürzte die Lippen und pfiff leise.

»Die sind ja nicht zimperlich mit dem Mann umgegangen. Wir können ihn uns ja mal ansehen. Aber ich möchte doch darum bitten, dass ihr demnächst erst fragt, ehe ihr uns Arbeit aufhalst, die uns eigentlich nichts angeht.«

»Die Sicherheit der Bürger geht uns alle an«, sagte Bach leise, was Schmidt mit einem mahnenden Brummen kommentierte, während er sich weiter in die Akte vertiefte.

Schließlich lehnte sich Schmidt zurück. »Also, wie ich das verstanden habe, wurde die Suderberg hier in den Osten ab-

162

kommandiert, weil vermutet wird, dass sich ein Mörder in die DDR abgesetzt hat. Ein Auftragsmörder! Ein Killer!« Schmidt schnaubte wieder abfällig. Er hatte sich nicht weiter in die Akte eingelesen, sondern war in Gedanken bei der Westdeutschen geblieben.

Steffi Bach seufzte. Falck hoffte, dass sich nicht noch einmal eine Schimpftirade über sie ergießen würde. Schmidt konnte wirklich unangenehm werden, wenn ihn etwas nervte. Und es schien ihn viel zu nerven

»Ich habe das jedenfalls so verstanden«, schaltete sich Falck schnell ein, »dass wir sie mit Ortskenntnis und Know-how unterstützen sollen.«

»*Gnohau*«, wiederholte Schmidt und lachte grimmig auf. »Das bedeutet im Klartext, wir sollen die Dame durch die Gegend fahren. Wenn das so sein soll, dann brauchen wir die Ermittlungsunterlagen aus Frankfurt und einen offiziellen Auftrag. Und wieso glauben die eigentlich, dass es diesen Killer …«, Schmidt spuckte das Wort fast aus, »… ausgerechnet hierher nach Dresden verschlagen hat?«

»Es nützt doch nichts zu spekulieren, wir können die Zeit besser nutzen, wenn wir uns darum kümmern!« Bach deutete auf die Aktenmappe. In diesem Moment begann das Telefon zu klingeln.

Schmidt, der am nächsten dran saß, nahm ab.

»Dauerdienst«, meldete er sich kurz. »Wo?« Er machte sich mit einem Bleistift eine Notiz. »Alles klar!« Dann wandte er sich zu seinen Kollegen. »Unfall auf der Doktor-Kurt-Fischer-Allee. Ein Toter, mindestens. Fahrer geflüchtet.«

2

Falck musste warten, bis seine Kollegin vom Beifahrersitz ausgestiegen war. Dann erst konnte er die Sitzlehne vorklappen und sich aus dem hellblauen Trabant schälen. Schmidt und Bach standen bereits bei dem uniformierten Kollegen von der Streife. Es war Mittagszeit, aber der stark bewölkte Himmel machte den Tag düster. Wind kam auf und es begann zu regnen, gelegentlich mischten sich Schneeflocken darunter. Falck war froh, dem Trabant entkommen zu sein. Schmidt fuhr sehr sportlich, was vor allem auf Kopfsteinpflaster bei diesem Wetter nicht ganz ungefährlich war.

»Autounfall«, erklärte der Uniformierte. »Der Fahrer entfernte sich unerlaubt vom Unfallort, in einem gelben Lada. Die Zeugen warten übrigens da drüben. Das Nummernschild hat allerdings keiner erkannt. Es soll eine Dresdner Nummer sein. Ypsilon. Die SMH war schnell da, aber der Frau konnte nicht mehr geholfen werden.« Er deutete auf den Barkas der Schnellen Medizinischen Hilfe. Die Sanitäter hatten sich wartend an ihr Fahrzeug gelehnt, darum bemüht, sich vor dem eisigen Wind zu schützen, während die Autos auf der Straße langsam vorbeifuhren. Natürlich gab es Gaffer, auch einige Passanten waren stehen geblieben, und in der benachbarten Kaserne der Sowjetarmee hingen die Soldaten aus den Fenstern, offenbar froh über etwas Abwechslung.

»Die Personalien der Zeugen wurden aufgenommen«, fuhr der Streifenpolizist fort. »Der Sachverhalt verhält sich wie folgt: Das Unfallopfer, eine siebzigjährige Frau, wollte die

Straße überqueren, um zur Bushaltestelle zu gelangen. Zur selben Zeit näherte sich der Lada, nach Aussagen der Passanten viel zu schnell, erfasste die Frau und schleuderte sie auf den Gehweg. Ein sowjetischer Arzt leistete Erste Hilfe, bis die SMH kam. Offenbar konnten ihr die Sanis aber nicht mehr helfen.«

»Sie liegt noch im Wagen?«, fragte Schmidt. »Haben Sie die Personalien?«

»Ja, Hildegard Olpe, siebzig Jahre alt, die Bestatter sind bestellt. Die Genossen haben begonnen, die Unfallstelle zu vermessen, wie Sie sehen!«

»Befragen Sie mal die Sanitäter. Ich sehe mir die Unfallstelle an«, befahl er. Dabei fummelte er eine Zigarette aus der Tasche und steckte sie sich an.

Falck und Bach nickten und machten sich auf den Weg zum Rettungswagen. »Kommt er dir auch so unausgeglichen vor, seitdem die Wessi-Tante da war?«, fragte Steffi Bach. »Der ist gefahren wie Sau.«

Falck zuckte die Achseln. »Ich kenne Schmidt so gut wie gar nicht. Damals hatte ich nur kurz mit ihm zu tun.«

Bach schüttelte den Kopf. »Sonst kam er mir immer eher stoisch vor. So nach dem Motto: Lieber gar nicht bewegen als eine falsche Bewegung. Weißt du gar nichts über ihn?«

Falck schüttelte den Kopf.

»Ich glaube, früher war er immerhin bei der Morduntersuchungskommission, jetzt macht er mit uns Dauerdienst. Das ist doch ein Abstieg, oder?«

Sie waren jetzt bei den Sanitätern angelangt, und Falck konnte nicht mehr antworten.

»Guten Abend, Leutnant Falck und Leutnant Bach, Kripo«, stellte Steffi sie den Männern vor. »Es heißt, der Frau war nicht mehr zu helfen?«

»Wir haben sie noch mal in den Wagen genommen, wegen

der Leute, aber ihr war nicht mehr zu helfen. Ihr Brustkorb war eingedrückt«, erklärte der Ältere der beiden. Er trug Vollbart und hatte seine Haare zu einem Zopf gebunden. »Mehr können wir Ihnen aber auch nicht sagen.« Der Sanitäter hob entschuldigend die Schultern.

»Dann lass uns die Zeugen befragen!«, bestimmte Bach.

»Na, Neuigkeiten?«, fragte Schmidt wenige Minuten später. Durch die Herumsteherei war ihnen allen langsam kalt geworden. Der Leichenwagen war nicht gekommen, stattdessen ein zweiter Rettungswagen, der nach wenigen Minuten wieder wegfuhr. Vermutlich ein Missverständnis. Der Verkehr ließ langsam nach, die Reifen der Autos knatterten über das Kopfsteinpflaster.

»Nichts«, fasste Falck zusammen. Die Zeugen, ein Ehepaar um die vierzig, eine junge Frau und ein älterer Herr, waren noch immer sichtlich geschockt. Bei der erneuten Schilderung des Unfallhergangs, hatte die junge Frau einen Schwächeanfall erlitten. Nun kümmerten sich die Sanitäter um sie.

»Keiner kann etwas Genaues sagen, außer dass der Lada gelb war, viel zu schnell fuhr und der Fahrer ein Mann mit Oberlippenbart und dunklen Haaren war. Er soll eine Art Kapitänsmütze getragen haben. Die Kollegen haben das schon an die Zentrale weitergegeben. Der Halter müsste eigentlich ausfindig gemacht werden können, zumal das Fahrzeug erheblichen Schaden erlitten haben muss. Die Motorhaube soll eingedellt gewesen sein, die Frontscheibe gerissen.«

Schmidt nickte. »Und das Opfer? Die Frau?«

»Noch immer im Rettungswagen.«

»Haben Sie sie gesehen?«

»Nein«, antwortete Falck zögerlich, aber wahrheitsgemäß.

»Wieso nicht?«

»Na, wir dachten, wenn sie tot ist …« Falck wusste nicht weiter und sah hilfesuchend zu Bach.

Schmidt schüttelte entrüstet den Kopf. »Die haben euch wohl im Schnelldurchgang durch die Ausbildung gejagt! Mannomann! Roch die Frau nach Alkohol? Hatte sie eine Hundeleine dabei? Oder vielleicht einen Abschiedsbrief? Ist sie dunkel gekleidet? Gibt es sonst irgendwelche Auffälligkeiten? Ich nehme an, ihr habt noch nicht mal ihre Personalien festgestellt?«

Falck schüttelte den Kopf und fühlte sich von seiner Kollegin allein gelassen. »Das haben doch die Kollegen von der Streife schon gemacht. Die hatten doch die Handtasche des Opfers. Und die Sanis haben uns doch den Namen schon gesagt.«

Schmidt stöhnte auf. »Leute, das geht so nicht! Das ist unsere Arbeit, selbst wenn die schon alles notiert haben. Wer weiß, was die übersehen? Wir sind die Kripo, verdammt noch mal!«

»Genosse Hauptmann«, mischte sich da einer der Sanitäter ein.

»Ich bin kein Genosse mehr!«, blaffte Schmidt.

»Also, äh … wir haben da, glaube ich … äh … ein Problem!«, stotterte der Sanitäter herum.

»Ach ja? Was denn für eines?«, fragte Schmidt gereizt.

»Wir haben hier eine wegge Leiche.«

»Was ist denn eine *Weckeleiche*?« Schmidt sah den Mann entgeistert an.

»So ähnlich wie ein abber Arm.« Der Sanitäter hob die Schultern.

»Reden Sie mal Klartext, Mann!«

»Das Unfallopfer, die Frau, die hinten im Wagen war, die ist weg!«

»Die ist weg?« Schmidt und Falck verstanden nur Bahnhof.

Was sollte diese Behauptung? Der Leichenwagen war noch gar nicht da gewesen.

Steffi Bach reagierte als Erste und lief zum offenen Heck des Barkas'.

»Die ist wirklich weg!«, rief sie.

Schmidt schob Bach zur Seite, um sich selbst ein Bild zu machen.

»Spinn ich?«, rief er aus und starrte auf die leere Krankentrage. »Also jetzt mal raus mit der Sprache, ist das so was wie ein Aprilscherz, oder was?« Er nahm sich eine nächste Zigarette heraus. »Ihr nehmt uns auf den Arm, oder?«, fragte er.

»Nein, ohne Quatsch, die ist weg!«, schwor der bärtige Sanitäter.

»Wo wart ihr die ganze Zeit?«, fragte Schmidt ihn aggressiv.

»Vor dem Auto, rauchen, und bei der jungen Frau.«

Schmidt ließ resigniert die Arme sinken und drehte sich einmal um sich selbst, um den Blick über das Gelände schweifen zu lassen. Auf der anderen Straßenseite befand sich die Russenkaserne. Die Straße hinauf zum Heidefriedhof war weithin einzusehen, das gesamte Gelände war von einer hohen Mauer umschlossen. Auf ihrer Straßenseite befanden sich Kleingärten, weiter hinten ein Plattenbau, dazwischen verwildertes Gelände, wie ein kleiner Wald.

»Aber ...« Schmidt hob die Hände, ließ sie wieder fallen. »Dort vielleicht?« Schmidt deutete auf das Dickicht hinter ihnen. »Die hat doch niemand da rausgeholt«, sagte Schmidt leise. »Wir werden doch gerade verarscht, oder?«

»Wieso sollte das denn jemand tun?«, fragte Falck.

»Keine Ahnung, aber habt ihr jemanden gesehen, der eine tote Frau aus dem Auto zerrt? Ich meine, sogar die Trage ist noch drin.«

»Ich habe nicht die ganze Zeit hingesehen«, murmelte Bach.

»Ich auch nicht«, gab Falck zu. Eine ganze Weile hatten sie

mit den Zeugen gesprochen. Die Leiche hinten im Wagen muss mehrere Minuten, wenn nicht sogar länger, unbeaufsichtigt gewesen sein.

»Aber wenn ein Auto angehalten hätte, dann hätten wir das doch bemerkt!« Schmidt trat vor, wagte sich einige Schritte hinein ins Gestrüpp.

»Da war kein Auto und auch kein Leichenwagen!«, bestätigte Falck, doch wirklich sicher war er sich mittlerweile nicht mehr. Zu viel Zeit war vergangen, in der die Frau ohne Aufsicht im Wagen gelegen hatte, zu viele Leute standen ringsum. Hatten sie doch die Bestatter verpasst? Immerhin, die Frau war definitiv weg.

»Ich war drüben bei der Unfallstelle, ihr habt mit den Sanis gesprochen, dann mit den Zeugen. Irgendwann dazwischen ist sie verschwunden.« Schmidt kehrte zurück. »Die war gar nicht tot!«, schlussfolgerte er.

»Doch, das war sie!«, widersprach ihm Bach. Falck hielt sich wohlweislich zurück.

»Ach ja, habt ihr das gesehen? Puls gefühlt?«, fragte Schmidt mit einem hämischen Unterton.

»Nein, aber die Kollegen und die Sanitäter!« Bach ließ sich nicht so schnell in die Ecke drängen.

Schmidt zischte. »Was wissen wir schon wirklich? Vielleicht war sie nur bewusstlos oder … keine Ahnung … vielleicht war sie ja scheintot. Kann doch sein, und der Herzschlag setzte wieder ein.«

Bach winkte ab. »Das ist doch Quatsch!«

Und Falck zuckte zusammen, angesichts dieser temperamentvollen Respektlosigkeit.

»Quatsch, ja?«, fuhr Schmidt auf. »Aber weg ist sie trotzdem!«

»Gibt's Probleme?«, mischte sich einer der uniformierten Polizisten ein.

»Kann man wohl sagen. Die Leiche ist weg!«, blaffte Schmidt ihn an und marschierte davon.

»So was hatte ich schon mal!«, sagte der Uniformierte nachdenklich. »Im Frühjahr letzten Jahres! Zumindest hatte ich davon gehört.«

Falck hob den Kopf. »Ja, genau. Da sollte ich ermitteln.«

»Echt? Da war auch eine Leiche abhandengekommen, und du wusstest davon?« Bach starrte ihn verblüfft an. »Warum sagst du denn nichts?«

»Also, erstens …« Falck wunderte sich selbst. Der Fall vom letzten Jahr kam ihm vor wie aus einer völlig anderen Zeit, als lägen Jahrzehnte dazwischen. »Das war ganz anders damals … also, das war kurz vor der Einäscherung. Der Sarg war samt der Leiche weggekommen. Es hatte sich um eine junge Frau gehandelt, die an einer Lungenembolie gestorben war. Aber letztlich hat es sich als Verwechslung herausgestellt. Da hatte jemand Mist gebaut, wahrscheinlich …« Falck deutete eine Trinkbewegung an.

»Eine Verwechslung?«, hakte Bach nach.

»Ja, soweit ich weiß. Ich habe damals die Unterlagen gesehen, und eine Frau von der Friedhofsverwaltung hat es mir bestätigt.«

»Und das weißt du sicher?«

»Die Tote wurde dann nachträglich eingeäschert.«

»Oder man hat das Ganze vertuscht.«

»Jetzt quatscht hier kein kariertes Zeug!« Schmidt stand wieder neben ihnen. »Die war nicht tot, die ist aufgewacht, hat sich gewundert, was los war, und ist davonmarschiert. Hier sind doch eine ganze Menge Leute vorbeigekommen. Das fiel gar nicht auf, dass die abgedampft ist. Ich schreibe jedenfalls nicht, dass uns eine Leiche abhandengekommen ist. Da machen wir uns ja lächerlich!«

»Aber wenn es jemand ist, der Leichen klaut? So was gibt's

doch!«, sagte Steffi Bach. »Wir sollten der Sache mal nachgehen!«

Schmidt zeigte ihr wieder einen Vogel. »Haben wir sonst
nix zu tun? Erst hast du die Sache mit dem Vergewaltiger angezettelt und jetzt noch das? Ich schreibe in den Bericht, die
Frau hat sich selbstständig vom Unfallort entfernt, basta!«
Schmidt zeigte auf den Uniformierten. »Sie rufen jetzt Verstärkung her. Wir suchen die Gegend ab. Hätten wir schon
längst tun sollen. Vielleicht liegt sie jetzt irgendwo da drinnen
im Gebüsch oder nippelt später in ihrer Wohnung ab. Sie
haben doch die Personalien, jemand wartet bei ihr zu Hause.«
Schmidt klatschte in die Hände. »Los jetzt, dalli!«

3

»Der Führungsanspruch der SED ist aus der Verfassung der DDR gestrichen, auf Antrag aller zehn Volkskammerfraktionen«, zitierte Schmidt am nächsten Morgen die *Sächsische Zeitung.* »Die DDR ist ein sozialistischer Staat der Arbeiter und Bauern. Sie ist die politische Organisation der Werktätigen in Stadt und Land. So lautet jetzt Artikel eins, Absatz eins. Gestern in der Volkskammer beschlossen. Und Gorbatschow war beim Papst, beide äußerten den Wunsch, die bilateralen Beziehungen auszubauen.« Schmidt sah auf. »Na, geht es euch jetzt besser?«

Falck und Bach sahen sich an und schüttelten die Köpfe. Es war Falcks zweiter Arbeitstag, und er hatte sich noch nicht einmal richtig von dem ersten Tag erholt.

Schmidt schnaubte. »Ja, warum auch? Große Gesten und Blabla, was wirklich wichtig ist, bestimmen andere im Kämmerchen. Die Müslifresser, die jetzt am runden Tisch sitzen, verschwinden demnächst in der Versenkung. Der Gewinner ist Kohl! Wartet es nur ab.«

Es war nicht herauszulesen, was Schmidt wirklich über all das dachte, stellte Falck fest. Begrüßte er die neue Freiheit? War er unsicher, was als Nächstes geschah? Orakelte er nur, oder waren das seine schlimmsten Befürchtungen?

Die Tür ging auf und Sybille Suderberg betrat den Raum. Sie trug ein neues, dem Wetter genauso wenig angemessenes Outfit wie tags zuvor. Die Parfümwolke folgte ihr verzögert, traf die drei im Zimmer aber mit umso größerer Wucht.

Schmidt schlug die Zeitung wieder auf und hob sie demonstrativ vor sein Gesicht.

»Guten Morgen!«, sagte Suderberg und sah sich um.

»Morgen«, brummten Bach und Falck im Chor.

»Sie haben sich nicht wirklich um einen Arbeitstisch für mich gekümmert«, stellte sie enttäuscht fest.

»Ist ja auch nicht unsere Aufgabe!«, knurrte Schmidt hinter der Zeitung.

»Aber irgendwo muss ich sitzen«, meinte Suderberg vorwurfsvoll.

»Wir könnten den Tisch noch abräumen.« Falck deutete auf den Tisch, auf dem sich einiges stapelte. Da niemand darauf einging, stand er auf und begann, die oben liegenden Aktenordner abzutragen. Endlich kam Bach ihm zu Hilfe.

»Wir haben so was wie ein Lager am anderen Ende des Ganges.«

»Wo sind Sie denn untergekommen?«, fragte Steffi Bach, um das peinliche Schweigen nach der Umräumaktion zu durchbrechen. Hauptkommissarin Suderberg hatte an ihrem improvisierten Schreibtisch Platz genommen und den Inhalt ihrer Tasche vor sich ausgebreitet. Jetzt blickte sie sich mit einer Mischung aus Abneigung und Amüsement um.

»Ich habe mir selbst etwas gesucht«, antwortete sie.

»Aha, und wo?«, fragte Bach weiter und war offensichtlich froh, dass die neue Kollegin auf das Gespräch eingegangen war.

»Na ja, in einem Hotel. Offenbar gibt es sonst keine Unterkünfte, zumindest keine …« Sie verstummte und zuckte mit den Achseln.

… die ihrem Anspruch genügen, dachte Falck den Satz für sich zu Ende. Er hatte versucht, Suderbergs Alter zu schätzen, war sich aber unsicher. Sie musste um die dreißig sein, Mitte dreißig sogar. Falck sah zu Schmidt, der sich intensiv mit einer Akte beschäftigte. Es wäre ihm durchaus zuzutrauen, dass er die Suderberg den ganzen Tag ignorieren würde. Das konnte ja eine tolle Schicht werden, dachte Falck und seufzte.

»Und welches Hotel?«, fragte Bach hartnäckig weiter, um das Gespräch nicht einschlafen zu lassen.

»Das Bellevue, gleich hier die Straße runter.«

Falck sah auf und bemerkte im Augenwinkel auch eine Regung bei Schmidt. Das Bellevue war ein Devisenhotel und damit für den normalen DDR-Bürger tabu und sowieso nicht erschwinglich. Wahrscheinlich verbuchte die Kollegin das alles unter Spesen und würde ihrem Vorgesetzten alle möglichen Schauergeschichten über die Zustände in der DDR erzählen. Im Westen glaubten sie ihr bestimmt jedes Wort.

Jetzt fiel ihm ein, an wen ihn Sybille Suderberg erinnerte. Sie sah aus wie eine der abweisend dreinblickenden Frauen in dem Musikvideo von Robert Palmer, das er kürzlich gesehen hatte.

Suderberg räusperte sich. »Sagen Sie mal«, begann sie, »ich habe gehört, Ihnen ist gestern eine Leiche abhandengekommen?«

Schmidt schnaufte unwillig. »Nein, das stimmt so nicht. Es handelte sich um eine Frau, die man versehentlich für tot gehalten hatte.«

»Passiert ... Ich meine, passiert das hier öfter?«, fragte Suderberg.

»Dass man jemanden fälschlich für tot erklärt? Nein!«, knurrte Schmidt.

Suderberg räusperte sich wieder und suchte offenbar nach den richtigen Worten. »Hören Sie, ich habe doch nur um Unterstützung gebeten, um in meinem Fall ermitteln zu können. Das ist hier keine Ost-West-Sache, oder so. Ich will Ihnen auch nichts über Ihre Arbeit erzählen. Ich war nur auf die Zustände hier ... nicht ganz vorbereitet.«

»Was denn für Zustände?«, fragte Schmidt aggressiv zurück.

Die Suderberg machte eine vage Bewegung in den Raum. »Na, ich war bisher noch nie in der Zone gewesen. Ich hätte nicht gedacht, dass wirklich alles so … so heruntergekommen ist. Die Straßen, die Häuser und dann der Dreck überall. Alles ist so grau. Die Luft ist verpestet, riechen Sie das gar nicht?«

Schmidt erhob sich schweigend, um demonstrativ das Fenster zu öffnen.

»In der Zone?«, fragte er, als er sich wieder hingesetzt hatte.

»Das sagt man doch so, oder? Zumindest bei uns. Die Zone. Ist doch nicht böse gemeint. Und ich weiß natürlich, dass hier die Russen schalten und walten. Aber ich hätte wirklich nicht gedacht, dass hier alles immer noch so kaputt ist. Hier stehen noch die Ruinen aus dem Krieg herum. Warum wurde das denn nicht längst wieder aufgebaut? Es waren doch mehr als vierzig Jahre Zeit. Diese alten Wohnhäuser überall, schrecklich! Haben die denn überhaupt Strom und Wasser?«

»Also erstens, wir haben alle Strom und Wasser, was denken Sie denn? Und zweitens, hier herrschte Sozialismus, verstehen Sie? Das lief hier anders als im Westen. Wer nicht spurte, ging ab in den Bau. Und die alten Häuser wurden absichtlich nicht instand gehalten, die sollten nämlich alle abgerissen werden, um Bauwerke im sozialistischen Antlitz errichten zu können. Und die Ruine der Frauenkirche, die Sie vermutlich meinen, ist ein Mahnmal gegen den Krieg. Wir zahlen übrigens immer noch Reparationsleistungen an die Russen. Das musste der Westen nie, soweit ich weiß.« Schmidt musste nach der langen Rede erst mal tief Luft holen. »Wissen Sie, Sie können nicht hierherkommen und Dinge behaupten, von denen Sie keine Ahnung haben, und uns einfach mal so unterstellen, dass wir alle bei der Stasi gewesen wären.«

»Sie waren also nicht bei der Stasi?« Sie hatte Schmidt aufmerksam zugehört, und in ihrer Frage schwang jetzt ehrliches Interesse mit.

»Nein, war ich nicht!«, stöhnte Schmidt.

»Aber Sie sind doch schon ein paar Jahre bei der Kripo, nehme ich an. Da griff doch eins ins andere, oder nicht?« Die westdeutsche Kollegin ließ sich von Schmidts abweisender Art nicht irritieren.

Schmidt schloss für eine Sekunde die Augen. »Ja, zwangsläufig hatte man mit denen zu tun. Aber was wollen Sie denn damit sagen?«

Suderberg riss die Augen auf und hob abwehrend die Hände. »Gar nichts, nichts, wirklich. Ich dachte nur, dass es vielleicht hilfreich sein könnte bei der Suche nach unserem Täter!«

»Was meinen Sie mit *es*?«

»Na, die Mittel, die uns zur Verfügung stünden, die Stasi hatte doch überall ihre Finger drin, oder?«

»Kann schon sein«, knurrte Schmidt, »aber wir sind nicht von der Stasi!«

»Hab ich ja auch nicht behauptet. Regen Sie sich doch nicht gleich so auf.«

Bach erhob sich so schnell, dass es wie ein Aufspringen wirkte. »Wollen Sie uns vielleicht mal etwas über den Mann erzählen, den Sie suchen?«

Die Suderberg bedachte sie mit einem Blick, der Falck mitleidig vorkam und der Steffi Bach unwillkürlich dazu veranlasste, an sich hinunterzusehen. Es war nichts falsch an ihr, fand Falck, sie trug eine hellblaue Jeans und einen beigen Pullover. Bach war eigentlich sehr hübsch. Warum benahm sich die Suderberg so seltsam? Ob sie nur ihre Unsicherheit kaschierte? Aber eigentlich wirkte sie kein bisschen unsicher.

»Also gut«, sagte die Suderberg. »In den letzten Jahren kam es in der Frankfurter Rotlichtszene zu Konflikten, die auch mit Waffengewalt ausgetragen wurden. Es gab gewalttätige Auseinandersetzungen auf offener Straße und auch einige Morde aus dem Hinterhalt. Dabei kamen Prostituierte sowie Zuhälter ums Leben und auch Unbeteiligte. Wir haben eindeutige Hinweise auf einen Mann, der jeweils kurz vor oder nach tödlichen Überfällen in Bordellen oder entsprechenden Wohnungen gesehen wurde. Aus der Szene direkt kann man keine Hilfe erwarten, dort löst man alle Konflikte ohne die Polizei. Es ist mir aber dennoch gelungen, einen Tatverdächtigen auszumachen. Damals nannte er sich Harald Spoon, ein unscheinbarer Mann, inzwischen um die fünfzig, Typ Hausmeister. Offenbar diente er eine Weile in der französischen Fremdenlegion. Im Vietnamkrieg geriet er in vietnamesische Gefangenschaft, es gelang ihm, nach Thailand zu flüchten, wo er sich den Namen Spoon zulegte. Möglicherweise war das der Name eines anderen Fremdenlegionärs, der ums Leben gekommen war. Wie er aber ursprünglich hieß, wissen wir nicht. In der deutschen Botschaft in Bangkok nahm man ihm seine Geschichte jedenfalls ab. Anschließend lebte der Mann fast fünfundzwanzig Jahre lang in Frankfurt, schlug sich mit Gelegenheitsjobs durch, bekam nie Geld von einem Amt, heiratete nie und hat auch keine Kinder. Als wir sein Konto beschlagnahmten, war es leer, allerdings haben sich nach Angaben der Bank kurz vor seinem Verschwinden noch zwei Millionen Mark darauf befunden. Ich habe Fotos von dem Mann, die leider ziemlich alt sind. Sie entstanden damals in der Botschaft in Bangkok.« Sie holte einige Papierkopien heraus und reichte Schmidt, Bach und Falck je eine.

Falck betrachtete die Bilder. Sie zeigten einen jungen Mann, schmal, mit sauber gescheiteltem Haar und keinen besonderen Merkmalen.

Eine Weile war es still im Raum. Auch Schmidt schwieg, doch seine Skepsis war förmlich greifbar.

»Er verschwand also?«, fragte Falck. »Wann genau?«

Suderberg nickte. »Zwei Tage nach dem Mauerfall kam es in der Nähe von Hannover zu einem schweren Autounfall. Ein Auto kam ohne Fremdeinwirkung von der Straße ab und brannte aus. Es gab einen Toten. Die Leiche war völlig entstellt. Es stellte sich heraus, dass das Auto gestohlen war. Bei der Leiche fand man Überreste von Papieren von Harald Spoon. Man ging also davon aus, dass er das Opfer war. Ich vermute jedoch inzwischen, dass der Tote im Auto nicht Harald Spoon war.«

»Wer dann?«, fragte Schmidt.

»Das wissen wir nicht. Aber Spoon hat wahrscheinlich dessen Identität angenommen.«

»Das scheint bei Ihnen ja öfter vorzukommen«, sagte Schmidt und grinste hämisch. Doch Falck sah, dass er sich im nächsten Moment dafür schämte. Was war nur mit seinem Vorgesetzten los? Hinter seiner griesgrämigen Miene schien eigentlich ein ganz umgänglicher Mensch zu stecken.

Die Suderberg strich sich über das blonde Haar, ihre rot geschminkten Lippen waren nur noch ein schmaler Strich. Durch Schmidts unnötige Bemerkung war es wieder still geworden. Bach verschränkte die Arme und sah mit finsterem Gesicht zu ihrem Vorgesetzten hin. Falck ertappte sich bei dem Gedanken: Früher war alles einfacher gewesen. Viel einfacher.

Schmidt klärte die Situation auf seine Art. Er zündete sich eine Zigarette an. »Na dann. Wollen wir mal zur Sache kommen!«, nuschelte er an der Kippe vorbei. »Wie wollen Sie vorgehen?«

»Ich hatte gehofft, man könnte vielleicht per Computer auf die Datenbanken der Meldeämter zugreifen. Wir müssen prüfen, wer in den letzten Wochen in die DDR eingereist ist.« Suderberg sah von einem zum anderen. »Aber … so läuft das hier nicht, oder?«, fragte sie konsterniert.

»Also, unsere EDV ist nicht ganz auf dem neuesten Stand …«, hob Bach zur Erklärung an, »um es mal vorsichtig auszudrücken.«

»Wir können uns mit einer Suchanfrage an das Meldeamt wenden«, erklärte Schmidt erstaunlich sachlich, »aber dazu müssten wir wissen, wen wir suchen. Und ich fürchte, die haben gerade viel zu tun. Momentan gehen täglich jede Menge Leute in den Westen. Außerdem ist davon auszugehen, dass der Gesuchte sich sowieso nicht ordnungsgemäß anmelden wird. Ich denke, wir müssen auf die gute alte Vorortermittlung zurückgreifen. Sie müssen doch einen konkreten Grund haben, warum Sie ausgerechnet nach Dresden gekommen sind.«

Suderberg nickte. »Vor zwei Wochen erfuhr ich eher zufällig, dass es bei einer Schlägerei in einer Diskothek einen Toten gegeben hat. Einen jungen Mann.«

»Stimmt. Ein gewisser Torsten Gwisdek«, bestätigte Schmidt und hatte bereits den richtigen Hefter bei der Hand. »Eine Schlägerei, offenbar von ihm selbst angezettelt. Er galt als aggressiv und gewalttätig. Er provozierte einen Streit, bekam aber selbst einen so heftigen Schlag ab, dass er sich buchstäblich das Genick brach.«

»Ich weiß. Ja, das war übel«, mischte sich Steffi Bach ein. »Wie dessen Kopf baumelte …«

»Das war kein Unfall«, sagte Suderberg. »Der Mann, den wir suchen, ist bewandert im Umgang mit Handwaffen, aber auch in tödlichen Kampftechniken. Es wäre nicht das erste Mal, dass er jemanden auf diese Weise umbringt.«

»Wie viele soll er denn schon umgebracht haben?«, fragte Schmidt.

»Sicher wissen wir von fünf, vermutlich aber zwanzig oder mehr.«

»Nicht Ihr Ernst!?«, rief Steffi Bach.

Suderberg fuhr herum. »Glauben Sie, ich komme zum Jux hierher?«, ging sie die junge Polizistin schroff an.

»Machen Sie mal halblang«, ermahnte sie Schmidt. »Wir sind hier solche Sachen nicht gewöhnt. So etwas gab es einfach nicht!«

»Höchstens auf staatlicher Ebene, oder?«

»Was soll denn das nun wieder heißen?«, entrüstete sich Schmidt.

»Das wissen Sie schon selbst!«

Es war, als schaute man streitenden Kleinkindern zu, dachte Falck und stand zu seiner eigenen Überraschung auf.

»Muss das immer sein?«, sagte er laut. »Können wir nicht einfach mal an die Arbeit gehen? Wir sind doch Polizisten, egal ob DDR oder BRD. Wie wäre es, wenn wir diesen Gwisdek mal unter die Lupe nehmen. Wenn der Auftragsmörder ihn umgebracht haben soll, dann muss es einen Grund dafür geben.«

»Da hast du recht, aber unsere Arbeit dürfen wir auch nicht vernachlässigen!«, unterbrach ihn Schmidt, der offenbar seine Vorgesetztenrolle in Gefahr sah. »Die Angelegenheit mit dem Vergewaltiger zum Beispiel. Frau Suderberg …«

»Hauptkommissarin Suderberg«, verbesserte sie.

Schmidt holte tief Luft. »Frau Hauptkommissarin Suderberg wird uns begleiten, damit sie einen Einblick in unsere Vorgehensweise bekommt. Soweit ich weiß, wohnte Torsten Gwisdek in der Neustadt, ebenso Heiko Rühle. Da können wir zwei Fliegen mit einer Klappe schlagen.«

4

»Das ist Ihr Dienstwagen?«, fragte Suderberg eine Tonlage zu hoch.

»Ist das ein Problem?«, fragte Schmidt und schloss gelassen den Trabant auf. Falck nahm Schmidt das lässige Gehabe nicht ab. Ihm war der Gedanke peinlich, dass sie sich jetzt zu viert in den Trabi quetschen sollten.

»Ich dachte, Sie fahren Volvo.«

Schmidt lachte belustigt. »Honecker vielleicht, wir fahren Pappe!« Er haute auf das Autodach und stieg ein.

»Falck und ich setzen uns nach hinten«, bot Bach der Kollegin an und zupfte Falck am Ärmel, nachdem Schmidt die Beifahrertür von innen entriegelt hatte.

Es war Falck schon unangenehm, wenn er allein hinten sitzen musste. Zu zweit würde es klaustrophobisch eng werden. Brennen durfte die Karre nicht, dachte er.

Umständlich stieg Suderberg ein, zog die Tür zu, brauchte noch zwei Versuche, um sie zu schließen, suchte dann nach dem Gurt und verstand zuerst dessen Prinzip nicht, weil man die Gurtweite selbst einstellen musste. Bach, die schräg hinter Suderberg saß, erklärte es ihr, während Schmidt den Motor startete. Auf den ersten Metern der Fahrt in die Neustadt saß die Polizistin verkrampft und unsicher auf dem Beifahrersitz.

»Und auf so ein Auto haben die Leute hier zehn Jahre lang gewartet?«, fragte sie, als sie an einer Ampelkreuzung halten mussten.

»Oder länger. Auf einen Neuwagen zumindest.«

»Und warum haben sich die Leute keinen Gebrauchtwagen gekauft?«

»Wenn sie es sich leisten konnten … Die waren noch teurer«, erklärte Bach.

»Teurer? Ein Gebrauchter? Warum?«

»Weil man dann nicht fünfzehn Jahre warten musste. Manche verkauften ihren Neuwagen direkt weiter, natürlich mit Gewinn.«

Suderberg nickte und suchte nach geeigneten Worten, das Thema zu beenden. »Aber immerhin, Autos hatten Sie ja. Und Kleingärten. Hab ich gestern erst welche gesehen«, meinte sie unbeholfen.

Schmidt grunzte abfällig, hielt sich aber zurück. Suderberg betrachtete jetzt schweigend die Häuser entlang der Königsbrücker Straße. Als Schmidt in den Bischofsweg abbog, sah Falck, wie sich auf ihrer Miene das blanke Entsetzen breitmachte. Als sie von der Kamenzer in die Schönfelder Straße einbogen, drehte sie sich zu Falck und Bach um.

»Hier lebt jemand? Das ist ja wie im Kriegsgebiet!« Sie klang ehrlich entsetzt.

»Na, übertreiben Sie mal nicht!«, schniefte Schmidt, lenkte den Wagen in die Talstraße und parkte am Bordstein. In einer verwilderten Baulücke spielten Kinder und sahen sich neugierig nach ihnen um. Schmidt stieg aus und zündete sich eine Zigarette an.

»Aber das ist ja alles abbruchreif!« Suderberg quälte sich aus dem Auto.

Falck folgte ihr, heilfroh, endlich aussteigen zu können. Einem ersten Impuls folgend wollte er seine Heimat verteidigen, doch nun sah er mit ihren Augen die heruntergekommenen Straßenzüge, die desolaten Bürgersteige, den verheerenden Zustand der Häuser, mit den abgerissenen Dachrinnen, kaputten Fenstern, durchhängenden Dachstühlen, mit den teils armdicken Birken, die auf den Dächern wuchsen. Der Putz schälte sich in großen Fladen von den Fassaden, das Mauerwerk bröselte, manche Erdgeschosswohnungen waren einfach vernagelt. Er schaute verstohlen zu Steffi Bach. Auch sie wirkte befangen. Nur Schmidt zeigte sich weiterhin unbeeindruckt.

»Da drüben wohnt dieser Rühle«, sagte er und deutete auf einen dunklen Hauseingang ohne Tür.

»Moment«, rief Suderberg, »Rühle? Ich denke, wir sehen uns Gwisdeks Umfeld an?«

»Eines nach dem andern. Gwisdek läuft ja nicht mehr weg«, meinte Schmidt und ging los.

Bach unterdrückte ein Lachen. »Was denn?«, rechtfertigte sie sich, als Falck sie deshalb vorwurfsvoll ansah. »Er hat doch recht.«

»Und was haben wir jetzt vor?«, fragte Suderberg und stöckelte Schmidt auf ihren hohen Absätzen hinterher. Sie ging erstaunlich sicher darin, fiel Falck auf, doch er bezweifelte, dass man mit diesem Schuhwerk den entsprechenden Respekt einfordern konnte.

Vor dem Hauseingang bequemte sich Schmidt dann zu einer Antwort auf Suderbergs Frage. »Wir schauen uns einen möglichen Sexualstraftäter an und verschaffen Ihnen Einblick in die Arbeitsweise der Volkspolizei.«

Falck genierte sich mittlerweile regelrecht für das Verhalten seines Chefs. Hoffentlich erzählte die Suderberg im Westen nicht, wie bescheuert DDR-Polizisten sind.

»Und wenn Sie sagen, *Sie schauen sich den an*, was meinen Sie damit?«, wollte sie es von Schmidt genau wissen.

»Na, wir schauen uns den eben an!« Schmidt hob die Schultern. Dann trat er in den dunklen Hausflur. Als er den Lichtschalter betätigte, ging nur auf der ersten Etage das Licht an, unten in der Durchfahrt blieb es dunkel. Die Briefkästen hingen schief an der Wand, waren zertreten. Die Haustafel sah aus, als wäre sie in den Siebzigern das letzte Mal aktualisiert worden. Der Name *Rühle* stand jedenfalls nicht darauf. Irgendwo von oben hörte man Punkrock. Schmidt stieg die Treppe hinauf. Die drei anderen folgten ihm, und Falck war als Letzter sehr darum bemüht, den beiden Kolleginnen nicht auf den Po zu sehen.

Bach blieb unvermittelt stehen. »Ist das eigentlich ein besetztes Haus?«, fragte sie Falck leise. Der wusste es nicht, zuckte mit den Achseln. Schon vor der Wende hatten junge Leute Häuser besetzt, um sie vor dem Abriss zu bewahren und um an Wohnraum zu kommen. Denn es war so gut wie unmöglich, eine Wohnung zu bekommen, wenn man nicht verheiratet war und kein Kind hatte. Mittlerweile waren die Häuser nicht nur von rebellischer Jugend, Studenten oder anderen gesellschaftlichen Abweichlern besetzt. Inzwischen waren sie durchaus auch bereit, ihren Wohnraum mit Gewalt zu verteidigen.

»Ist das hier normal? Dass wir hier einfach so reingehen?«, fragte Suderberg.

»Wie sollen wir denn sonst ins Haus kommen?« Schmidt war auf dem nächsten Treppenpodest angelangt und klopfte jetzt heftig gegen die erstbeste Tür.

»Schweini?«, fragte eine Stimme durch die Tür.

»Ja, ich bin's!«, log Schmidt. Die Tür öffnete sich und ein hagerer junger Mann mit Punker-Frisur blinzelte durch den Spalt.

»Wer seid ihr denn? Bullen?«

»Mach mal auf!«, bat Schmidt in kumpelhaftem Ton.

»Nee, nischt is!« Der Punk wollte die Tür zuwerfen, doch Schmidt hatte seinen Fuß bereits drinnen.

»Heiko Rühle. Wohnt der hier?«

»Was weiß ich denn, bin ich Jesus?«

»Keine Ahnung«, versuchte Schmidt es weiter auf die Kumpeltour. »Aber du kannst es mir ja sagen, sonst komm ich mal in deiner Wohnung gucken.«

»Kannst mich mal, nimm die Quanten jetzt aus der Tür!«, drohte der Punk.

»Sonst was?«, fragte Schmidt und presste jetzt mit der Hand gegen das Türblatt. Trotz der Gegenwehr gelang es Schmidt, die Tür aufzudrücken. Der andere gab schließlich auf und wich zurück.

»Ihr könnt mich mal, ihr Scheißbullen! Ihr seid doch immer noch dieselben Stasischweine!«

Schmidts Stoß ließ den Mann gegen die Wand prallen.

»Jetzt mach mal halblang. Ich wollte doch nur wissen, ob dieser Rühle hier wohnt.«

»Rühle wohnt eine drüber«, rief er und wollte Schmidt vergeblich davon abhalten, tiefer in die Wohnung vorzudringen. Suderberg zögerte und blieb an der Wohnungstür stehen. Bach aber war Schmidt bereits gefolgt, was dann auch Falck und die Frankfurter Polizistin bewog hinterherzugehen.

»Tja, warum sagst du das denn nicht gleich«, grunzte Schmidt den Bewohner an. »Riecht ihr das?«

»Haschisch, oder?«, vermutete Bach.

»Wolltest du uns deshalb nicht reinlassen?«, fragte Schmidt und stand jetzt vor der Tür, hinter der laute Musik zu hören war. »Wie heißte denn?«

»Klausen.«

»Hast du auch einen richtigen Namen?«

»Hab ich, ja!«

»Hör mal, du Klugscheißer, ich mach jetzt die Tür hier auf. Sag mir mal vorher schon, wer da drin ist. Ein paar Leute? Muss ich meine Knarre ziehen?«

»Ne' Knarre? Hast du 'nen Knall?«, rief Klausen.

Auf einmal schnellte Schmidt unvermittelt vor und packte

den Punker am Hals. »Jetzt pass mal auf, was du sagst, das geht mir nämlich ziemlich auf die Nerven.«

»Chef!«, ermahnte Bach und legte Schmidt die Hand auf den Arm. Schmidt ließ von dem Punker ab und öffnete die Tür. Das Zimmer war groß, die Fenster gingen zur Straße hinaus. Die Musik aus einem Kassettenrekorder war sicher so oft kopiert worden, dass sie mittlerweile dumpf klang und leierte. Ein paar Kerzen brannten. Drei Punker waren von ihren Matratzen aufgestanden, darunter eine junge Frau, was aber erst auf den zweiten Blick zu erkennen war. Alle drei sagten keinen Ton.

»Warum so schweigsam?«, fragte Schmidt. Er sah sich um, deutete dann auf einen Deckenhaufen. »Wer oder was liegt denn da drunter?«

»Nichts weiter!«, murmelte einer.

»Dann zeig doch mal!«

»Hören Sie mal, Kollege«, mischte sich jetzt Suderberg leise ein. »So geht das nicht. Sie haben keinen Durchsuchungsbefehl, oder?«

»Wer ist denn das?«, fragte Klausen. »Habt ihr jetzt Aufpasser aus dem Westen?«

Schmidt war mit einer derart schnellen Bewegung auf Klausen zugeschossen, dass Falck zusammenzuckte. Das hatte er Schmidt gar nicht zugetraut.

»Noch ein Wort, und ich hau dir eine runter!«, zischte Schmidt

»Dann beschwer ich mich!«, maulte Klausen.

»Ach ja, bei wem denn? Bei Egon Krenz?« Schmidt wartete drei Sekunden auf eine Antwort, dann drehte er sich um, schob mit dem Fuß eine der Matratzen beiseite und riss die Decken weg. Darunter kamen mehrere Damenhandtaschen zum Vorschein.

»Eure, nehme ich an?«, fragte er höhnisch.

»Die waren schon hier, ich schwör's!«, meinte einer der Punker. »Wir sind erst seit zwei Tagen hier, die Handtaschen waren schon da.«

Schmidt warf die Decken wieder hin. »Ich behalte euch im Auge und dich erst recht, Großmaul!« Er tippte Klausen vor die Brust. »Los, Abgang«, befahl er dann seinen Kollegen, und die Polizisten verließen die Wohnung.

Im Treppenhaus stellte ihn die Suderberg umgehend zur Rede. »Hauptmann Schmidt, so geht das nicht! Sie haben gleich drei Dienstvergehen begangen. Sie können nicht einfach in die Wohnung eindringen, und Sie können den Mann nicht bedrohen oder womöglich sogar handgreiflich werden.«

»Sie haben doch gesehen, wie ich das kann!« Schmidt wollte die Treppe hinaufgehen, doch Suderberg hielt ihn davon ab.

»Was sind denn das für Methoden? Ich denke, die Zeiten sind vorbei?«

»Und dass die Typen Handtaschen klauen, ist Ihnen wohl egal?«

»Natürlich nicht, trotzdem können Sie ohne richterlichen Beschluss nicht einfach da reingehen, das ist nicht erlaubt, und jeder halbwegs gute Anwalt wird Ihnen das um die Ohren hauen …«

Schmidt hob jetzt oberlehrerhaft den Zeigefinger und viel hätte nicht gefehlt, dass er ihn der Frau vor die Brust gepikst hätte. »Bei Ihnen vielleicht, in Frankfurt, oder wo Sie herkommen! Hier läuft das auf unsere Art. Ich lass mir doch von so einem nicht auf der Nase rumtanzen.« Schmidt wandte sich demonstrativ ab und stampfte die Treppe hinauf.

»Toll!«, murmelte Suderberg, »wirklich ganz toll. Kein Wunder.«

Was auch immer das heißen sollte. Falck war die ganze Zeit versucht gewesen, sich einzumischen. Es widerstrebte ihm, der neuen Kollegin recht zu geben, obwohl er wusste, dass Schmidts Vorgehen falsch gewesen war. Gleichzeitig imponierte ihm dieses Verhalten. So harmlos und träge wie Schmidt nach außen schien, so unvermittelt konnte er den harten Bullen herauskehren. So viel Selbstvertrauen wünschte sich Falck insgeheim.

»Was ist denn bloß mit dem Alten los?«, flüsterte Bach ihm zu.

Falck wusste keine Antwort darauf. »Was ist jetzt mit den Handtaschen?« Er deutete nach unten. »Müssten die nicht als Beweismaterial sichergestellt werden?«

Bach winkte ab. »Dann hätten wir ja noch mehr am Hals!«

Unterdessen hämmerte auf dem nächsten Treppenpodest Schmidt bereits an die nächste Tür. »Heiko Rühle?«, rief er. »Aufmachen! Polizei.«

Sie lauschten, nichts geschah.

Schmidt atmete durch. »Rühle, wenn Sie nicht öffnen, trete ich die Tür ein.«

»Was wollen Sie denn?«, fragte jetzt eine dünne Stimme hinter der Tür.

»Lassen Sie mich das machen!« Die Suderberg drängte sich energisch vor. »Herr Rühle, Kriminalpolizei! Wir haben einige Fragen bezüglich eines Vorfalls.«

»Woher soll ich denn wissen, dass Sie wirklich von der Polizei sind?«

Schmidt reagierte zuerst, drängte die Westdeutsche sacht, aber bestimmt wieder beiseite. »Ich zeige Ihnen meinen Ausweis, wie wäre das?«

Nun öffnete sich die Tür tatsächlich einen Spalt, doch eine Kette spannte sich dahinter. Schmidt seufzte, hielt seinen Ausweis vor den Spalt und wollte ihn nach ein paar Augenblicken wieder herunternehmen.

»Moment noch!«, bat die noch immer körperlose Stimme.

Schmidt ließ entnervt die Schultern sinken, atmete noch einmal schwer durch. »Machen Sie jetzt auf?«

»Ja, Sekunde bitte!«

Die Tür schloss sich wieder, es wurde still. Es blieb so lange still, bis auch Falck überzeugt war, dass sich die Tür nicht mehr öffnen würde. Gerade als Schmidt die Faust hob, um noch einmal gegen die Tür zu hämmern, vernahm man das helle Rasseln der Kettenglieder. Dann ging die Tür auf.

Ein schmaler Mann stand vor ihnen, das Haar lang und ungepflegt, das Gesicht verhärmt, mit tiefen Augenringen. Er trug eine viel zu weite Jeans und einen ärmellosen Nicki. Auf keinen Fall konnte er derjenige sein, dem Falck durch den Alaunpark nachgejagt war.

»Heiko Rühle?«, fragte Schmidt.

»Ja, der bin ich. Sind Sie wegen der Wohnung hier? Ich hab nämlich einen Schein vom Wohnungsamt, der ist erst letzten Monat verlängert worden …« Rühle verstummte und rieb sich die Oberarme.

Schmidt betrachtete ihn interessiert. »Sind Sie geschminkt?«

Rühle schüttelte den Kopf, senkte aber seinen Kopf und trat ein paar Schritte in das Dunkel des Flurs.

»Können wir reinkommen?«, fragte Schmidt und tat es im selben Augenblick auch schon. Rühle machte kommentarlos den Weg frei.

»Sie wohnen hier allein?«, fragte Schmidt, doch schon der Zustand der Wohnung war eigentlich Antwort genug. Die Türen standen alle offen, so dass man die mit Sperrholzmöbeln wild eingerichteten Zimmer sah. Matratzen lagen überall herum. Kerzen standen auf den Schränken und auf dem Boden. Es roch nach Bier, Wein und Zigaretten. Ein Blick ins Bad verursachte Falck Übelkeit. Nicht allein, dass es dreckig war, die Wäsche hing über der Wanne, konnte allerdings in der fensterlosen Enge nicht trocknen, sondern moderte vor sich hin. Die Wanne war voller Müll, das Waschbecken diente offensichtlich als Urinal.

»Es kommen immer Leute. Viele kenne ich gar nicht«, erklärte Rühle.

»Aber es ist Ihre Wohnung?«

»Na ja«, Rühle hob die Schultern und ließ sie oben. »Dahinten ist mein Raum!« Er deutete mit dem Finger durch den Flur.

»Gefällt Ihnen das so?«, fragte Suderberg.

»Hat sich so ergeben …« Rühle lächelte traurig.

Schmidt hatte einen Blick in Rühles Zimmer geworfen. »Wer wohnt da noch?«

»Nur ich.«

»Da liegen aber zwei Matratzen.«

Rühle lächelte wieder, gab aber keine Antwort.

Schmidt trat sehr dicht an ihn heran. »Sie waren ein paarmal in Haft und auch im Jugendwerkhof. Warum?«

Rühle war von der direkten Frage überrascht, hob die Hände, ließ sie wieder sinken. »Ich passte eben nicht. Ich passte nie irgendwohin.«

»Sie wurden wegen wiederholtem Diebstahl verurteilt.«

»Ich hatte keine Arbeit, ich brauchte ja was zu essen«, verteidigte sich Rühle. Ganz so konnte das nicht stimmen, wusste Falck. In der DDR kannte man keine Arbeitslosigkeit. Jeder bekam einen Arbeitsplatz, die Frage war nur, ob er auch zur Arbeit ging.

»Und jetzt? Wo nehmen Sie jetzt das Geld her?«

Rühle hob wieder die Schultern.

»Am einundzwanzigsten November, nachts, wo waren Sie da?«

»Das weiß ich nicht. Manchmal gehe ich spazieren, wenn es mir in der Wohnung zu laut wird.«

»Dann gehen Sie raus und warten, bis alle weg sind oder

schlafen?« Schmidt sah den verschüchterten jungen Mann fragend an.

»Das ist doch nicht verboten, oder?«, fragte der.

»Nee, das ist nicht verboten.« Schmidt sah sich noch einmal um und gab dann wieder das Zeichen zum Aufbruch. Er gab erstaunlich schnell auf, wunderte sich Falck.

»Sie waren auch wegen verschiedener Sexualdelikte verurteilt«, ergänzte Schmidt, als sie schon fast wieder an der Wohnungstür waren.

Rühle, der wohl gehofft hatte, seinen ungebetenen Besuch wieder loszuwerden, erstarrte.

»Ist das jetzt ein Ja?«, fragte Schmidt.

»Also, das ist ja lange her, ich meine … Warum wollen Sie das denn wissen?«

Schmidt taxierte Rühle mit durchdringendem Blick. »Du weißt sehr genau, wovon ich spreche, und ich kann mir denken, dass du auch sehr genau weißt, wo du am einundzwanzigsten November gewesen bist.«

»Keine Ahnung, wovon Sie sprechen«, sagte Rühle leise.

Schmidt starrte ihn weiterhin unverwandt an. »Ich könnte dich auf der Stelle mitnehmen, dann finden wir in meinem Büro schon heraus, wo du gewesen bist in dieser Nacht. Wäre das was?«

Falck sah nicht, wie Rühle reagierte, er sah sich um, weil jemand die Treppe heraufkam. Ein sportlicher Mann, Anfang dreißig, in Jeanskleidung, mit dauergewelltem Haar und Schnauzer. Er rauchte, in der Hand hielt er einen prall gefüllten Stoffbeutel, deutlich zeichneten sich Flaschen ab.

»Wer seid denn ihr?«, fragte er unverschämt und drängte sich zwischen Falck und Bach in die Wohnung hinein. Dort stellte sich ihm Schmidt in den Weg.

»Wer sind denn Sie?«

»Ich bin sein Freund«, er legte seinen Arm um Rühles Hals,

zog ihn fest zu sich heran, was dieser sich gefallen lassen musste. »Was wollen Sie denn?«

»Ich habe ihn um eine Auskunft gebeten.«

»Seid ihr Bullen, oder was? Und wer ist denn die da? Eine Nutte?« Mit der Zigarette in der Hand zeigte er auf Suderberg.

»Ich will sofort Ihren Ausweis sehen!« Schmidt hob fordernd die Hand.

Der Fremde begann zu grinsen, langte in seine Jackentasche und holte seinen Ausweis hervor. Es war nicht der normale blaue Ausweis, sondern ein vorläufiger, ein PM 12. Der Schein war zerfleddert, die Angaben darauf waren kaum zu lesen. Nur jemand, der aus politischen Gründen inhaftiert worden war oder als politisch unsicher galt, der Ausreise beantragt hatte oder dessen Personalausweis aus anderen Gründen eingezogen worden war, erhielt so einen Ausweis. In der Regel durfte derjenige den Wohnort nicht verlassen und musste sich regelmäßig auf dem zuständigen Revier melden.

»Wieso haben Sie den?«, fragte Schmidt.

»Hab eben keinen anderen bekommen.«

Schmidt versuchte, die Angaben zu entziffern. »Lars Burghardt, 1962 geboren. Ich frage Sie noch einmal: Weshalb dieser Ausweis?«

»Also, gut. War eingebuchtet, im Gelben Elend. Tolle Zeit, werd ich nie vergessen. Das hatte ich solchen Fatzken wie euch zu verdanken.« Der Ton des Mannes war aggressiv geworden. »Ich würde mal sagen, ihr verpisst euch jetzt. Hier steigt gleich 'ne Fete, zu der eine Menge Leute anrücken, die keinen Bock auf Polente haben.«

Falck kam die Stimme auf einmal bekannt vor. Doch er hatte keine Ahnung, wo er den Typen einordnen sollte.

»Du jagst mir keine Angst ein«, knurrte Schmidt und drückte dem Mann den schmierigen Zettel an die Brust. »Und ich finde raus, warum du eingebuchtet warst.« Mit einer

Handbewegung gab er das endgültige Zeichen zum Abrücken. Suderberg war anzusehen, wie es in ihr brodelte, wie ihre Kaumuskeln arbeiteten. Sie warf Schmidt einen bösen Blick zu, der von diesem allerdings ignoriert wurde. Hinter den Polizisten warf Burghardt die Tür zu.

»Ich fasse es nicht! Was sind Sie eigentlich für ein Polizist?« Suderberg konnte ihre Empörung nicht mehr zurückhalten. »Sie provozieren, betreten unerlaubt fremde Wohnungen, schüchtern die Leute ein. Und wozu das Ganze? Erreicht haben Sie gar nichts! Wo bin ich denn hier bloß gelandet?«

»Erstens habe ich die Personalien von dem Typen da, zweitens wollten wir uns sowieso nur einen Eindruck verschaffen. Mein Eindruck ist übrigens, dass der Rühle nicht richtig tickt.« Schmidt lief ungerührt die Treppen hinunter.

»Das entscheiden Sie also nach Ihrem Bauchgefühl? Können Sie das auch genauer definieren?«, fragte Suderberg und hatte Mühe, Schmidt hinterherzukommen. »Können Sie nicht mal stehen bleiben, wenn ich mit Ihnen rede?«, beschwerte sie sich.

»Könnte ich, aber Sie haben hier nichts zu sagen!«

»Das will ich auch gar nicht, aber Sie benehmen sich unmöglich.«

»Ich?« Nun blieb Schmidt tatsächlich auf halber Treppe stehen. »Wer verschenkt denn hier Bananen, als wären wir Affen im Zoo?«

»Ach, darum geht es? Weil ich Ihnen Bananen geschenkt habe?« Suderberg lachte auf. »Was hätte ich denn reinlegen sollen? Hundert Mark Begrüßungsgeld? Oder *Jacobs Krönung*? Oder lieber die *Praline*, damit sie sich ein paar Titten angucken können?« Sie funkelte ihn an.

»Das ist es wohl, was sie von uns Ossis denken? Dass es uns darum geht?«

»Das denke ich nicht nur, das habe ich gesehen, mit eigenen

Augen! Bananen, Kaffee und Tittenmagazine, das kaufen die Ossis als Erstes im Westen!«

»Das kann man denen ja auch nicht verdenken. Das gab es eben alles nicht!«, schrie Schmidt.

»Sagt mal, können wir nicht mal ein bisschen runterkommen?,« versuchte Steffi Bach zu beschwichtigen.

»Klappe halten!«, wurde sie unisono von Suderberg und Schmidt angefahren. Für einen Moment herrschte betretene Stille im Treppenhaus.

Falck war die Situation unangenehm. Er hatte sich von seinem Begrüßungsgeld Süßigkeiten gekauft und eine *Coca-Cola*, das erste Mal in seinem Leben. Natürlich kauften viele Leute Westkaffee, die oft zitierten Bananen und das eine oder andere Sexblättchen. War das so schlimm? Eine Frau Suderberg aus dem Westen konnte sich leicht darüber lustig machen. Aber es war arrogant von ihr. Sie wusste nicht, wie es war, wenn man jahrzehntelang nur von so etwas gehört hatte oder bestenfalls nur zufällig und für viel Geld ergattern konnte. Klar, dass die Leute versuchten alles nachzuholen.

»Also, der Torsten, das war ein guter Junge«, sagte die alte Frau, die einzige Bewohnerin in der Martin-Luther-Straße 27. Sie wohnte eine Etage über Torsten Gwisdeks polizeilich verplombter Wohnung. »Hat mir immer die Kohle hochgetragen. Er wohnte erst mit seinen Eltern hier, die aber kurz vor der Wende ums Leben gekommen sind, im Sommer, bei einem Autounfall. Er hat die Wohnung behalten. Das war eine schwere Zeit für ihn. Manchmal saß er bei mir in der Küche und hat geweint. Und nun ist er auch tot.« Betroffen schüttelte sie den Kopf.

»Hatte er denn Freunde? Bekam er Besuch?«

Falck staunte, dass Schmidt auf einmal eine ganz andere Stimme hatte, als er mit der Frau sprach.

»Er hatte immer mal junge Frauen da. Das kann man ihm ja nicht verübeln. Der war ja auch ein hübscher Kerl. Und manchmal waren Jungs da, da haben die laute Musik gemacht. Am nächsten Tag kam er immer und hat sich entschuldigt.«

»Wissen Sie, was er gearbeitet hat? Er hatte doch Arbeit, oder?«

»Meistens ging er am Nachmittag erst los, kam nachts heim und schlief dann bis weit nach Mittag. Ich glaube, der war Türsteher. Der hatte auch manchmal zerrissene Sachen, die hab ich ihm dann genäht. Aber fragen Sie doch seinen Freund, den Basti. Der wohnt da schräg gegenüber!« Sie deutete durch das Treppenhausfenster auf die andere Straßenseite auf eine Ruine.

»Das Haus steht im Hinterhof«, fügte sie hinzu, als sie die zweifelnden Blicke der Polizisten sah.

»Hallo, jemand zu Hause?«, rief Schmidt wenige Minuten später. Sie hatten die Durchfahrt des abbruchreifen Vorderhauses passiert und standen in einem düsteren Innenhof voller Schuttberge, die fast völlig von Unkraut überwuchert waren. Auch das Hinterhaus sah nicht so aus, als wäre es bewohnbar. Aus einem Kellerfenster im Vorderhaus kam ein Kabel, das den Hof durchquerte und in einem Fenster des Hinterhauses verschwand. Schmidt stellte sich auf die Zehenspitzen und versuchte in das Erdgeschossfenster zu sehen. Es fehlten ihm einige Zentimeter. Stattdessen schlug er kräftig mit den Fingerknöcheln gegen das Glas.

»Hallo, jemand daheim?«

»Was ist denn los?«, fragte jemand, und aus einem der oberen Fenster blickte ein junger Mann mit kahl geschorenem Skinhead-Kopf auf sie herunter.

»Polizei! Sind Sie Basti, der Freund von Torsten Gwisdek?«, rief Schmidt nach oben.

Falck, der eigentlich ganz froh war, dass in diesen Situationen sein Chef immer die Initiative übernahm, fühlte sich auf einmal irgendwie überflüssig und nutzlos. Er durfte immer nur dastehen und gucken.

»Kann schon sein, aber wer sind Sie? Polizei?«

»Hab ich doch gerade gesagt.« Schmidt stemmte ungeduldig seine Hände in die Hüften. »Kannste mal runterkommen? Wir müssen über Torsten reden!«

»Hab ich doch den Polizisten vor Ort alles schon erzählt.«

»Aber uns nicht.«

»Und wieso kommt ihr zu viert? Und was ist mit der da?« Er zeigte auf Suderberg. »Ist sie 'ne Schauspielerin, oder was?«

»Das ist Hauptkommissarin Suderberg aus der BRD. Wir arbeiten in diesem Fall zusammen, ein Joint Venture sozusagen. Kommste jetzt mal runter?«

Der Skin nickte und zog seinen Kopf zurück.

Wieder staunte Falck über Schmidts Wandlungsfähigkeit. Hatte er sich Rühle gegenüber als harter Polizist gezeigt, war er für die alte Dame drüben ein verständnisvoller Zuhörer gewesen. Und jetzt gab er den Skinhead-Kumpel. Irgendwie schien er immer den richtigen Ton zu treffen.

Schmidt drehte sich zu Suderberg um. »Immerhin, von einer Prostituierten haben Sie es schon zur Schauspielerin gebracht.«

»Falls Sie auf meinen Kleidungsstil anspielen: Ich ziehe mich an, wie ich will. Und immer noch besser so, als dass jeder Sie gleich als Bulle erkennt.«

Der junge Mann öffnete die Haustür. Er trug das klassische Skinhead-Outfit, Springerstiefel, hochgekrempelte Jeans, Hosenträger, Bomberjacke. Lässig lehnte er sich an den Türrahmen.

»Also, was wollen Sie wissen?«

»Du warst dabei, als Torsten starb. Stimmt das?«, fragte Schmidt.

Basti nickte. »Das war eine wirklich dumme Sache.«

»Eine dumme Sache?«

»Na ja, es gab Streit, das passiert ja immer mal. Es war eine Menge los, ein paar Kohlen waren da, aus dem Wohnheim zwei Straßen weiter, die haben ein paar Weiber angemacht. Da gab es Geschubse und so. Das bewegte sich alles nach draußen, und Torsten, der war ja nicht zimperlich, der war immer mittendrin und hat schön ausgeteilt.«

»Als Türsteher?«

»Türsteher war der ja nur ein paar Wochen lang. Ist auch egal. Also, der mischte da ordentlich mit. Der fuhr ja schon immer so 'ne Aggroschiene, seit seine Eltern tot waren. Hat alles mit Fäusten geregelt. Konnte er sich auch leisten, so eine Maschine war der!« Basti deutete etwas von der Größe eines mittleren Kleiderschrankes an. »Hat immer seine Gewichte gestemmt. Und geboxt. Bis seine Eltern starben. Ich glaube, die und der Trainer haben dafür gesorgt, dass der Torsten so groß wurde. Doping, sag ich nur!«

»Mach mal eins nach dem anderen!«, ermahnte ihn Schmidt.

»Also, wie gesagt, der war da mittendrin in dem Gerangel, und plötzlich ging der zu Boden. Da haben alle gestaunt, denn das kam sonst nie vor. Er lag da und alle sprangen auseinander. Und ich ging hin und wollte ihm hochhelfen, aber der regte sich nicht mehr. Da dachte ich noch, dass er vielleicht wirklich so eine gefangen hatte, dass er bewusstlos war. Aber der rührte sich einfach nicht mehr. Da hat ihm einer eine Ohrfeige verpasst. Mann, das sah vielleicht aus. Sein Kopf baumelte nur so herum. Und dann hat jemand die SMH gerufen und die Bullen.«

»Und denen haben Sie das so erzählt?«

»Na, irgend so einem Heini in Uniform.«

»Und wer zugeschlagen hat, das hat man nicht rausgefunden?«

»Kann jeder gewesen sein, war ja ein ziemliches Kuddelmuddel.«

»Und ist Ihnen jemand besonders aufgefallen? Jemand, der sonst vielleicht nie da war oder älter war als der Durchschnitt?«

»Mensch, da ist inzwischen fast jeden Abend was los, und das war ein Freitag, da ist dort die Bude voll. Da kann man sich nicht jedes Gesicht merken. Er muss blöd gestürzt sein.« Basti fuhr sich über das Gesicht. »Der war mein bester Kumpel, wissen Sie!«

Schmidt nickte mitfühlend. »Du hast angedeutet, er hat das nicht mehr gemacht, Türsteher?«

»Nee, der hatte eine bessere Stelle bekommen. Hat immer bisschen ein Geheimnis drum gemacht, aber er hat neuerdings gut Geld verdient. Ich bin mir sicher, der hatte was mit Nutten zu tun.«

»Das denkst du oder weißt du?«, hakte Schmidt nach.

»Na ja, irgendwie wusste das jeder.«

»Machte Torsten den Eindruck, dass er sich verfolgt vorkam? Dass er irgendwie Ärger hatte?«

»Verfolgt? Nee. Na ja, und Ärger hatte der immerzu.«

»Und mit wem verkehrte der so? Kam jemand zu ihm nach Hause?«

»Ich war ja nicht die ganze Zeit bei ihm … Was weiß ich.«

Schmidt nickte wieder, als gäbe er sich zufrieden, dann ging er ein paar Schritte näher zu dem jungen Mann und senkte die Stimme. »Sag mal, du hast doch einen Schlüssel zu Torstens Bude, oder? Lässt du uns da mal rein? Wir wollen uns nur umsehen!«

»Ich hab einen Schlüssel, aber die Wohnung ist versiegelt.«

»Na klar, das ist ein normaler Vorgang, aber wir sind ja von der Polizei.«

Basti dachte kurz nach und nickte dann. »Ich hole ihn!«

»Der freundliche Fascho von nebenan«, murmelte Bach, kaum dass er im Haus verschwunden war.

»Muss nicht unbedingt ein Nazi sein«, meinte Suderberg fachmännisch. »Das ist ein Skinhead, darf man nicht verwechseln.«

Steffi war sich da nicht so sicher. »Also, wenn ich einen sehe, der den Hitlergruß macht, dann sieht er meist genauso aus wie der Typ hier! Und außerdem hat er *Kohlen* gesagt. Wo stehen denn Skinheads politisch?«

»Die kommen aus der englischen Arbeiterklasse, Opfer von Arbeitslosigkeit und sozialer Ungerechtigkeit, die kennzeichnen sich durch die Bomberjacken und die Glatzen. Aber Nazis sind das deshalb nicht automatisch«, dozierte Suderberg.

Schmidt brummte etwas, das wie Zustimmung klang. »Klingt logisch. Fragt sich nur, ob das die Neonazis hier wissen. Steffi hat schon recht. Ich seh die Typen neuerdings immer mit der Reichskriegsflagge. Und es ist mir auch ganz recht, wenn die alle so rumlaufen, da weiß man nämlich gleich, womit man es zu tun hat.«

Falck sah der Suderberg an, dass sie darauf auch etwas zu erwidern hatte, aber sie kam nicht mehr dazu. Skinhead Basti war zurück.

»Wollen Sie?«, fragte er vor Gwisdeks Wohnung und hielt Schmidt den Schlüssel hin.

»Mach nur«, beruhigte ihn Schmidt, »das geht in Ordnung.«

Basti schloss auf, öffnete die Tür und riss damit die Kordel aus der mit dem Siegelstempel markierten Plombe. »Bitte schön!«, meinte er und trat zur Seite, um die Polizisten vorzulassen.

Schmidt betrat die Wohnung als Erster, gefolgt von Suderberg. »Fassen Sie bitte nichts an!«, sagte sie in einem Tonfall, der ihnen allen nicht einmal ein Mindestmaß an polizeilichem Grundwissen zutraute.

Falck hielt in Erwartung eines erneuten Wortgefechts die Luft an, doch Schmidt erwiderte erstaunlicherweise nichts.

»Wer war hier drinnen?«, fragte er stattdessen.

»Sie sind gemeint!«, sagte Falck zu dem Skinhead, der sich nicht angesprochen fühlte.

»Wie meinen Sie denn das?«, fragte der verwundert.

»Wer hier drinnen war, will ich wissen. Fernseher, Stereoanlage, alles ist weg. Man sieht aber noch die Spuren im Staub, wo das Zeug gestanden hat.«

»Aber das Siegel war doch unbeschädigt«, stellte Basti sich dumm.

Schmidt kehrte zurück ins Treppenhaus. »Dann war jemand hier, ehe die Wohnung versiegelt wurde. Jemand, der einen Schlüssel hat.«

»Was soll denn das heißen?« Der Skin streckte demonstrativ seine Brust raus.

Schmidt ließ sich von der zur Schau gestellten Kampfbereitschaft nicht beeindrucken. »Ich will damit sagen, dass du in der Wohnung warst, kaum dass dein bester Kumpel tot war, und ihm die Sachen ausgeräumt hast.«

»Ach ja?«

»Ach ja! Und wenn wir jetzt rüber in deine Bude gehen, finden wir das Zeug? Oder hast du es schon vertickt?«

»Ich habe gar nichts, Sie können gern in meine Bude gehen, Sie werden nichts finden. Vielleicht hat er es ja selbst verkauft.«

Jetzt mischte sich auch die Suderberg ein. »Hören Sie, mir

ist egal, was mit dem Zeug ist. Ich möchte nur wissen, ob Torsten ein Notizbuch oder so was Ähnliches hatte.«

»Weiß ich doch nicht.«

»Wie gesagt, was Sie hier gemacht haben, ist mir egal, ich brauche nur das Notizbuch. Haben Sie es? Haben Sie das mitgenommen?«

»Ich habe gar nichts. Ich war nicht hier drin, seit Torsten tot ist. Und mir wird das jetzt zu dumm hier, ich mach die Fliege.« Ohne ein weiteres Wort wandte er sich ab und verschwand die Treppe hinunter.

»Toll gemacht!«, wandte Suderberg sich an Schmidt. »Wirklich toll gemacht. Ganz tolles Gespür. Müssen Sie jeden vor den Kopf stoßen? Am besten noch gleich ein Geständnis herausprügeln. Ihnen muss klar werden, dass Sie jetzt in anderen Zeiten leben. Tolle Hilfe, wirklich großartig!«

»Na, na, na, immerhin wissen wir jetzt …«

»Nichts wissen wir. Sie gehen jetzt zurück in Ihr muffiges Büro, in dem es nach ihren ekelhaften Kippen stinkt, und ich kümmere mich selbst. Schönen Abend noch!«

5

Keiner hatte ein Wort gesagt, seitdem sie ins Büro zurückgekehrt waren. Schmidt tippte irgendetwas in die Schreibmaschine und blätterte in Rühles Ordner. Er rauchte nicht. Ob das Zufall war oder etwas mit Suderbergs Bemerkung zu tun hatte, war nicht auszumachen.

Schmidt erhob sich. »Ich geh schiffen!«, murmelte er und verließ das Zimmer.

Falck zählte in Gedanken die Sekunden an, er kam nicht einmal bis drei.

»Das war ja peinlich ohne Ende«, stöhnte Bach auf. »Was ist denn bloß in den gefahren? Schon klar, die Frau nervt ziemlich mit ihrem Gehabe und ihrer komischen Sprache. Aber so hab ich Schmidt noch nicht erlebt.«

»Der lebt doch in Scheidung, oder?«, fragte Falck leise, denn er fürchtete, dass Schmidt jederzeit zurückkommen könnte. »Vielleicht liegt es daran?«

»Darüber hat er noch nie gesprochen. Er redet aber auch nie von seinen Kindern, oder so.« Bach zuckte mit den Achseln. »Was guckst du denn so?«, fragte sie.

Falck fühlte sich ertappt. Schnell schüttelte er den Kopf. »Nichts.« Steffi Bach gefiel ihm. Er fand sie nett. Sehr sogar. Und interessant. »Ich vermute ja was anderes!«, schob er hinterher, um abzulenken.

»Was denn?« Bach sah ihn interessiert an.

Falck hob die Schultern. Jetzt, als er es aussprechen sollte, kam ihm der Gedanke albern vor.

»Na los, rück schon raus damit!«, drängelte sie.

»Na, Schmidt ist verknallt. In die Suderberg. Liebe auf den ersten Blick!«

»Was?« Bach war aufgestanden und kam zu seinem Tisch.

»Meinst du?« Sie lehnte sich an die Tischkante von Suderbergs Schreibtisch.

Falck war über diese plötzliche Nähe irritiert. Er versuchte es zu ignorieren, sie machte sich darüber offenbar keine Gedanken.

»Kann doch sein, oder? Sie ist jünger als er. Und schlecht sieht sie nicht aus. Und vielleicht steht er ja auf diesen Look?«

»Aha, und warum pflaumt er sie dann pausenlos an?«, hielt Bach dagegen.

»Weil er meint, dass er sie sowieso nicht haben kann. Guck ihn dir doch an, wie er aussieht. Und dann ist er auch noch Ossi. Da hat man doch schon automatisch Minderwertigkeitskomplexe. Männer werden da schnell aggressiv.«

Bach setzte eine spöttische Miene auf. »Wirst du auch aggressiv, wenn du eine Frau nicht haben kannst? Und kriegst Minderwertigkeitskomplexe im Westen?«

»Darum geht's ja jetzt nicht. Ich glaube, dass er sich selbst nicht genug wertschätzt, als dass er bei ihr landen könnte. Das hat er gleich in der ersten Sekunde für sich ausgemacht. Das ist, wie wenn so ein Bonzenauto an dir vorbeifährt und du weißt, so einen kannst du dir niemals leisten.«

Bach schürzte die Lippen. »Also, wenn ich mal ehrlich bin, fühle ich mich in ihrer Gegenwart auch immer ein bisschen ... na, wie immer du es nennen magst, minderwertig. Auch bei meinem ersten Westbesuch, wir waren in Bayreuth, habe ich mich richtig geschämt, für meine Klamotten und meine Frisur!« Sie zupfte sich verlegen an den Haaren herum.

»Also, ich finde, die steht dir!«, sagte Falck spontan.

»Ach ja? Findest du?« Sie lächelte dabei etwas spöttisch und stieß sich vom Tisch ab. Falck war seine Direktheit peinlich und hoffte inständig, dass seine Ohren nicht rot wurden.

»Aber ich weiß, was du meinst«, versuchte er diesen Moment zu überspielen. »Egal, was man anzieht, im Vergleich zu einem Wessi fühlt man sich immer, als würde man Lumpen tragen. Überhaupt: Als ich nach meinem ersten Besuch im Westen nach Hause kam, da kam mir die Stadt besonders grau vor und die Straßen wirkten extrem kaputt. Da habe ich mich das erste Mal gefragt, wie das eigentlich gehen soll, wie wir jemals aufholen sollen?«

Bach hatte sich wieder an ihren Platz gesetzt. »Mein Bruder fürchtet, dass ihm seine Zulassung als Arzt aberkannt wird. Nicht nur ihm, allen. Mein Vater ist Ingenieur für Strömungsmechanik, den Berufszweig gibt's drüben gar nicht, zumindest nicht das, was er speziell macht. Das berechnen da längst Computer.«

Falck hob amüsiert die Augenbrauen. »Wirklich? Meine Schwester ist auch Ärztin und mein Vater Ingenieur!«, merkte er an. Vermutlich wurde seine Familie von denselben Sorgen umgetrieben. »Na ja, die können ja nicht alle Ärzte und Ingenieure arbeitslos machen.«

Bach winkte ab. »Und die Polizisten erst!«, fügte sie hinzu. »Es wird doch jetzt schon gefragt, wer hat bei der Stasi mitgemacht, wer war IM? Denkst du, die können im Dienst bleiben? Nie im Leben!«

Tatsächlich hatte auch er für die Stasi arbeiten müssen. Das war ganz normal gewesen. Doch stünde das in seinen Akten?

Schmidt kam zurück. Leise schloss er die Tür hinter sich. Er stutzte, als er die betretenen Gesichter der beiden jungen Polizisten sah.

»Was ist denn los? Jemand gestorben?«

»Musste das denn sein vorhin?«, fragte ihn Bach geradeheraus und schaute ihn vorwurfsvoll an.

Schmidt hob die Augenbrauen, winkte ab und schlurfte zu seinem Platz. »Jaja, ich weiß schon. Keine Ahnung, was mit mir los ist, aber sobald ich die Suderberg nur rieche, geht mir der Hut hoch.« Ächzend ließ er sich auf seinen Stuhl fallen. »Letztes Wochenende war ich essen, oben, bei Bad Schandau, in dem Hotel an der Elbe. Da sitzt tatsächlich so einer mit Cowboyhut und Stiefeln, ein Wessi. Der hat sich aufgeführt, als gehörte ihm die Kneipe. Hat sich über das Essen beschwert und herumgedröhnt, dass man uns erst mal das Arbeiten beibringen müsste.« Schmidt schniefte und nahm sich eine Kippe heraus. »Und das Schlimmste war, keiner hat was gesagt. Ich auch nicht.« Er zündete sich die Zigarette an.

»Aber nur, weil der so ein Arsch war, müssen Sie doch die Suderberg nicht so angehen«, wagte Bach anzumerken.

Schmidt winkte wieder ab. »Die denkt doch genauso! Und ich sag euch was. Da drüben haben sich eine Menge Leute gefreut, dass die Mauer weg ist, aber wenn es denen erst mal ans Geld geht, kippt die Stimmung wieder. Da ist nix mehr *Deutschland einig Vaterland*, da heißt es *Ossi und Wessi*. Dann fallen die hier in Scharen ein, verkaufen den dummen Ossis jeden Dreck und erklären uns die Welt. Ihr werdet es sehen.« Plötzlich richtete Schmidt sich auf und schlug energisch auf den Tisch. »Aber mal davon abgesehen, was haltet ihr von diesem Rühle? Ganz dicht ist der nicht, oder? Der konsumiert Drogen, auf jeden Fall.«

»Das ist jedenfalls nicht der Mann, den wir suchen. Der kann sich ja noch nicht mal selbst anziehen, wenn Sie mich fragen«, sagte Falck.

»Seh ich auch so«, stimmte ihm Bach zu.

Schmidt verzog den Mund. »Sie haben den doch auf den Plan gebracht.«

Bach hob die Schultern. »Das war eine Idee gewesen.«

»Ja, und nu? Nun habt ihr den Fall an Land gezogen. Wenn ihr mich fragt, für mich gilt der Rühle ganz klar als Verdächtiger. Dem müssen wir auf den Zahn fühlen. Oder habt ihr noch andere Vorschläge?«

»Der andere kam mir bekannt vor, der Burghardt!«, sagte Falck.

»Den lassen wir prüfen. Und diese Sache mit dem Gwisdek, was halten wir davon? Kann doch vorkommen, dass einer unerwartet einen Schlag bekommt und unglücklich zu Boden geht. Da muss mir keiner mit einem Gruselmärchen kommen, Nahkampfausbildung, Auftragskiller. Die sieht doch Gespenster.«

»Sie nimmt die Sache schon sehr ernst!«, meinte Bach vorsichtig.

»Bestimmt gibt es fette Zulagen!« Das Telefon verhinderte weitere Ausführungen Schmidts, er nahm nach dem ersten Klingeln ab. »Dauerdienst!«, meldete er sich.

»Ernsthaft?«, fragte er nach kurzem Zuhören. »Geht klar!« Er legte auf. »Wieder ein Toter! Was ist denn hier nur los? Leipziger Straße, los geht's!«

»Und die Suderberg?«, fragte Bach.

Schmidt sah sich theatralisch um. »Seht ihr sie hier irgendwo? Ab die Post!«

»Was macht denn die schon hier? Woher weiß sie das überhaupt?«, schimpfte Schmidt vor sich hin, als sie in der Leipziger Straße angekommen waren und sich aus dem Trabant geschält hatten.

»Wer hat die reingelassen?«, blaffte Schmidt den erstbesten Uniformierten an, der am Absperrband die Schaulustigen zurückhalten sollte, und zeigte auf Sybille Suderberg, die im Licht eines Scheinwerfers neben einer mit einer Folie abgedeckten Person auf dem Gehsteig kauerte.

»Sie hatte einen Dienstausweis«, entschuldigte sich der Angesprochene.

»Einen westdeutschen vielleicht, der hat gar keine Relevanz hier! Sie lassen wohl jeden durch, der Ihnen irgendein Papier zeigt?«, fuhr Schmidt den Mann an und schob sich dann an ihm vorbei, um sich unter dem Absperrband durchzubücken.

»Wie kommen Sie dazu, hier allein herumzuturnen?«, blaffte Schmidt die Suderberg ohne Begrüßung an. Die Frau richtete sich auf. Sie trug weiße Gummihandschuhe, deren Fingerkuppen rot gefärbt waren.

»Los, komm«, sagte Falck zu Bach, »ehe er noch auf sie losgeht!«

Doch die Sorge war unbegründet. »Spielen Sie sich mal nicht so auf«, entgegnete die westdeutsche Polizistin. »Ich bin gerade eine Minute da. Und im Prinzip ist das ja ein Fall der hessischen Polizei.«

»Ach, neuerdings gehört Dresden zu Hessen, oder was?«, fragte Schmidt so angriffslustig, dass Falck sich nun doch genötigt fühlte dazwischenzugehen.

»Was ist denn eigentlich passiert?«, fragte er ruhig.

Suderberg deutete auf den abgedeckten Leichnam. »Der Mann wurde beobachtet, wie er aus diesem Etablissement kam, sich den Hals hielt und dann hinfiel. Passanten wollten ihm helfen, liefen aber weg, als sie die extrem stark blutende Halswunde sahen. Es muss ein regelrechter Sturzbach gewesen sein. Innerhalb von Sekunden war er tot.«

Schmidt warf einen Blick zu dem Toten, von dem unter der Folie nur die Konturen zu erkennen waren. »Ich sehe kein Blut!«

Suderberg hob wieder die nachgezeichneten Augenbrauen. »Er ist direkt über einen Siel gestürzt!«

»Einen Siel?«

»Einen Gully!«, half Falck.

»Und er ist tot?«, fragte Schmidt skeptisch. Er bückte sich und hob die Folie an. »O Gott!« Er fuhr entsetzt zurück und ließ die Folie sinken.

»Die Gäste sind noch da, es waren nicht viele, außerdem eine Kellnerin.« Suderberg deutete auf die Kneipe.

»Wer hat Sie denn eigentlich informiert?«, fragte Schmidt. Der Anblick des Toten hatte ihm sichtlich zugesetzt.

»Ich wurde informiert, ich hatte darum gebeten.«

»Ja, und von wem?«

»Von der Zentrale.«

»Und wie sind Sie hierhergekommen? Mit dem Taxi?«

»Ich bin mit meinem eigenen Wagen gekommen.« Sie deutete hinter sich, wo ein großer dunkelgrüner BMW halb auf dem Bordstein parkte und inzwischen mindestens so viel Aufmerksamkeit auf sich zog wie die abgedeckte Leiche.

Schmidt schnaubte auf angesichts des Autos.

»Kann ich auch mal sehen?«, fragte Bach. Suderberg nickte. Die beiden Frauen kauerten jetzt gemeinsam neben dem Toten, und Suderberg zog noch einmal die Folie zurück. Falck, der mit diesem Anblick nicht gerechnet hatte, fuhr zurück. Der Mann lag auf dem Rücken, trug eine Stoffhose, Hemd und eine Strickjacke. Falck schätzte ihn auf etwa fünfzig Jahre, mit nach hinten gegelten Haaren und einem gestutzten Oberlippenbart. Beide Hände waren um die Kehle geklammert, die Augen waren weit aufgerissen. Das Blut war ihm zwischen den Fingern durchgesickert, hatte sein Hemd, seine Jacke besudelt. Sein Hals und das Gesicht waren blutverschmiert.

Die Suderberg zog die Hände des Toten auseinander, bis der Hals zu sehen war. »Sehen Sie«, sagte sie halblaut und deutete auf eine klaffende Einstichstelle am Hals des Toten, »ein Stich, der die Aorta durchtrennt hat. Typisch für den Mann, den wir suchen.«

Falck hatte sich inzwischen überwunden und kauerte nun auch neben dem Toten am Boden. Trotz der frischen Brise stieg Falck der dumpfe Blutgeruch in die Nase.

»Sie glauben, das war ein gezielter Mord? Oder hat er sich willkürlich ein Opfer ausgesucht?«, fragte er.

»Das werden wir sehen, wenn wir die Papiere des Toten prüfen«, sagte Suderberg und richtete sich auf. Falck warf einen fragenden Blick zu Bach, nicht sicher, ob er etwas Falsches gesagt hatte. Die zuckte nur mit den Schultern.

Schmidt schüttelte nachdenklich den Kopf. »Wir halten also mal fest: Sie kommen nach Dresden, um einen Killer zu suchen, der Ihnen drüben durch die Lappen gegangen ist. Und kaum sind Sie hier, bringt der auch gleich jemanden um. Das nenne ich Zufall.«

Falck gefiel ganz und gar nicht, was hier geschah. Ihm gefiel nicht, dass die Hauptkommissarin die Erste am Tatort war und so tat, als hätte sie es mit einem Haufen Polizeianwärtern zu tun, und ihm gefiel auch nicht, wie Schmidt sich benahm. Hier lag ein toter Mensch. Dem gebührte Respekt, und es galt, zu zeigen, dass sie Polizisten waren und wussten, was sie zu tun hatten.

»Lasst uns doch bitte sachlich bleiben«, sagte er leise und erschrak über sich selbst, denn so deutlich hatte er gar nicht werden wollen. »Wenn das ein Mord ist, geht das sowieso an die Mordkommission«, fügte er noch hinzu und hoffte, sein Vorgesetzter würde den Wink verstehen. Das würde bedeuten, dass die Mordkommission sich dann mit der Suderberg abgeben müsste.

Aber Schmidt starrte ihn an und hatte offenbar nicht verstanden.

»Wir können doch schon mal reingehen, Zeugen befragen«, schlug Bach vor. »Wir müssen sowieso warten, bis die Technik kommt.«

»Soll ich mal nach den Papieren des Toten sehen?«, fragte Falck.

»Mach doch«, meinte Schmidt.

Falck musste sich zusammenreißen, dann überwand er sich und tastete die Jacke des Toten ab, fühlte das Portemonnaie in der Jackeninnentasche und nahm es heraus.

»Ein Westdeutscher.« Falck reichte den Ausweis an Schmidt weiter.

»Vielleicht könnten Sie das nächste Mal Gummihandschuhe benutzen!«, bemerkte Suderberg wie nebenbei. Dann aber runzelte sie die schmalen Augenbrauen. »Oder haben Sie keine? Dann lass ich welche schicken.«

»Wir haben auch Gummihandschuhe, nicht wahr, Leutnant?!«, knurrte Schmidt und warf Falck einen bösen Blick zu. »Thomas Kallbusch«, las er dann aus dem Personalausweis vor. »Kommt aus Hamburg.«

»Kallbusch?«, fragte die Suderberg und stellte sich dicht neben Schmidt. Sie hielt die Ecke des Ausweises fest und drehte ihn ins Licht. »Der ist eine Größe aus dem Hamburger Rotlichtmilieu.«

»Und was soll das bedeuten?«, fragte Schmidt, das erste Mal, seitdem er mit Suderberg sprach, ohne zornigen oder zynischen Unterton.

»Die haben hier schon ihre Reviere abgesteckt.« Suderberg strich sich über das straff gebundene Haar, auch ihr abweisender Gesichtsausdruck war auf einmal verschwunden.

»Wer zuerst kommt, mahlt zuerst!«, sinnierte Schmidt, und einen Moment standen sie in stiller Eintracht beieinander. »Und der Mann, den Sie suchen, murkst die Zuhälter ab und lässt sich dafür bezahlen?«, fragte Schmidt.

»Ganz so einfach ist das nun auch wieder nicht«, meinte Suderberg, und augenblicklich war die Seifenblase der Harmonie zerplatzt.

Schmidt schnaufte und zupfte der Frau den Ausweis aus der Hand. »Kommt, wir gehen rein!«, bestimmte er.

Die wenigen verbliebenen Zeugen in der Kneipe hatten sich an der Theke versammelt. Sechs Männer standen vor und der Wirt hinter dem Tresen, alle über fünfzig Jahre alt. Die Jüngste im Raum war die Kellnerin, die vielleicht vierzig war und sicherlich schon zu viele Nächte in verrauchten Kneipen verbracht hatte. Der Alkohol hatte deutliche Spuren in ihrem Gesicht hinterlassen. Die Männer schienen Stammkunden zu sein, so vertraut, wie ihre Gespräche wirkten. Obwohl der Tag noch nicht sehr alt war, wirkten die Männer durchweg stark alkoholisiert. Allesamt trugen sie Jeanshosen und Hemden, an den Haken an der Wand hingen ihre Lederjacken und Anoraks.

»Hab grad 'ne Runde ausgegeben, auf den Schreck«, meinte der Wirt, ein korpulenter großer Mann mit dünnem Haar. »Wollen Sie auch?«

Keiner der Polizisten reagierte darauf.

»Was ist denn das hier für eine Bude?«, fragte Schmidt. Die Innenausstattung der Kneipe war nichtssagend. An der Wand hingen Poster von Dynamo Dresden. Ansonsten nur DDR-typische Stühle und Tische, karierte Tischdecken, die Wände mit billigem Holz vertäfelt, der Fußboden mit weichem PVC belegt, in dem die Tisch- und Stuhlbeine Abdruckspuren hinterlassen hatten. An einigen Stellen war er aufgerissen und mangels besserer Mittel mithilfe unzähliger kleiner Nägel fixiert. Es roch nach Rauch und Bier. Gemütlich war etwas anderes, dieses Etablissement diente nur zum Rauchen und Saufen, stellte Falck fest.

»Eine Kneipe, sonst nix!«, erwiderte der Wirt.

»Der Tote da draußen, war der zum ersten Mal hier?«, fragte Schmidt.

»Thomas? Nee, der kam seit ein paar Tagen, ein feiner Kerl, hat ordentlich was springen lassen«, erwiderte der Wirt, und die anderen nickten zustimmend.

»Hat er etwas erzählt, was er hier macht, wo er herkam?«

»Klar, er war aus Hamburg. Er hat sich anscheinend nach Wohnungen umgesehen.« Der Wirt zapfte auf ein knappes Zeichen ein Bier für einen seiner Kunden und stellte es ihm hin.

»Wollte er hier wohnen?«, fragte Schmidt.

»Was weiß ich, kaufen vielleicht.«

»Können Sie mir erzählen, was vorhin passiert ist? Möglichst detailgenau.«

»Klar, vorhin war die Bude voller. Geht ganz gut in letzter Zeit. Also die Tische waren gut besetzt. Thomas saß hier am Tresen«, der Wirt deutete auf einen freien Platz an der Stirnseite, »da saß er immer. Der Ehrenplatz sozusagen. Dann ging er aufs Klo, das ist dahinten, kommt wieder raus und hustet so komisch. Ich denk noch, der hat sich verschluckt. Und statt sich an den Tresen zu setzen, rennt er raus. Der braucht frische Luft, dachte ich mir. Aber dann kam jemand reingestürzt und schrie, ich soll die SMH rufen. Das war es schon.«

»Sie haben den ja richtig ins Herz geschlossen, oder? Ehrenplatz! Der hat wohl schön Scheinchen flattern lassen?« Schmidt lächelte freundlich, und Falck fragte sich, ob der Wirt den Sarkasmus heraushörte.

»Das hat er wirklich, ja. Hat auch überlegt, ob er in die Kneipe investieren soll. Ausbauen, hübsch machen. Eine Sportbar oder so was, hat er gemeint.«

»Und seit dem Vorfall haben Sie sich nicht von der Stelle bewegt? Sie alle nicht? Und die anderen Kunden sind gegangen. Kannten Sie die?«

»Also, wir hier haben uns nicht bewegt. Gabi hat die anderen Kunden abkassiert, damit die gehen konnten. Ein paar Gesichter kannte ich schon, nur die Namen nicht dazu. Aber die saßen ja alle an ihren Plätzen, die konnten mit der Sache gar nichts zu tun gehabt haben!«

»War jemand Fremdes dabei? Oder vielleicht jemand, der auch erst seit ein paar Tagen auftauchte?«

Der Wirt verzog das Gesicht und sah seine Stammkunden an. Einer nach dem anderen zog die Schultern hoch. »Kann ich nicht sagen.«

»Gab es einen Kunden, der seinem Aussehen nach auch ein Wessi gewesen sein könnte? Fiel Ihnen da jemand auf?«

»Nee«, der Wirt schüttelte den Kopf, sein Blick blieb aber an Suderberg hängen.

»Und ist jemand zusammen mit Thomas Kallbusch auf Toilette gegangen? Oder hat das kurz davor oder kurz danach getan?«

»Kann ich auch nicht sagen, war wirklich gut was los, muss ja zapfen und so.«

Schmidt schürzte einen Moment die Lippen, als dächte er nach.

»Hör mal«, begann er in moderatem Ton, »gerade ist hier in deinem Laden einer abgeschmiert, verstehst du das? Der ging hier aufs Klo, und nun ist er tot. Deine Bude ist gerade so groß, dass zwanzig Mann reinpassen, und so viele werden es nicht gewesen sein. Meinst du nicht, dass du vielleicht etwas mehr nachdenken könntest? Der liegt noch da draußen auf dem Bürgersteig!«

Der Wirt beugte sich vor. »Was willste machen? Wenn mir nichts einfällt?«

Schmidt holte tief Luft.

»Lassen Sie uns die Toiletten ansehen«, unterbrach Suderberg schnell. »Hier geht keiner weg! Ich muss Sie dann alle noch einzeln befragen!«

»Was hat die denn hier zu bestimmen?«, fragte einer der Männer.

Schmidt baute sich auf. »Ich bestimme das!«

Schon im kleinen Flur, der zu den Toiletten führte, stoppte Schmidt und blies Luft aus. Eine Zwischentür mit einer Einfassung aus braunem Glas trennte den hinteren vom vorderen Teil des Flurs. Das Glas war gesplittert, Scherben lagen auf dem Boden, manche steckten noch in der Fassung. Die Stelle, an der das Glas getroffen worden war, war noch eindeutig auszumachen, etwa in Brusthöhe.

»Von wegen Killer. Ich sag Ihnen mal, was passiert ist. Der Kallbusch hatte ordentlich einen gebechert, ist gestolpert und ins Glas gefallen.«

Für einen Moment war es ruhig. Was Schmidt sagte, klang logisch, und für Falck war beinahe schon wieder peinlich, dass sie auf Suderbergs Räuberpistole hereingefallen waren.

»Ich halte den Mann für durchaus in der Lage, diesen Vorfall fingiert zu haben«, sagte Suderberg leise. »Er schlug die Scheibe ein und brachte Kallbusch mit der Scherbe um!«

»Aber welcher Mann?«, fragte Schmidt, sichtlich um Beherrschung bemüht. »Der Wirt sagte, alle saßen an ihren Plätzen.«

»Er kann das gar nicht wissen, er hat ja gar nicht darauf geachtet. Woher sollte er wissen, dass etwas Derartiges geschehen sollte? Hier ist außerdem kein Blut! Keine blutige Scherbe, in seinem Hals steckte sie auch nicht!«

»Dann liegt sie draußen, gehen wir sie suchen!« Schmidt drängte schon wieder nach draußen, was in dem schmalen Flur zu einem umständlichen Gedränge führte.

»Wir prüfen erst die Toiletten«, sagte Suderberg fast flüsternd.

»Weil der Täter sich da drinnen versteckt haben könnte?«, fragte Schmidt fast verzweifelt.

Die Westdeutsche nickte, und Falck verlor eine Wette gegen sich selbst, denn Schmidt gab sich geschlagen.

»Na dann!«

Es gab nur drei Toilettentüren. Männer, Frauen, Privat.

Mit der Spitze ihres behandschuhten Fingers drückte Suderberg vorsichtig die Klinken der Toilettentüren hinunter, sicherte mit der Pistole, bereit zum Schuss. Die beiden öffentlichen Toiletten waren leer. Die private war verschlossen.

»Die Fenster sind gerade so groß, dass ein Mann hinein- und wieder hinausklettern kann«, stellte Suderberg fest.

»Sie sind aber verschlossen, das geht nur von innen«, merkte Schmidt an, der mit ausdrucksloser Miene zugesehen hatte, wie die Frau die Toilettenräume geprüft hatte.

Suderberg ließ sich nicht beirren. »Sie müssen Fingerabdrücke nehmen lassen, nach Haaren suchen, Dreckspuren, nach Blutspritzern.« Während sie sprach, deutete sie Bach an, dass sie den Schlüssel für das Privatklo benötigte.

Bach nickte, verschwand und kam kurz darauf mit dem Schlüssel zurück.

Suderberg nahm den Schlüssel, hob dann aber die Hand zum Mund, deutete auf die verschlossene Tür, zeigte auf ihre Pistole. Bach reagierte sofort und zog ihre Pistole aus dem Holster.

Daraufhin zog auch Falck seine Waffe. Schmidt verzichtete demonstrativ darauf. Suderberg legte noch einmal ihren Zeigefinger auf die Lippen. Dann deutete sie zuerst nach unten, dann nach oben auf die Tür. Falck verstand es so, dass der Mann sich erstens auf dem Boden kauerte oder zweitens möglicherweise von oben angriff, indem er auf dem schmalen Fensterbrett lauerte. Nachdem Suderberg sich vergewissert hatte, dass alle verstanden hatten, steckte sie den Schlüssel ins Schloss, drehte ihn herum und zuckte dann zur Seite. Nichts geschah.

»Soll ich?«, fragte Schmidt angesichts der noch immer geschlossenen Tür und zeigte auf die Türklinke. Falck sah ihm an, dass es ihn all seine Beherrschung kostete, sich nicht lustig zu machen.

Suderberg nickte, zielte mit der Waffe in beiden Händen auf die Tür, doch als Schmidt sich hinüberbeugte, um die Klinke zu fassen, nahm sie ihn am Jackenärmel und zog ihn beiseite.

»In Deckung bleiben!«, flüsterte sie.

Schmidt warf Falck einen Blick zu, der nur bedeuten konnte, dass er Suderberg für völlig verrückt hielt. Doch er blieb in Deckung. Mit dem Rücken an die Wand gepresst, langte er mit der linken Hand um den Türrahmen herum und fasste die Klinke.

»Auf drei!«, flüsterte er, und Suderberg nickte angespannt. Auch Falck und Bach zielten auf die Tür, wobei Falck nicht wirklich wusste, was er tun sollte. Sollten sie schießen, wenn dort jemand drin war? Und wenn es nur ein verirrter Gast war?

»Drei!«, sagte Schmidt und stieß dann die Tür auf. Die Suderberg zielte hoch und tief, ließ dann die Waffe sinken. Der enge Raum war leer. Es gab nur ein Toilettenbecken mit rotem Plastedeckel, einen Spülkasten in Kopfhöhe, an dem eine Kette hing, und ein kleines Waschbecken. Es gab nicht einmal ein Fenster.

Keiner der drei DDR-Polizisten sagte etwas. Suderberg benötigte offenbar einige Sekunden, sich zu sammeln.

»Gut«, sagte sie dann, »lassen Sie die Spurensicherung arbeiten, wir befragen die Männer weiter.«

»Was hat sie denn gedacht, was da passiert?«, fragte Steffi Bach, als sie einige Zeit später draußen standen und in der Einfahrt zum Nachbarhaus Schutz vor dem kalten Wind suchten. Drinnen gab es für sie beide erst mal nichts mehr zu tun.

Schmidt und Suderberg befragten noch immer Zeugen, und die Kriminaltechniker suchten nach Spuren. Inzwischen war die Scherbe gefunden worden, an der sich Kallbusch tödlich verletzt hatte. Sie hatte auf dem Gehweg gelegen, mit Blut und Fingerabdrücken daran, die geprüft werden mussten.

»Dass da einer rausspringt und uns alle umlegt? Hast du das gesehen? Die hätte fast abgedrückt!«

»Darauf habe ich gar nicht geachtet, ihr Verhalten hat mich so angespannt, ich hätte beinahe selbst geschossen«, gab Falck zu. Inzwischen hatte sich die Menschenmenge verlaufen, nur gelegentlich blieben neugierige Passanten stehen. Doch die Scheinwerfer waren mittlerweile abgeschaltet. Neben den Streifenwagen, den Fahrzeugen der Spurensicherung und dem Wagen vom Bestattungsinstitut standen einige gelangweilt dreinblickende Uniformierte, die den Leichenfundort sicherten. Außerdem war es inzwischen richtig kalt geworden.

Bach stieß ihn mit dem Ellbogen an. »Mensch, wer weiß, was die alles schon erlebt hat drüben. Wird ja nicht alles falsch gewesen sein, was der Schnitzler uns immer erzählt hat. Und jetzt kommt der ganze Mist auch zu uns!«

Falck schürzte die Lippen. »Ich will es immer noch nicht glauben.« Seltsam, dachte er bei sich, bis vor Kurzem war er sich seiner Sache sicher gewesen, jetzt machten sich erste Zweifel breit.

»Das siehst du doch jetzt schon!«

Falck schwieg. Was für eine irre Zeit, dachte er sich. Die SED-Regierung hatte so viel Mühe darauf verwendet, den Westen schlechtzumachen und die Leute in ihrer Republik zu halten, dass er manchem genau deswegen wie das Paradies erschienen war. Sogar er war davon angesteckt worden, obwohl er nie das Bedürfnis verspürt hatte, der DDR den Rücken zu kehren. Aber Produkte aus dem Westen hatten immer ihren Reiz gehabt, Westautos, Walkman, Kaffee, Schokolade,

Haarspray oder sogar eine Schachtel *tic tac*. Und wie aufregend war es gewesen, als er als Viertklässler einmal zehn D-Mark geschenkt bekommen hatte. Drei Jahre lang hatte er sie einfach nur aufgehoben. Dann hatte er sich im Intershop Matchboxautos dafür gekauft, und als ihm Uwe, sein großer Bruder, in einem Anfall von Geschwisterliebe seine zehn Mark dazuschenkte, konnte er sich noch ein kleines Raumfahrzeug von *LEGO* dazu kaufen. Das war ein Kauf, den er später bereute, denn auf dem kleinen Faltprospekt in der Schachtel waren so viele andere Sachen aufgezeigt, von denen er wusste, dass er sie sich niemals würde kaufen können. Nun hatte sich ihnen diese Welt doch geöffnet, mit allem, was dazugehörte.

»Sag mal, was hast du dir denn von mir erhofft, vor einem Jahr?«, fragte Falck. Er hatte lange darüber nachgedacht, ob es nicht besser wäre, diese Sachen endlich mal anzusprechen.

Steffi Bach winkte ab. »Das war eine spontane Eingebung. Ich habe zufällig deine Meldung mitbekommen. Du weißt schon, der Mann, der versucht hat, diesen Jungen zu missbrauchen. Ich hatte gehofft, du könntest mir helfen. In meiner Abteilung wollte keiner was hören von Kinderschändern.«

»Tut mir leid, aber ich war damals für das Thema einfach noch nicht so weit«, gab Falck zu.

»Ist nicht schlimm, war auch unüberlegt von mir. Ich habe dich damals ziemlich überfallen. Hat mich ja schließlich auch meinen Posten gekostet.«

»Etwas später habe ich übrigens zufällig den Jungen noch einmal gesehen. Er lief weg, vielleicht weil es ihm peinlich war. Aber seine Freunde haben mir Namen und Adresse gegeben.«

»Ach, echt?«

»Ja, ich muss die noch irgendwo haben. Wir könnten der Sache ja nachgehen, vielleicht finden wir einen Zusammenhang zu diesem Rühle.«

»Ja klar«, sagte Bach und verstummte dann aber. Ein Mann kam auf sie zu.

»Sind Sie von der Polizei?«, fragte er und sah dabei Falck an. Er trug einen schwarzen Anzug, darüber aber einen hellgrauen Anorak und hatte einen dicken Schal um den Hals geschlungen.

»Sind wir!«, antwortete Bach gereizt. »Und Sie?«

»Schubert, Städtisches Bestattungsinstitut«, stellte sich der Mann vor. »Wo ist denn jetzt die Leiche, die überführt werden soll?«

»Die liegt noch da. Der Gerichtsmediziner hat sie schon untersucht und fotografiert wurde sie auch. Oder?«, fragend sah sie Falck an.

»Ja, ich war dabei«, bestätigte der.

»Können Sie mir vielleicht genau zeigen, wo der Tote liegt?«, fragte der Mann verlegen.

Bach nickte und ging ein paar Schritte aus dem Durchgang heraus, um dem Mann die Leiche zu zeigen, die keine sechs Meter entfernt war. Doch da lag sie nicht mehr.

»Also, da bin ich jetzt auch überfragt!« Bach stutzte. »Gehst du mal rein und fragst den Chef?«, bat sie Falck. »Können Sie den Scheinwerfer wieder anschalten«, rief sie dann einem Uniformierten zu, während Falck die Kneipe betrat.

»Das ist jetzt kein dummer Scherz, oder?«, fragte Suderberg, als sie zwei Stunden später in ihrem Büro saßen. Inzwischen war es Nacht geworden. »Ich meine, weil ich aus der BRD bin?«

»Was denken Sie denn von uns?«, beschwerte sich Schmidt reflexhaft, doch es fehlte der Nachdruck in seiner Stimme.

»Das ist nun schon das zweite Mal, dass eine Leiche weg-kommt.«

»Ja, verdammt, ich weiß das!« Schmidt drückte seine Kippe im Aschenbecher aus.

»Der war doch aber die ganze Zeit bewacht«, überlegte Bach. »Und der war mausetot! So viel ist sicher.«

Schmidt klopfte sich eine neue Zigarette aus der Schachtel. »Überlegt doch mal, vielleicht hat der Gerichtsmediziner ihn mitgenommen?«

Bach schüttelte den Kopf. »Nein, das war nur ein Polizeiarzt der Bereitschaft, der hat den Tod festgestellt. Und dann hat jemand den Bestattungsdienst gerufen, um den Leichnam in die Gerichtsmedizin zu überführen.«

»Aber es waren doch immer Beamte da, die ganze Zeit über, wie soll der denn weggekommen sein?« Schmidt hatte ganz vergessen, seine Kippe anzuzünden. Dies holte er nun nach. »Das ist doch vollkommen bescheuert«, stieß er nach dem ersten Zug aus. »Wir müssen alle prüfen, die vor Ort waren, die Sanitäter, die Bestatter. Es kann doch nicht angehen, dass hier innerhalb von zwei Tagen zwei Tote wegkommen. Das fällt doch auf mich zurück.«

»Vielleicht wurde er doch umgebracht, und der Täter hat die Leiche entfernt?«, wagte Falck anzumerken. Schmidt holte gleich zum großen Protest aus, doch Bach kam ihm zuvor.

»Kann das sein?«, fragte sie Suderberg.

»Aber was hätte er denn davon?«, fragte diese zurück.

»Keine Leiche, kein Mord«, bot Bach als Argument »War vielleicht etwas an dem Toten, das er brauchte? Ist er vielleicht eine Art Trophäe?«

Suderberg schüttelte im Takt der Fragen den Kopf.

»Nun seien Sie mal nicht so destruktiv!«, mahnte Schmidt. »Nehmen wir mal an, er wurde umgebracht, was ich nicht glaube. Könnte Ihr Täter etwas von der Leiche haben?«

»Ich weiß nicht.« Suderberg sah aus, als fröre sie. Falck beugte sich nach dem alten Rippenheizkörper und drehte das Ventil noch ein Stück auf. Es wurde still in dem Raum, nur in der Heizung gurgelte und gluckste es.

Bach wurde das Schweigen irgendwann zu lang. »Angenommen er wurde umgebracht, warum kann sich keiner der Zeugen an irgendeinen Fremden erinnern? An keine Auffälligkeit?«

»Der Mann ist wirklich unauffällig«, erklärte Suderberg. »Vermutlich hat er sich Klamotten von hier zugelegt und einen Oberlippenbart. Der geht hier völlig unter. Und er spricht so gut wie nie.«

Plötzlich sprang Bach auf, ihr Stuhl knallte geräuschvoll gegen die Wand hinter ihr. »Mensch, na klar, der saß noch im Laden! Wir haben ihn vernommen, das war einer der Männer!« Euphorisch sah sie in die Runde, doch Suderberg schüttelte nur müde den Kopf.

»Warum denn nicht?«, fragte nun Schmidt ungehalten.

»Er war nicht dabei!«

»Aber woher wissen Sie das denn? Sie wissen doch nicht, wie er jetzt aussieht, die Fotos, die Sie mitgebracht haben, sind doch zwanzig Jahre alt!«

»Er war nicht dabei! Genügt Ihnen das nicht?« Suderberg sah unendlich müde aus und hatte offensichtlich keine Lust zu diskutieren.

Das sah sogar Schmidt ein. »Na gut«, murrte er und rauchte seine Zigarette zu Ende.

»Sie nehmen an, das geht an die Mordkommission?«, fragte die Suderberg.

Schmidt nickte. »Meiner Meinung nach ist es ein Unfall, aber sollen die sich ruhig damit abgeben.«

»Dann ist ja unsere Zusammenarbeit offensichtlich schon beendet.« Fast schien es, als bedauerte Suderberg das jetzt.

»Sagen Sie mal, warum schicken die Sie alleine hierher, wenn der Kerl so gefährlich ist?«, fragte Schmidt.

»Meinen Sie, weil ich eine Frau bin?«

»Nein, weil Sie alleine sind.«

»Tja, wissen Sie immer, was sich Ihre Vorgesetzten denken?«

»Das Lustige ist«, Schmidt holte schon wieder die nächste Zigarette raus, »bis vor Kurzem konnte man das tatsächlich ziemlich genau wissen. Jetzt aber …« Er sprach nicht weiter. »Ich wünsche Ihnen jedenfalls viel Glück.«

6

»Hier ist es!« Falck deutete lustlos auf einen Eingang im Häuserblock. Es sah alles gleich aus. Wieder in der Neustadt, wieder so ein altes heruntergekommenes Haus, grau, schmutzig, deprimierend. Das Wetter, die Kälte und der feuchte Wind trugen dazu bei. Falck hatte schlecht geschlafen. Immer wieder war er aus einem unangenehmen Traum aufgewacht, immer genau dann, wenn sie feststellten, dass der Tote verschwunden war. Peinlich war das. Die Westdeutsche musste doch denken, dass hier alles drunter und drüber ging und sie allesamt Dilettanten waren.

»Sechs Mark, überleg mal, ich komm gar nicht darüber hinweg.« Steffi Bach lachte und zeigte einen Vogel. »Für eine Dose Cola.«

Im Konsum am Platz der Einheit hatte eine Palette *Coca-Cola*-Dosen gestanden. Eine Menschentraube hatte sich drum herum gebildet. Vor allem Kinder. Keiner von denen hatte sechs Mark einstecken, die eine Büchse kosten sollte. *Bubblegum* hatte es auch gegeben, Riesenblasen sollte man damit machen können, doch die Kaugummis hatte sich auch niemand leisten können.

»Was nützt es, die Palette dahin zu stellen, wenn es sich niemand leisten kann? Oder? Sag mal!«

»Wirste schon sehen, am Ende ist sie doch leer gekauft, weil alle mal eine Cola haben wollen. Selbst meine Eltern haben den ganzen Mist schon probiert. Die waren sogar bei *McDonald's* und haben so einen *Schießbürger* gegessen. Mein Alter hat geschimpft, sag ich dir. So ein *lappsches Ding*.« Falck musste lachen bei dem Gedanken daran. »Wollen wir mal reingehen?«

Bach nickte. »Na los.«

»Da, erste Etage«, las Falck von der Haustafel.

»Ich wette, es ist keiner da, der Briefkasten ist noch voll.«

»Der Junge wird keinen Schlüssel dafür haben.«

»Ob er uns was erzählen wird?«, überlegte Bach, da waren sie schon die halbe Treppe hochgestiegen.

Falck kam nicht zum Antworten, denn die Haustür ging unten auf und Kinderstimmen wurden laut. Die Schritte kamen dann doch nicht näher und die Stimmen verloren sich wieder. Bach und Falck traten ans Treppenhausfenster, das zum Hof zeigte. Zwei Jungen hatten das Haus durchquert, standen nun im Hinterhof und steckten die Köpfe zusammen. Dann gingen sie auseinander, jeder eine Zigarette im Mund.

»Könnte das einer von denen sein?«

»Der linke ist es.« Falck staunte, denn in den knapp anderthalb Jahren hatte sich der Junge stark verändert, war viel größer und jugendlicher geworden, doch er war eindeutig der richtige.

»Bist du Silvio Meinert?«, fragte Steffi, als sie unten im Hof angelangt waren.

Die zwei Jungen hatten sich bei ihrem Erscheinen hastig umgedreht und die Zigaretten hinter ihren Rücken versteckt.

»Warum?«, fragte Silvio. Sein Haar war lang, hing ihm in die Stirn, und er warf es mit einer Kopfbewegung beiseite.

»Wir sind von der Kripo. Wir möchten kurz mit dir reden.«

»Worüber denn?«

»Über eine Sache vom letzten Jahr.«

»Ich hau mal ab«, meinte Silvios Freund und wandte sich ab.

»Eh, du Blödi!«, rief ihm Silvio wütend hinterher, weil sein

Kumpel so schnell kniff. Er selbst schien drauf und dran zu sein abzuhauen. Bach hielt ihn mit einer Berührung an der Schulter auf.

»Silvio, wir wollen nur etwas wissen. Letztes Jahr, bist du da in eine dumme Situation geraten? Hat ein Mann etwas von dir gewollt?«

»Nee, bestimmt nicht, was soll'n das gewesen sein?« Wieder schüttelte sich der Junge das Haar aus der Stirn, während hinter seinem Rücken die Zigarette in seinen Fingern verglomm.

»Wir wissen es, Silvio, ein Mann hat dich in Bedrängnis gebracht. Ich möchte wissen, ob du dich erinnern kannst, wie er hieß. Vielleicht weißt du auch noch, wie du ihn kennengelernt hast? Was wollte er von dir?«

»Gar nichts, keine Ahnung!« Der Junge wollte fort, doch Falck stellte sich ihm in den Weg.

»Ich habe dich gesehen. Ich war zufällig dazugekommen, erinnerst du dich noch? Dann bin ich dem Mann nachgelaufen, aber er ist entkommen.«

»Silvio!«, brüllte es plötzlich durch den Hausflur. »Hoch! Aber zackig!«

Ein Mann stand in der Durchfahrt, dem Alter und Auftreten nach Silvios Vater.

»Herr Meinert?«, fragte Bach. Silvio nutzte die Gelegenheit und zwängte sich zwischen ihnen durch.

Falck ließ ihn gewähren, sah, wie Bach die Kippe mit der Fußspitze in den Sand drückte.

»Was woll'n Sie von dem Jungen?«, rief der Mann. Als Silvio an ihm vorbeiwollte, griff er nach ihm. Der hatte schon damit gerechnet, duckte sich weg, fing sich trotzdem eine auf den Hinterkopf, bevor er die Treppe erreichte.

Bach ging vor. »Kripo Dresden, wir brauchen ihn für eine Zeugenaussage.«

»Der Junge hat gar nichts zu sagen.« Der Mann wartete gar

nicht erst, bis sie herangekommen waren, und folgte seinem Sohn die Treppe hoch.

»Das lassen wir uns nicht gefallen!«, schnaufte Bach. »Komm!«

Gemeinsam liefen sie zurück ins Haus, die Treppe hinauf, hörten, wie oben die Tür zugeworfen wurde und der Vater den Jungen anschrie.

»Ich hab doch gar nichts gemacht«, wehrte sich der Junge.

»Bleib stehen!«, befahl der Vater.

Schon hatten die beiden Polizisten die Tür erreicht. Falck klingelte. Drinnen verstummten Vater und Sohn.

»Was denn noch?«, ertönte es hinter der Tür.

»Lassen Sie uns mit Ihrem Sohn sprechen. Er hat nichts Falsches gemacht.«

Es blieb kurz still. Dann aber öffnete der Vater die Tür wieder. »Ich habe doch gesagt, der Junge hat nichts zu sagen.«

»Lassen Sie uns das doch bitte mit dem Jungen besprechen«, sagte Bach freundlich. Falck staunte, wie sie so ruhig bleiben konnte. Der Mann war angetrunken, hatte seinen Sohn offensichtlich geschlagen, und das nicht zum ersten Mal. In der Wohnung sah es schrecklich aus. Der Flur war ein wüstes Durcheinander. Kleidung lag auf dem Boden, kaputtes Spielzeug, Dreck, Schuhe in einem unübersichtlichen Haufen, vom Garderobenschrank war eine Tür abgerissen. Es stank nach Zigarettenrauch, kaltem Essen und Bier.

»Silvio, komm her!«, rief der Mann jetzt. Kurz darauf kam der Junge und sah die Polizisten wütend an.

»Können wir das allein machen, gleich hier im Hausflur?« Bach sah den Mann freundlich an, bis er endlich verstand und sich ins Wohnzimmer verzog, von wo kurz darauf der Fernseher erklang. *Elf neunundneunzig,* der Erkennungsmelodie nach. Diese Fernsehsendung gefiel auch Falck. Es gab sie erst seit September letzten Jahres, und es sah so aus, als ob die

Oberen der DDR noch versucht hätten, mit einem neuen Konzept die Jüngeren wieder auf ihre Seite zu ziehen. Inzwischen aber hatten sich die Macher dieser Sendung darauf spezialisiert, Missstände aufzudecken.

»Ich will das sehen!«, meinte Silvio trotzig.

»Kannst du auch gleich, aber sag doch mal, was ist denn da passiert? Im Mai letzten Jahres, oder?«

»Keine Ahnung, das war halt so ein Typ. Hab den auf dem Lutherplatz kennengelernt. Hat mit uns Fußball gespielt. Der war eigentlich ganz nett. Kann ich jetzt wieder rein?«

»Hat er dir etwas versprochen? Wollte er dir was zeigen?«

»Der hat gesagt, dass er *Mickey-Mouse*-Hefte hätte.«

»Hatte er welche?«

»Ja, schon.« Silvio hob die Schultern.

»Na, erzähl doch mal, wir wollen dir nichts Schlechtes.«

»Na, er meinte, er hätte das Zeug im Gebüsch versteckt, damit es ihm seine Kumpels nicht klauen. Dann hat er gesagt, dass er pinkeln muss und ob ich auch muss. Ich musste aber gar nicht.« Wieder stockte der Junge.

»Silvio, du bist nicht der Erste, der so was erzählt. Das ist schon anderen passiert. Das braucht dir nicht peinlich sein.«

»Na ja, der hat gemeint, ob ich mal seinen … na, ob ich das Ding anfassen will. Ich wollt ja gar nicht, aber er meinte, dann kriege ich alle Hefte.«

»Hat er dich auch angefasst?«

Silvio zuckte mit den Achseln und nickte.

»Wie sah er aus, würdest du ihn erkennen, wenn du ihn siehst?«

Silvio zögerte, schüttelte dann den Kopf. »Das ist zu lang her«, murmelte er.

»Und wenn wir dir mal ein Bild vorbeibringen irgendwann, was glaubst du, erkennst du ihn dann?«

Silvio hob wieder die Schultern, nickte langsam.

»Gut, wenn dir was einfallen sollte, dann rufst du uns an! Du hast nichts falsch gemacht, verstehst du? Egal, was der Kerl dir gesagt hat. Du bist ein Kind. Er hat was Falsches gemacht!«

»Warum hast du so schnell aufgegeben?«, fragte Falck draußen. »Ich hatte das Gefühl, der wollte es nur nicht sagen. Ich glaube sogar, dass er ihn kennt.«

»Genau deshalb. Der Junge hat Angst. Wenn ich dem jetzt zu sehr zusetze, dann sagt er gar nichts. Was dagegen, wenn ich eine paffe?«, fragte Bach.

»Von mir aus. Wusste gar nicht, dass du rauchst.«

»Nur gelegentlich. Das, was Schmidt raucht im Büro, reicht für zwei, da brauch ich gar nicht selbst zu rauchen. Aber jetzt ist mir kalt. Stört es dich?«

Ja, es störte ihn, aber er schüttelte den Kopf.

Bach zündete sich eine Zigarette an, und langsam gingen sie in Richtung des geparkten Trabants.

»Fetzt eigentlich, oder? Dass die Mauer weg ist.«

Falck nickte. Ja, jetzt fand er es auch gut. Vorher hatte er es sich nicht vorstellen können. Und gewünscht hatte er es sich auch nicht.

»Wir können wirklich heilfroh sein, dass die nicht alle zusammengeschossen haben. Innerlich habe ich gejubelt.«

»Aber du siehst ja selbst, was jetzt los ist«, meinte Falck skeptisch.

»Ich glaube, das sehen wir gerade nur so, weil es so geballt auf uns zukommt. Die Kaputten und die Verrückten, aber die meisten sind nicht kaputt und verrückt. Solche Leute, wie der hier gerade, die ihre Kinder vermöbeln, die sind in der Minderheit. Und die Leute müssen ja auch erst mal kapieren, was jetzt möglich ist und was nicht, und lernen, mit der Freiheit umzugehen. Schau mal, dahinten hat ein Laden aufgemacht, den gab es vor zwei Wochen noch gar nicht. In der Louisenstraße gibt es jetzt eine Galerie. Wenn du mich fragst, hässliche Bilder! Aber es gibt sie, verstehst du, was ich meine? Und in einer alten Fabrik oben in der Albertstadt gab es ein Konzert letztes Wochenende. Einfach so, ohne Genehmigung, ohne dass sich jemand drum geschert hätte, weder Polizei noch Rathaus. Elektromusik. Das war stark.«

»Du warst da?«, fragte Falck und hätte beinahe noch hinterhergefragt, mit wem.

»Klar, ich hab mir vorgenommen, nichts auszulassen. Ich finde es affengeil, wie alles plötzlich so locker ist. Ich glaube, auch die Gesichter der Leute haben sich verändert, irgendwie offener. Alles scheint plötzlich möglich.«

Ja, das stimmte. Es lag eine seltsame Stimmung in der Luft, eine Aufgeregtheit. Keine Unterdrückung mehr, keine Zensur, keine Angst. Nun war jeder für sein Glück selbst verantwortlich.

»Ich hoffe nur, die Leute geben das nicht so schnell auf. Schmidt hat schon recht. Die denken nur an die D-Mark und das ganze Westzeug. *Wir sind EIN Volk*, rufen sie inzwischen. Schon mitgekriegt? Nicht mehr *Wir sind DAS Volk*. Und hast du gehört? Kohl will nach Dresden kommen. Noch vor Weihnachten. Schmidt sagt: Kohl wird so tun, als ob er die Wende eingeleitet hätte.«

»Glaubst du denn noch an Sozialismus und so?«, fragte Falck.

»Warum denn nicht? Aber anders halt, freundlicher. Ich hab keine Lust auf Kapitalismus und Ausbeutung. Da wird schon was dran sein, dass der einfache Arbeiter ausgenutzt wird und die Reichen sich die Taschen vollmachen. Die stellen es nur schlauer an, da geht es den Leuten besser, aber nur scheinbar, das große Geld machen die anderen.« Sie waren beim Trabi angelangt. Bach stieß Falck an. »Sag mal, hast du eigentlich Kinder?«, fragte sie unvermittelt.

»Nee, natürlich nicht. Ich habe ja nicht mal eine Frau.« Falck musste lachen.

»Sicher?«, fragte Bach, stieß ihn noch mal an und deutete dann mit dem Kinn über die Straße. Dort schob eine junge Frau einen Kinderwagen vorbei.

Falck wollte erst pflichtgemäß lachen über den Witz, dann aber verstand er. Die junge Frau auf der anderen Straßenseite war Claudia.

Ein undefinierbares Gefühl durchzuckte ihn. Schreck war dabei, schlechtes Gewissen, Verlegenheit, und noch dazu machte sein Herz einen seltsamen kleinen Hüpfer.

»Was mach ich denn jetzt?«, fragte er leise.

»Dreh dich weg. Du hast sie eben nicht gesehen«, riet Bach. Falck drehte sich weg.

»Zu spät«, flüsterte Bach. Falck hob den Kopf und schaute direkt in das Gesicht von Claudia, die ihn ebenfalls erkannt hatte. Nun gab es kein Zurück. Falck ließ einen Fahrer auf seiner MZ passieren und überquerte dann die Straße.

»Ich warte hier«, rief ihm Bach halblaut nach.

»Hallo! Na?«, begrüßte er Claudia. Sie trug einen dicken Mantel, eine Pudelmütze und hatte sich einen Schal fest um den Hals gewickelt.

»Na?«, erwiderte sie.

»Wie geht es dir denn?«, fragte Falck und wagte einen Blick in den Kinderwagen. Das Kind darin, ebenfalls fest eingepackt, war kein Neugeborenes mehr, sofern Falck das beurteilen konnte. Er versuchte krampfhaft nachzurechnen, wie viele Monate seit ihrem gemeinsamen Abend vergangen waren, doch sein Hirn war wie blockiert.

»Brauchst keine Angst zu haben, Tobias, es ist nicht deins!«, sagte Claudia, ohne eine Miene zu verziehen.

»Hatte auch keine Angst«, erwiderte er und fühlte sich ertappt.

»Warst ja schnell weg damals!« Claudia packte den Vorwurf in ein Lächeln.

»Äh …. das war keine Absicht, eher beruflich.«

»Ich dachte, du wärst in den Westen abgehauen.« Sie wirkte fast enttäuscht. Abgehauen zu sein wäre tatsächlich ein guter Grund gewesen. »Hast dann wohl vergessen, wo ich wohne? Ich hätte echt nicht gedacht, dass du so einer bist.«

Ich bin nicht *so einer*, wollte sich Falck verteidigen. »Ich dachte …«, begann er. Doch dieser Satz war nicht zu Ende zu bringen. Trotzdem zeigten die beiden Worte Wirkung.

»Aha, du dachtest, ich bin *so eine*, die mal schnell mit jemandem in die Kiste steigt.«

Falck hob die Hände. »Nein, ich … Es tut mir leid.« Es tat ihm wirklich leid, vor allem auch der Gedanke, dass er sie ja wirklich gemocht hatte, dass er sie verletzt hatte und dass es offenbar Zukunftsaussichten gegeben hatte, dass sie ein Paar hätten werden können. Jetzt war diese Gelegenheit verpasst. Und nun hatte sie ein Kind. War es unverschämt, nach dem Vater zu fragen? Sollte er sagen, dass er Polizist ist und abkommandiert worden war? Es wäre trotzdem keine Ausrede für sein Verhalten.

»Wie heißt es denn? Junge oder Mädchen?« Es war an der Kleidung nicht auszumachen. Es sah sowieso aus, als hätte Claudia nicht unbedingt viel Geld. Eher wirkte es, als müsste sie sich alles zusammensuchen.

»Es heißt Julia«, gab Claudia zur Antwort.

Falck nickte. »Und darf ich dann fragen …?«

»Christian!«, sagte Claudia und ihr Gesicht verhärtete sich von einer Sekunde zur nächsten.

Ausgerechnet, dachte Falck. Claudia musste es ihm angesehen haben, denn sie verzog ihr Gesicht auf eine Weise, die sagte: *Siehst du, deine Schuld.*

»Der hat sich auch verkrümelt. Da kannst du ganz beruhigt

sein«, meinte sie und war jetzt wirklich sauer. »Der ist einfach weg, abgehauen. Hatte auch allen Grund dazu. Er hat für die Stasi gearbeitet. Der hat die ganzen Leute ausspioniert, die sich in seiner Bude getroffen haben. Das haben wir noch vor der Wende rausgefunden. Sieht so aus, als ob ich ein ganz gutes Arschlochradar habe, oder?« Sie lächelte wieder, aber unglücklich.

Falck überlegte, ob er ihr Hilfe anbieten sollte und ob er dafür verantwortlich war, dass sie ein Kind von diesem Idioten hatte. Dass er Polizist war, konnte er ihr jetzt einfach nicht mehr sagen.

»Hallo!« Bach kam herangeschlendert.

»Das ist Steffi, meine Kollegin!«, stellte Falck sie vor, erleichtert, nicht mehr allein zu sein in dem Moment.

»Och, ist die süß!« Bach warf einen Blick in den Kinderwagen. »Wie heißt sie?«

»Julia!«, antwortete Falck schnell und hätte sich im nächsten Augenblick auf die Zunge beißen können. Was ging ihn das an? Das Baby hatte die ganze Zeit still im Kinderwagen gelegen und schaute Falck aus großen Augen an.

»Wie alt?«

»Neun Monate!«, antwortete Claudia.

»Hübsch, wirklich!« Bach richtete sich auf. »Du, wir müssen!«, mahnte sie und schaute zu Falck.

»Ja, okay. Wohnst du noch da?«, fragte Falck schnell und schaute Claudia an. Er wusste auch nicht, warum er das wissen wollte.

»Ja, noch!«, erwiderte Claudia. »Mach's gut!«

Wir können ja ..., wollte Falck sagen, doch Bach hatte ihn am Ärmel gefasst und zog an ihm.

»Mach's gut!«, brachte er heraus. Gemeinsam warteten sie, bis Claudia weitergegangen war.

»Danke!«, sagte Falck dann.

»Hübsches Kind, gratuliere!«

»Es ist nicht von mir! Sagt sie.«

»Sie hat deine Augen, ist neun Monate alt. Passt doch.«

»Sie sagt, sie hatte was mit dem anderen …«

»Ja, aber das heißt ja nicht, dass das Kind nicht trotzdem von dir ist!«

Falck versuchte, in Steffi Bachs Gesichtsausdruck zu lesen, ob sie sich lustig über ihn machte oder ob sie mit ihrem Lächeln nur Zorn kaschieren wollte. Welches Bild hatte sie jetzt von ihm? Und warum sollte sie zornig sein? Weil er sich typisch wie ein Mann benahm oder weil sie ihn vielleicht sogar mochte?

Bach ließ ihm keine Zeit, darüber nachzudenken.

»Komm, fahren wir zurück, Schmidt ist bestimmt schon ungeduldig!«

»Wie hast du denn gelernt, so mit den Leuten zu reden? Wie mit dem Jungen vorhin?«, fragte Falck, um kein peinliches Schweigen aufkommen zu lassen.

»Als ich neu zur Kripo kam, hatte ich nichts zu melden. Aber ich habe gesehen, wie man mit Frauen umging, die gerade vergewaltigt worden waren. Und jetzt stell dir mal vor, dir ist gerade so etwas passiert und du sollst vor einer Riege von Männern aussagen, die sowieso glauben, dass du dich selbst in diese Situation gebracht hast. *Warum laufen Sie nachts alleine draußen herum? Warum haben Sie so einen kurzen Rock angezogen? Warum wohnen Sie allein?* Das war wirklich unsäglich. Ich habe angeboten, dass ich mit den Frauen rede, und habe es damit erklärt, dass die Frauen bei mir freier reden können und genauere Aussagen machen, weil sie sich mir gegenüber nicht so schämen. Aber ich habe bald gemerkt, dass das gar nicht erwünscht war. In der DDR sollte es solche Vorfälle nämlich nicht geben. Exhibitionisten, Vergewaltigungen, häusliche Gewalt. Jedenfalls habe ich nie irgendwelche Unterstützung bekommen, wenn ich gegen jemanden ermitteln wollte. Wirklich nur, wenn die Faktenlage ganz offensichtlich war, wenn sie es einfach nicht unter den Teppich kehren konnten. Es gab sogar Frauengruppen, so eine Art Selbsthilfe. Das waren betroffene Frauen, die sich nicht den Mund verbieten lassen wollen. Die haben Umfragen gemacht, welche Frau schon so was erleben musste, Belästigung oder Vergewaltigung, alles inoffiziell natürlich. Aber klar, anstatt dass sich die Stasi um das Problem kümmert, haben sie die Frauengruppen überwacht. Ich hatte jedenfalls viel mit betroffenen Frauen zu tun und auch mit Kindern. Als ich dann deinen Bericht in die Hände bekam, wollte ich der Sache nachgehen. Es gab nämlich schon einige Übergriffe auf Jungen und auf Frauen. Die begannen Ende siebenundachtzig, genau als dieser Rühle aus der Haft entlassen worden war und eine kleine Wohnung in der Neustadt zugewiesen bekam.«

»Ja, aber der Typ, dem ich nachgelaufen bin, der sah kein bisschen wie der Rühle aus. Deswegen denk ich ja, er hatte einen Kumpan.«

»Jedenfalls, als man rausfand, dass ich der Sache nachgegangen bin, hat man mich gleich versetzt. Ich war sowieso schon mehrmals verwarnt worden.«

»Ich habe aber keinem erzählt, dass wir miteinander gesprochen haben!«, verteidigte sich Falck.

»Hab ich auch nicht behauptet«, konterte Bach schnell, so schnell, dass klar war, dass sie genau das vermutet hatte.

»Vielleicht war das dieser Christian, unten im Erdgeschoss, wenn der wirklich von der Stasi war?«

»Verrückt, was? Wer weiß, wer noch alles bei denen war. Und wer weiß, ob wir nicht alle noch rausfliegen? War nicht falsch, was die Suderberg gesagt hat: Irgendwie hatten wir ja alle mal mit dem Verein zu tun.«

7

Bach stoppte abrupt, als sie ins Büro traten. Falck trat ihr fast in die Hacken. Schmidt saß an seinem Schreibtisch, neben ihm auf seinem Stuhl, zusammengesunken, Heiko Rühle. Seine Hände waren mit Handschellen gefesselt. Das lange Haar hing ihm ins Gesicht. Unter seinen Augen bildeten sich dunkle Ringe, seine mit Kajalstift betonten Lider waren verschmiert. Am meisten fiel seine Nase auf, die dick und blutig war, genau wie sein Kinn.

Schmidt sah zu den Kollegen auf. »Glotzt mich nicht so an, das war ich nicht!« Er gab Rühle einen Stoß an die Schulter. »Los, sag denen, dass ich das nicht war!«

Rühle schüttelte den Kopf, sagte aber nichts, was immer das zu bedeuten hatte.

»Wie ist es denn dann passiert?«, fragte Bach misstrauisch nach.

Wieder tippte Schmidt den Verhafteten an. »Erzähl du es!«

Rühle schüttelte wieder den Kopf. Er wirkte müde, erschöpft und gleichgültig.

»Unser Alice Cooper hier wurde aufgegriffen, nachdem er einer Frau die Handtasche entrissen hatte. Jemand hat ihn festhalten wollen, dabei ist er gestürzt. Die Nase wollte gar nicht mehr aufhören zu bluten.«

»Und das hier?«, fragte Bach und deutete auf eine blutige Stelle auf Schmidts Schreibtisch.

»Da hat er geglaubt, sich mal kurz ausruhen zu müssen!«

Schmidt holte ein Taschentuch aus seiner Hosentasche, spuckte es an und rieb den Fleck weg.

»So geht das nicht, Chef«, zischte Bach leise. »Sag doch auch mal was, Tobias«, wandte sie sich dann an Falck.

Falck zuckte hilflos mit den Schultern. Er kannte Schmidt nicht gut genug, um ihn einschätzen zu können. Aber dass er einfach so zuschlug, konnte er sich eigentlich nicht vorstellen.

»Hört mal, Leute, was denkt ihr denn von mir? Los, du Flachzange, sag denen jetzt endlich, dass du das nicht von mir hast!«

»Chef, lassen Sie mal.« Bach beugte sich zu Rühle und besah sich die Kinnverletzung näher.

Ihre Fürsorge nervte Schmidt deutlich. »Ich war gerade mitten in der Vernehmung, Frau Kollegin. Unser Freund hat das offensichtlich nicht zum ersten Mal gemacht. Es gibt schon einige Anzeigen gegen unbekannt. Alle mit demselben Tathergang.«

»Das beweist gar nichts. Da gibt's ja nicht viel auszudenken«, meldete sich Rühle mit nasaler Stimme zu Wort. »Man reißt einer Frau die Handtasche von der Schulter und rennt weg. Kann jeder, das kriegt sogar ein Bulle hin!«

»Hör mal, Freundchen, komm mir nicht blöd!«, ranzte Schmidt ihn an.

»Sonst was? Haust du mir aufs Maul?« Rühle grinste schief.

»Das reicht jetzt!«, mischte Bach sich wieder ein. »Es ist jetzt erst mal egal, was hier zu beweisen ist und was nicht. Sie sind offenbar auf frischer Tat ertappt worden. Und immerhin haben Sie auch schon längere Zeit wegen Diebstahls eingesessen. Und wegen Sexualdelikten!«

Rühle sah sie kurz an und sank dann wieder in sich zusammen.

Schmidt nutzte die Gelegenheit, die Gesprächsführung wieder an sich zu reißen. »Heute wirst du auf jeden Fall hier übernachten und vielleicht noch ein bisschen länger. Bis dahin werden wir mal sehen, was sich so zusammentragen lässt. Ein hübsches Foto machen wir auch noch. Damit werden wir mal die Runde machen und sehen, wer sich an dein zauberhaftes Gesicht erinnert.« Schmidt zeigte auf Bach und Falck. »Das wird übrigens euer Auftrag sein für die nächsten Tage.«

Die Tür sprang auf und Hauptkommissarin Suderberg stürmte in das Zimmer.

»Wie wär's denn mal mit Anklopfen?«, fuhr Schmidt auf.

»Was ist denn hier los?«, fragte sie perplex angesichts des blutigen Rühle.

»Das war ein Unfall!«, antwortete Bach.

Schmidt stöhnte.

»Na klar, das glaube ich jetzt aber!«, kommentierte Suderberg. »Methoden sind das hier!«

»Wen meinen Sie denn?«, fragte Schmidt und war unüberhörbar auf Krawall gebürstet.

»Alles hier und jeden«, grummelte Suderberg leise, marschierte an Rühle vorbei und ließ sich auf ihren Schreibtischstuhl fallen.

Schmidt drehte sich nach ihr um.

»Heute mal nicht im Festtagskleid?«, fragte er und grinste. Suderberg war ganz in Jeans gekleidet und trug unter ihrer gepolsterten Jeansjacke einen weinroten Pullover. Ihre Haare hatte sie zu einem normalen Zopf gebunden.

»Passt Ihnen das jetzt auch nicht?«, fragte Suderberg scharf zurück und kniff dann die Lippen zusammen.

Falck fiel auf, dass sie mitgenommen aussah.

»Was machen Sie denn hier? Hat man Sie bei der Mord rausgeschmissen?«

»Dieser Neubert will keinen Finger rühren, solange die Leiche nicht wieder auftaucht ...« Ihr versagte kurz die Stimme.

»Kein Wunder, dass hier alles drunter und drüber geht. Wenn das so weitergeht, bricht hier noch die Anarchie aus.«

»Na, na, immer schön halblang«, beschwichtigte Schmidt, obwohl es eigentlich seine Worte waren. »Oberst Neubert wird schon wissen, was er tut.«

»So wie Sie!« Suderberg zeigte auf Rühle.

»Das ist nicht von mir!«, wiederholte Schmidt sichtlich genervt.

»Na klar, immer und überall dasselbe!« Suderberg presste die Lippen zusammen.

Falck sah, wie sich ihre Augen mit Tränen füllten. Sie stand schnell wieder auf und stürmte, die Tür zuknallend, aus dem Zimmer.

Bach schüttelte den Kopf und folgte ihr. An der Tür blieb sie noch einmal kurz stehen und drehte sich zu Schmidt um. »War es nicht Neubert, der Sie hierherversetzt hat?«

»Das geht Sie gar nichts an«, erwiderte Schmidt.

»Warum müssen Sie eigentlich immer so sein? Was müssen Sie denn beweisen?«

»Ein bisschen Mäßigung«, befahl Schmidt zornig. »Immerhin reden Sie mit Ihrem Vorgesetzten!«

»Nee, da lass ich mich lieber versetzen!« Damit verließ Bach das Zimmer.

»Was die nur hat?« Schmidt lachte gezwungen auf und tat gleichgültig. »Weiber«, murmelte er.

Falck schwieg. Er hatte gesehen, wie verletzt Suderberg war.

»Kann ich jetzt gehen?«, fragte Rühle, der glaubte, diese Situation für sich ausnutzen zu können.

»Ja, in die Heia kannste gehen!«, blaffte Schmidt und nahm im nächsten Moment den Telefonhörer zur Hand. Rühle sollte abgeholt werden.

»Morgen nehmen wir seine Bude auseinander. Ich habe einen Durchsuchungsbescheid«, sagte Schmidt, nachdem Rühle abgeführt worden war.

»Ich glaube nicht, dass er Frauen überfallen hat. Er ist homosexuell, warum sollte er das tun? Und gestohlen wurde dabei nichts.« Falck fiel es immer noch schwer, seine Meinung einfach so frei auszusprechen. Er war sein ganzes Leben lang immer nur Anweisungen und Befehlen gefolgt.

Wenigstens hatte Schmidt damit überhaupt kein Problem, auch wenn er selten eine andere Meinung als seine gelten ließ. »Lassen Sie sich von dem schwulen Getue nicht täuschen, Leutnant. Der hat es faustdick hinter den Ohren. Macht jetzt einen auf Tussi, aber muckt sofort auf, wenn er Oberwasser bekommt.«

Falck konnte das nicht glauben, wollte aber dann doch nicht widersprechen.

»Warum sind Sie eigentlich so streng mit der Suderberg?«, traute er sich dann doch zu fragen. Es war einige Zeit vergangen und die Frauen waren immer noch nicht zurückgekommen.

Schmidt drehte sich wieder zu ihm um, und Falck wappnete sich innerlich für ein Donnerwetter. Doch einmal mehr überraschte ihn dieser Mann.

Schmidt sah in ernst an und überlegte. »Weiß auch nicht. Das hat sich auf einmal alles so aufgewiegelt. Ich dachte, wir flachsen nur so herum, aber sie scheint das wirklich ernst zu nehmen.«

Unter Flachsen verstand Falck eigentlich etwas anderes. Aber dass die Suderberg keinen Spaß verstand, hatte er auch schon erkannt. Jedoch war erst vor wenigen Stunden ein Mann gestorben und seine Leiche verschwunden. Es gab absolut keinen Grund zum Herumflachsen.

Steffi Bach war zurückgekommen und schloss die Tür hinter sich. »Sie steht im Treppenhaus und flennt«, sagte sie tonlos und setzte sich an ihren Platz.

»Soll ich mal gehen?«, fragte Schmidt.

»Bloß nicht! Sie hat mir erzählt, wie das bei denen da drüben in der Abteilung lief. Da war sie als Frau im Polizeidienst nämlich gerne mal der Fußabtreter und in erster Linie zum Kaffeekochen gut. Sie hat sich einfach mehr erhofft hier. In Bezug auf die Gleichberechtigung von Frauen und so.«

»Sind sie doch. Gleichberechtigt. Oder?« Schmidt sah sie Zustimmung heischend an.

»Ach ja?«, fragte Bach pikiert.

»Na …« Schmidt hob in einem Anflug von Unverständnis die Hände.

Steffi Bach hatte sich jetzt in Position gesetzt und war bereit, auf Konfrontation zu gehen. »Wo sind denn hier gleichberechtigte Frauen? Nicht mal Margot Honecker war gleichberechtigt! Schon klar: Arbeiten dürfen wir, Kinder kriegen, Essen machen.«

»Aber es gibt einen extra Haushaltstag!« Schmidt schloss den Mund, weil er selbst merkte, wie lahm sein Argument war.

In dem Moment öffnete sich die Tür und Suderberg kam zurück. Stumm setzte sie sich an ihren Platz, als wäre nichts geschehen. Schmidt zog eine Augenbraue hoch und konzentrierte sich dann auf die Papiere auf seinem Schreibtisch.

»Im Übrigen gibt es zu unserem entschwundenen Unfallopfer, Hildegard Olpe, eine interessante Entwicklung«, meinte er nach einer Weile. »Ihre Tasche und ein Schuh von ihr sind aufgetaucht. In einer Mülltonne.«

»Die Tasche mit Inhalt? Geld und Ausweise, alles drin?«, fragte Suderberg, die fast froh über das fachliche Gespräch zu sein schien.

Schmidt nickte.

»Seltsam.« Suderberg runzelte nachdenklich die Stirn.

Falck beobachtete amüsiert, wie beide bewusst auf Worte und Mimik achteten, wie zwei Wissenschaftler, die zwei gefährliche Chemikalien zusammenmischten, welche jederzeit explodieren könnten.

»Und der Schuh gehört zu der Frau?«, hakte Suderberg noch mal nach.

»Das vermuten wir nur. Die Tasche aber war eindeutig zuzuordnen.«

»Wo, wenn ich fragen darf? Könnte man nicht gezielt in der Nachbarschaft fragen, wer das Zeug in die Tonne geworfen hat?«

Schmidt winkte ab. »Machen wir morgen. Müssen sowieso in die Gegend. Die angebliche Tote vom Unfall ist nicht in ihrer Wohnung aufgetaucht. Fragt sich, wie Schuh und Handtasche in den Müll kamen. Die gestrige Leiche ist auch noch weg. Als ob sich jemand einen dämlichen Spaß mit uns erlaubt. Das musste ich mir heute Morgen in der Direktion anhören. *In Zeiten wie diesen können wir uns keine Fehler erlauben.* Als ob ich das nicht selbst wüsste.«

»Wo fand man denn die Tasche und den Schuh?«, fragte Falck.

»In der Kamenzer. Dem alten Mann fiel die Tasche in der Tonne nur auf, weil er vom Handtaschenraub gehört hatte.«

»In der Kamenzer?«, wiederholte Falck.

»Ja, warum?«

»Da hatten diese Gruftis ihren Treff, in einem Keller.«

Schmidt blies die Backen auf. »Alles klar, da habt ihr beiden morgen ja ein volles Programm. Und wir sollten noch einmal versuchen, etwas über den Gwisdek herauszufinden, am Ende kannte der diesen Kallbusch aus Hamburg.«

Schmidt sah zu Suderberg. Die erwiderte seinen Blick und nahm sein Friedensangebot mit einem Nicken an.

»Also gut«, Schmidt stand auf, »dann war es das für heute. Feierabend! Ich mach noch die Übergabe.«

»Lust auf ein Bierchen?«, fragte Bach, und Falck verstand erst gar nicht, dass er gemeint war. »Du siehst aus, als müsstest du mit jemandem reden.« Steffi lächelte ihn schief an.

Falck nickte. Sie hatte recht. Die Begegnung mit Claudia ging ihm nicht aus dem Kopf.

»Möchten Sie mitkommen?«, fragte Bach die Hauptkommissarin.

»Nein danke, ich muss noch etwas erledigen.« Suderberg zwang sich ein Lächeln ins Gesicht.

8

»Ich erzähle Ihnen mal was, Leutnant«, wurde Falck am nächsten Morgen von Schmidt empfangen, kaum dass er das Büro betreten hatte. »Ich habe gestern ausführlich herumtelefoniert. Unter anderem mit dem Bestattungsinstitut. Da gibt's eine ordentliche Schieflage. Dieser Fall vom letzten Jahr, mit der jungen Frau. Da werden Sie heute zuerst hinfahren, Sie und Bach. Vielleicht gibt es ja doch einen Zusammenhang mit unseren verschwundenen Toten. Danach fahren Sie auf die Kamenzer und fragen sich mal zu der Tasche durch. Adresse vom Finder ist hier in der Mappe. Außerdem habe ich Druck gemacht wegen der Fotos von Rühle. Die sind auch in der Mappe. Damit klappert ihr alle belästigten Frauen ab.«

Falck war unentschlossen, ob es sich überhaupt lohnte, die Jacke auszuziehen. Eigentlich war er froh, im Warmen zu sein. Außerdem duftete es nach Kaffee.

Frau Zille half ihm bei der Entscheidung. Sie kam mit Kaffee ins Zimmer. »Guten Morgen, Herr Leutnant«, begrüßte sie ihn und stellte die Tasse auf seinen Platz.

»Danke«, murmelte Falck. Dann nickte er den beiden Kolleginnen zu, die bereits an ihren Schreibtischen saßen und in ihren Tassen rührten. Steffi Bach nickte kurz zurück.

Der Abend gestern war lang geworden und sehr persönlich. Weil sie nicht nur ein Bier getrunken hatten, sondern mehrere, weil sie sich hatten anstecken lassen von der Stimmung um sie herum, in einer Kneipe, die es vor einer Woche noch nicht gegeben hatte. Sie hatten auf einfachen Holzkisten gesessen, an Gartentischen, alles provisorisch und in aller Eile hingestellt, doch die Atmosphäre war so ungezwungen gewesen, eine Art vibrierende Aufbruchstimmung herrschte in dem Raum, der sich keiner der Gäste entziehen konnte. Sie hatten sich hinreißen lassen. Jetzt, halbwegs nüchtern, war es Falck unangenehm, weil er nicht wusste, wie er damit umgehen sollte. Eines war zum anderen gekommen, und er hatte Bach mehrmals deutlich zu lang in die Augen geblickt. Und sie ihm. Jetzt, in der nüchternen Büroatmosphäre, war ihr das offenbar nicht mehr so recht.

»Und noch was, Leute, ich habe mich nach dem Burghardt umgehört, ihr wisst schon, der Typ, der bei Rühle wohnt. Das war hochinteressant. Die beiden saßen zusammen in Bautzen und waren sogar eine Zeitlang Zellengenossen. Burghardt saß wegen schwerer Körperverletzung. Ich werde heute übrigens mit Kommissarin Suderberg unterwegs sein.«

Falck und Bach sahen auf.

»Hauptkommissarin«, verbesserte diese. Sie sah müde aus und trug die Sachen vom Vortag. Ob sie Schmidts Plan begrüßte, ließ sie nicht erkennen. Als sie am Kaffee nippte, verzog sie das Gesicht. Alle sahen es, doch niemand sagte etwas dazu, es war eben kein Westkaffee.

»Ich glaube, sie hat im Büro geschlafen«, sagte Bach, als sie sich in den Trabant gezwängt hatten. Falck hatte Bach einmal mehr das Steuer überlassen.

»Wie meinst du das?«, fragte er.

»Sie hat im Büro übernachtet.«

»Warum sollte sie? Sie hat doch ein Hotelzimmer.«

»Vielleicht hatte sie ja noch zu tun«, überlegte Bach laut. »Vielleicht hat man ihr Zugang zu Akten gegeben. Aber seltsam ist das schon. Ich bezahle doch nicht einen Haufen Kohle, um dann im Büro zu schlafen. Und hast du gemerkt, wie ihr Auftreten sich verändert hat? Ich meine nicht nur ihr Aussehen. Irgendwas ist mit ihr.«

»Vielleicht sind die drüben wirklich froh, sie los zu sein.«

»Vielleicht wurde der Kallbusch ja wirklich umgebracht, überleg mal.«

»Der Gerichtsmediziner hat den Unfall mit der Scherbe bestätigt. Kallbusch hatte sogar Schnittwunden an den Handflächen.«

»Die könnten auch daher kommen, dass er sich die Scherbe aus dem Hals gezogen hat. Aber was, wenn er wirklich umgebracht wurde? Von der Mafia? Die kommen jetzt alle rüber und stecken ihre Reviere ab. Jeder, der dabei stört, wird umgelegt. Am Ende haben die den Toten selbst entsorgt. Das kann zu einem richtigen Krieg ausarten. Die Suderberg fühlt sich nicht ernstgenommen, dabei ist die Sache unter Umständen mehr als ernst.«

»Ist sie auch, aber unsere Sache ist auch ernst«, sagte Falck.

»Ja, stimmt schon. Zu wem fahren wir zuerst?«

»Ich würde zuerst die Frauen auf der Liste aufsuchen. Zwei kenne ich vom letzten Jahr noch. Frau Hauke und Frau Pliske, die Lehrerin an der hundertdritten POS. Fahren wir erst mal dorthin.«

Sie warteten im Gang vor dem Lehrerzimmer. Frau Pliske wurde von der Schulsekretärin aus dem Unterricht geholt. Falck sog tief den nostalgischen Schuldunst ein. Seine Schule hatte genauso ausgesehen. Tausende Schulen in der DDR sahen so aus: zwei lange Gebäudeteile, verbunden durch drei Treppenhäuser, mit Innenhöfen, die nicht betreten werden durften, drei Schulhofausgängen und einem Haupteingang. Kinderbilder hingen an den Wänden über glänzenden Ölsockeln, Tannenzweige als Weihnachtsdekoration, der Fußboden war ausgetreten, an den Nähten geplatzt, notdürftig repariert, wie so vieles in diesem Land.

»Wie früher, oder?«, sprach Bach seine Gedanken aus.

Die Sekretärin kam mit der Lehrerin die Treppe hinunter.

»Guten Tag«, begrüßte Bach die Frau und hatte, wie selbstverständlich, wieder die Initiative übernommen. »Gehen wir hinein.«

Frau Pliske nickte. Ihr Blick war an Falck hängengeblieben. Das Lehrerzimmer war leer, und sie setzten sich an den ersten Tisch.

»Sie kennen Leutnant Falck noch?«

»Ja.« Frau Pliske nickte schüchtern.

»Frau Pliske, ich will es kurz machen. Wir haben eine verdächtige Person verhaftet, der wir einige sexuelle Übergriffe zur Last legen.« Bach nahm die Fotos von Heiko Rühle aus der Tasche und legte sie vor der Frau auf den Tisch. »Können Sie den Mann als denjenigen erkennen, der Sie damals angegriffen hat?«

Frau Pliske zog eines der Fotos zu sich und betrachtete es lange. Rühle hatte sich für das Foto das Gesicht waschen müssen, doch die Nase war nach wie vor geschwollen und vom Kajalstift war ein Rest sichtbar.

»Man hat mich ja damals weggeschickt bei der Polizei«, sagte die Lehrerin.

Bach nickte. »Ich weiß. Aber jetzt wird der Fall noch mal aufgerollt. Die Zeiten haben sich geändert.«

Die Lehrerin nickte langsam. Sie zögerte. »Ich habe ja den Mann nicht richtig sehen können.«

Bach und Falck schwiegen.

»Also … Ich glaube, er ist es. Ja.«

»Sind Sie sicher?«, entfuhr es Falck. Damit hatte er eigentlich nicht gerechnet.

»Ja, das Haar war allerdings viel kürzer.«

»Aber Sie sagten doch gerade, Sie haben ihn kaum gesehen ...« Falck spürte Bachs mahnendes Knie an seinem und verstand ihr Zeichen. Er schwieg.

Frau Pliske wiegte den Kopf. »Ich habe ihn schon sehen können, kurz.« Sie tippte auf die Profilaufnahme. »Die Nase, die hatte so einen Knick, als wäre sie schon mal gebrochen gewesen. Doch, ja, der ist es.«

»Wenn er es ist, dann verstehe ich es nicht.« Falck und Bach standen jetzt vor dem Haus in der Jordanstraße, in dem Nadine Hauke wohnte. Sie war einkaufen, hatte eine Nachbarin gesagt, müsste aber bald zurück sein. »Wieso soll ein Schwuler Frauen überfallen? Warum bestiehlt er sie nicht, wenn er es doch sonst tut?«

»Man muss nicht alles verstehen. Dafür gibt es Psychiater.« Bach sah sich um und hatte sich eine Zigarette angezündet. »Ganz schön depri, wie das hier alles aussieht. Was das kosten wird, das alles aufzubaucn.«

»Mit den aktuellen Mieten wird man das niemals aufbauen können. Die Leute, bei denen ich wohne, bezahlen nicht mal hundert Mark für vier große Zimmer. Zwanzig Mark bekommen sie von mir noch dazu.« Gerade erst letztes Wochenende hatte es in Falcks Haus einen Dachschaden gegeben, den sie nur notdürftig hatten reparieren können.

»Ich bin eh gespannt, die müssen sich ja was einfallen lassen, sonst rennen irgendwann alle in den Westen. Vielleicht tauschen sie unser Geld in D-Mark ein. Fragt sich nur, zu welchem Kurs?«

Das konnte sich Falck nicht vorstellen. Wie sollte man das wertlose Geld eintauschen können, wenn eine Büchse Cola schon sechs Mark kostete? In diesem Verhältnis würde sein Gehalt gerade fünfzig D-Mark wert sein. Ein Brötchen heute für zehn Pfennige würde nicht einmal zwei Pfennige Westgeld kosten. So würde das nicht funktionieren. Aber tatsächlich skandierten die meisten Menschen jeden Montag beinahe nur noch diese beiden Forderungen. Sie wollten die D-Mark und ein vereintes Deutschland.

»Aber gestern Abend, das war schon cool, oder?« Bach zwinkerte. »Ich habe die ganze Nacht nicht schlafen können.«

Falck nickte, war sich aber nicht ganz im Klaren, was Steffi Bach genau meinte. Er traute sich auch nicht nachzufragen. Diese Aufbruchstimmung, diese gelöste Atmosphäre, die vielen lachenden Menschen voller Ideen und Hoffnungen? Er hatte auch schlecht geschlafen, doch in seinen wirren Träumen war immer Claudia mit dem Kinderwagen erschienen.

»Da kommt sie!«, sagte er. Nadine Hauke schob einen Kindersportwagen vor sich her.

»Sag mal, Tobias. Was geht denn hier vor sich?«, grinste Bach frech.

»Damit hab ich nichts zu tun!«, verteidigte sich Falck. Diesmal ergriff er die Initiative und ging der Frau entgegen. Als sie ihn sah, versteinerte sich ihr Gesicht. Langsam kam sie den beiden Polizisten entgegen.

»Was willst du hier?«, fragte sie Falck.

»Ich muss dir ein Foto zeigen und dich fragen, ob das der Mann war, der dich letztes Jahr angegriffen hat.«

»Nee, Tobias, lass mich in Ruhe! Ich hätte ja nicht gedacht, dass du einer von denen bist!«

Einer von denen. Das hieß Stasi.

»Ich bin Polizist. Ein ganz normaler Polizist.«

»Ganz normale Polizisten gibt's nicht. Ihr habt alle mitgemacht bei der Scheiße! Lass mich jetzt!«

»Du sollst dir doch nur das Bild ansehen!«, versuchte es Falck noch einmal.

»Frau Hauke, es geht um die Ergreifung eines Sexualstraftäters. Sie könnten uns helfen, ihn zu identifizieren, damit hel-

248

fen Sie auch vielen anderen Frauen«, schaltete sich jetzt Bach
ein.

»Auf einmal interessiert euch das!« Nadine schüttelte wütend den Kopf und wollte sich an ihnen vorbeidrängen. Das
Kind im Wagen sah sich zu seiner Mutter um. Es spürte offenbar die angespannte Stimmung und begann zu weinen.

Bach fasste Nadine am Oberarm. »Mich hat das schon
immer interessiert!«

»Also gut, zeigt her, aber schnell, Micha wird es kalt und
mir auch!«

Bach holte die Fotos heraus, die Nadine skeptisch betrachtete. Dann verzog sie das Gesicht.

»Da!« Sie deutete auf eines der Bilder. »Der Schneidezahn
mit der abgebrochenen Ecke.«

Bach drehte das Bild um. Tatsächlich fehlte Rühles linkem
Schneidezahn eine kleine Ecke. »So etwas hatte der Täter damals?«

»Ja, es fiel mir auf.«

»Sie würden also sagen, er könnte es gewesen sein?«

»Ja, könnte er. Und jetzt lassen Sie mich!«

»Guten Tag. Kripo Dresden!«, stellte Bach sich dem alten
Mann vor, der vor der angegebenen Adresse den Gehweg
fegte. »Sind Sie derjenige, der die Tasche in der Mülltonne
gefunden hat?«

Der alte Mann, der über seiner Steppjacke eine Lederschürze
trug, nickte und stellte seinen Besen an die Hauswand.

»Kommen Sie, ich zeige Ihnen die Tonnen!« Er marschierte
in die Hauseinfahrt.

»Wir wollen die Tonnen gar nicht sehen, uns interessiert …« Bach verstummte, denn der alte Mann hörte ihnen
nicht zu. Wortlos folgten sie ihm also in den Hinterhof, wo die
blechernen runden Mülltonnen in Reih und Glied standen.

»Diese hier war es.« Der Mann blieb stehen und hob den Deckel der Tonne an.

»Vielen Dank«, sagte Bach laut. »Sagen Sie, kennen Sie alle Leute hier?«

»Ja, alle. Schon lange.«

»Gibt es da vielleicht jemanden, der Ihnen seltsam vorkommt?«

»Wie meinen Sie denn das?« Der Mann runzelte die Stirn.

Bach hob die Hände und sah Falck an. »Sag du doch mal was!«

»Gibt es jemanden, der ausschließlich schwarze Kleidung trägt? Der sich ungewöhnlich benimmt?«

»Nein. Das sind alles ordentliche Leute.«

»Und Sie haben auch nichts Außergewöhnliches beobachtet? Dass jemand etwas Schweres ins Haus transportierte, zum Beispiel?«

Der Mann schüttelte nachdenklich den Kopf.

»Wir können doch nicht alle Wohnungen durchsuchen«, murmelte Bach.

»Wer die Tasche in die Mülltonne geworfen hat, wissen Sie also auch nicht?«

»Nein, tut mir leid.«

»Nervt mich voll, dass der Alte sich im BMW durch die Gegend kutschieren lässt und einen Mörder sucht, während wir uns mit diesem Kleinkram hier auseinandersetzen dürfen«, murrte Bach, als sie wieder im Trabant saßen.

»Der Alte?«, wiederholte Falck. »Der ist doch nicht mal vierzig, oder?«

»Tut aber so, als wäre er sechzig.« Bach blinkte und fuhr aus der Lücke.

»Dann müssen wir mit Leichenhunden der Spur nachgehen.«

»Wir machen uns doch lächerlich vor der ganzen Polizei.«

»Haben wir doch längst. Zwei Tote sind uns bereits abhandengekommen!«

Bach nickte und verzog den Mund. »Ich seh das so: Die Frau war nicht tot. Sie ist in einem unbeobachteten Moment aufgestanden, hat den Rettungswagen verlassen und ist losmarschiert.«

»Und dann hat sie einen Schuh und die Tasche in die Mülltonne geworfen?«

»Lass mich mal ausreden! Sie ist losmarschiert, hat unterwegs den Schuh verloren und die Tasche. Dann hat sie jemand aufgegabelt, erste Hilfe geleistet, und nun liegt sie anonym in irgendeinem Krankenhaus oder ist da sogar gestorben. Jemand anderes fand Tasche und Schuh und hat das Zeug weggeworfen.«

»Wir hätten doch davon erfahren, wenn eine alte Frau gefunden worden wäre.«

»Warum? Jemand hilft einer alten Frau, bringt sie ins Krankenhaus, dort stirbt sie. Wieso sollten wir das erfahren?«, fragte Bach.

»Na gut, das war die Frau vom Unfall. Und der Tote aus Hamburg?«

»Den hat die Mafia weggeräumt. Vielleicht schicken sie ihn nach Hamburg, als Warnung an alle, die sich hier einmischen wollen!«

Falck schnaubte. »Du hast zu viele Gruselfilme geguckt!«

»Ach ja? Und dass einer rumläuft und unter unseren Augen zwei Leichen entwendet, das glaubst du? Da klingt mir meine Theorie plausibler.«

»Und was ist mit der verschwundenen Leiche vom letzten Jahr? Schmidt hat gesagt, das wäre gar nicht geklärt, nur vertuscht!«

»Da fahren wir jetzt hin und fragen nach.«

9

»Wie Sie sich das hier vorstellen, geht so nicht.« Die ältere Frau sah sie über den Brillenrand hinweg an. »Ich kann Sie hier doch nicht in den Unterlagen wühlen lassen. Das sind persönliche Daten.«

»Es geht ja nur um diesen einen Vorgang! Beyer, Alexandra.« Bach war verärgert, doch sie versuchte, freundlich zu bleiben.

»Nur weil die Mauer weg ist, kann hier noch lange nicht jeder machen, was er will! Sie kommen hier reingeschneit. So einfach geht das nicht.«

Bach war jetzt näher an den Schreibtisch der Frau getreten. »Wir sind die Polizei. Natürlich geht das so! Warum stellen Sie sich denn so quer? Haben Sie was zu verbergen?«

Die Frau erhob sich sichtlich entrüstet. »Also gut! Gehen wir ins Archiv!«

»Ich weiß übrigens noch genau, wie das damals war!« Im Gehen sprach sie weiter über die Schulter. »Es war eine Verwechslung. Es wurden einfach zwei Särge vertauscht. Zum Glück wurde es bemerkt, ehe die falsche Person bestattet wurde.«

»So habe ich das aber nicht in Erinnerung!«, widersprach Falck.

Vor einer Tür mit der Aufschrift *Archiv* blieben sie stehen. Die Frau hatte die Hand auf der Klinke liegen, öffnete aber noch nicht. »Aber die Urne tauchte doch dann auf«, erinnerte sie sich. »Einer unserer Männer hatte den richtigen Sarg entdeckt, die Einäscherung fand statt und ebenso die Bestattung mit ein paar Tagen Verzögerung.«

»Aha, und woher wissen wir, dass in dieser Urne nicht einfach nur irgendwelche Asche ist?«

»Da müssen Sie uns schon vertrauen!«

Bach warf Falck einen Blick zu, der deutlich machte, was sie davon hielt.

»Wer war denn der Kollege, der den falschen Sarg entdeckte?«, fragte Falck.

»Ach, der … Einer von den Jungs halt.«

»Das wäre schon wichtig, wenn Sie uns einen Namen nennen könnten!«

»Der ist gar nicht mehr bei uns.«

»Ach, tatsächlich?«, mischte Bach sich wieder ein. »Hat er gekündigt?«

»Ja, er hat eine andere Stelle bekommen.«

»Dann nennen Sie uns bitte seinen Namen, damit wir ihn selbst befragen können.«

Die Frau nickte. »Hm, ich bin mir gar nicht mehr sicher, ob der wirklich den Sarg gefunden hat. Ich glaube es nur!«

»Sie wissen es nicht mehr?«

»Nein.«

»Dann machen wir jetzt Folgendes. Wir gehen runter und befragen einfach jeden, der uns über den Weg läuft.«

»Können Sie das denn einfach so? Ich meine, müssen Sie da nicht einen Bescheid dafür haben?«

»Den haben wir, da müssen Sie uns einfach vertrauen!«, sagte Bach.

Falck hatte kein gutes Gefühl. Nachdem sie der Frau aus dem Verwaltungsgebäude heraus quer über den Hof gefolgt waren, standen sie nun in einer größeren Halle, in der mehrere Särge auf fahrbaren Untergestellen lagerten. Gerade traf ein schwarz lackierter Barkas ein und rangierte rückwärts an das Tor.

Ein untersetzter Mann kam ihnen entgegen und schaute sie fragend an.

»Die Herrschaften sind von der Polizei und möchten etwas über die Sache Beyer aus dem letzten Jahr wissen, kümmerst du dich!?« Die Frau aus der Verwaltung wartete seine Antwort gar nicht erst ab, drehte sich um und ließ sie einfach stehen.

Der Mann zuckte mit den Achseln »Die Sache war doch geklärt.«

»Inwiefern?«, fragte Bach.

»War eine Verwechslung. Wie gesagt: alles geklärt.« Der Mann schniefte.

»Kommste?«, rief jemand vom Tor. Die Männer vom Leichenwagen hatten dessen Hecktüren aufgeklappt und warteten darauf, dass ihnen jemand half, den Sarg herauszuholen.

»Gleich!«, rief der Bestatter.

Falck hatte sich zurückgehalten. Sieben Särge hatte er in der Halle gezählt, acht waren es, mit dem Sarg im Barkas. Der Gedanke bedrückte ihn, dass darin Menschen lagen, die vor wenigen Stunden noch gelebt, geatmet, gedacht hatten.

»Sie wissen also über den Vorgang Bescheid?«, fragte Bach.

»Klar, und ich muss jetzt!«

Da fiel Falck noch etwas ein. Er hob die Hand, um den Mann aufzuhalten. »Moment noch! Wenn wir die Urne ausheben, was finden wir in ihr?«

Der Bestatter runzelte die Stirn. »Ihre Asche vermutlich, Knochenreste.«

Falck sah ihn ruhig an. »Sie wirken verunsichert. Eigentlich sind wir hier, um den Vorgang noch einmal zu überprüfen. Da sich das aber recht schwierig gestaltet, müssen wir offenbar wieder von ganz vorne anfangen. Deshalb haben wir einen Exhumierungsbescheid dabei. Leutnant Bach, würden Sie diesen bitte vorzeigen!«

Bach war verblüfft, langte dann aber nach ihrer Tasche und öffnete sie.

»Hören Sie mal«, wich der Mann aus, »ich habe das damals nur beiläufig mitbekommen. Wir haben Schichtdienst, und das waren ja ganz andere Kollegen, die dabei waren.«

»Einer hat wohl den Irrtum bemerkt?«, half Falck nach.

»Ja …« Der Mann zögerte. »Der ist aber nicht mehr da.«

»Das wissen wir schon. Nur seinen Namen wissen wir nicht, sonst könnten wir ihn mit unseren Fragen belästigen!«

»Den Namen kann ich Ihnen sagen. Karsten Jenke.«

»Du jagst mir nie wieder so einen Schreck ein!«, fiel Steffi Bach draußen über Falck her. »Exhumierungsbescheid! Bist du beknackt, oder was?!«

»Hat doch Wirkung gezeigt. Ich will halt auch nicht immer nur dumm danebenstehen.«

»Wie meinst du denn das?«

Falck hob die Schultern. »Immer reden Schmidt oder du. Fällt dir das gar nicht auf?«

»Du bist ja auch erst zwei Tage dabei.« Bach lachte. »Es stört dich anscheinend doch, dass ich eine Frau bin, oder?« Sie holte den Schlüssel hervor und schloss den Trabi auf. »Und noch dazu fahre ich den Einsatzwagen, oje! *Frau am Steuer – Ungeheuer!*«

Falck musste warten, bis sie sich hineingesetzt und von innen die Beifahrertür entriegelt hatte.

»Darum geht es doch nicht«, versuchte er, sich zu verteidigen. Aber dann schwieg er, denn alles, was er sagen könnte, würde sich in Steffis Ohren nämlich genauso anhören.

»Abgesehen davon sind wir doch schon einen Schritt weitergekommen. Karsten Jenke, zweiunddreißig. Damit sollte sich doch etwas anfangen lassen!«

»Mensch, jetzt fällt's mir ein!«, rief Falck plötzlich. »Ich bin doch letztes Jahr auf eine Gruppe von Gruftis getroffen. Auf der Kamenzer Straße. Und der Obergrufti hieß Karsten.«

Bach griff nach dem Funkgerät. »Na, dann lass uns gleich mal die Leitstelle anfunken. Mal sehen, wie viele Karsten Jenke es in Dresden gibt.«

10

Es gab nur einen. Sie hatten ihn in einer Fleischerei in der Bautzner Straße angetroffen, nachdem ihnen Wohn- und Arbeitsadresse mitgeteilt worden war. Die Frau des Fleischers führte sie zu ihm.

»Ja, bitte?«, fragte er und wischte sich die Hände trocken, nachdem er gerade eine große Arbeitsfläche gereinigt hatte.

Falcks Euphorie über den ersten Ermittlungserfolg flaute sofort ab. Diesen Mann hatte er noch nie gesehen.

»Wir müssen Sie zu einem Vorgang aus dem letzten Jahr befragen. Sie haben beim Städtischen Bestattungsdienst gearbeitet?«

»Ach das.« Der Mann war groß und kräftig und trug eine blutbefleckte, ehemals weiße Schürze. Er reagierte mürrisch. »Der verschwundene Sarg.«

»Sie haben eine ungewöhnliche Berufswahl getroffen, Herr Jenke. Zuerst Bestatter, dann Fleischer?« Bach lächelte den Mann offen an. Das wirkte. Jenke begann zu grinsen.

»Das habe ich mir nicht ausgesucht. Ich wollte studieren, aber auf keinen Fall drei Jahre zur Fahne. Dann haben die mich so beackert, dass ich komplett verweigert habe. Dafür haben sie mich büßen lassen. Ich habe dann eine Lehre zum Viehzüchter machen müssen, dort bin ich geflogen wegen Aufsässigkeit. Es kam dann ein Hilfsposten nach dem anderen, und zur Fahne musste ich trotzdem. Diese Mistkerle, die haben mich mit vierundzwanzig erst geholt, da war ich schon verheiratet mit Kind. Nun bin ich hier hängen geblieben, ist aber gar nicht so schlecht.«

»Und was war denn nun mit Frau Beyer?«

»Na ja, plötzlich fehlte ein Sarg. Samt Leiche. Einfach weg. Keiner wusste was. Ich habe das gemeldet, da waren sie sauer auf mich. Das geht niemanden was an, meinten sie, sie wollten das intern regeln. Aber die Meldung war ja schon raus. War ja auch die Kripo da deshalb. Aber da hatten sie mich schon rausgeschmissen. Sie haben behauptet, ich hätte Kohlen geklaut. Ich saß sogar bei der Stasi zwei Tage, weil mein angeblicher Diebstahl ein Verbrechen gegen den Sozialismus war. Aber sie ließen mich dann gegen Verwarnung gehen. Das war denen vielleicht selbst zu blöd. Ich würde wirklich gerne mal meine Akten einsehen. Aber vermutlich sind die gerade kräftig dabei, alles zu vernichten. Denen geht jetzt bestimmt mächtig der Stift.«

»Die Leiche war aber weg?«, hakte Falck nach, um dem Redeschwall des Mannes etwas entgegenzusetzen.

»Ja, na klar, ein Sarg samt Leiche.«

»Intern regeln. Was, meinen Sie, heißt das?«

»Pffff, was schon? Die haben bisschen Dreck in eine Urne gefüllt und den Angehörigen erzählt, dass es die Asche von der Verstorbenen sei. Guckt doch keiner rein, ob da Sägespäne oder sonst was drin ist!«

»Aber wie der Sarg wegkommen konnte, das wissen Sie nicht?«

»Leider nein.« Jenke schüttelte den Kopf. »Ich weiß noch nicht einmal, ob der Sarg jemals angekommen war. Ich sollte ihn nur abholen, und er war nicht da.«

»Es lässt sich auch nicht nachvollziehen, wer den Sarg gebracht und wer ihn entgegengenommen hat?«

Jenke schüttelte wieder den Kopf und grinste schief. »Ihr wisst doch, wie das lief. Keiner wollte Ärger haben, und wer keine Ruhe gab, galt als Querulant.«

»Sag ich doch«, murmelte Bach.

Jenke nickte. »Aber jetzt wird alles anders. Die sollen sich nur darum kümmern, dass die Leute für ihre Arbeit ordentlich bezahlt werden, dann wird das hier auch was. Und die Bonzen und die ganzen Stasileute, die sollen alle in die Produktion.«

11

»Nicht so berauschend eure Ergebnisse in Sachen *wegge Leiche*, was?«, fasste Schmidt am nächsten Morgen zusammen und legte die Berichte weg, die Falck und Bach am Tag vorher kurz vor Dienstschluss noch verfasst hatten. Er rauchte bereits wieder, interessanterweise unterstützt von Hauptkommissarin Suderberg, die sich ebenfalls eine Zigarette angezündet hatte. Falck und Bach hoben fast gleichzeitig die Schultern.

»Dafür seid ihr weitergekommen im Fall Rühle. Damit lässt sich arbeiten. Prima!« Schmidt schürzte die Lippen.

Falck hob die Hand. »Wenn ich dazu was sagen darf …?«

»Bei uns herrscht Redefreiheit, da braucht man sich nicht zu melden«, polterte Schmidt gut gelaunt.

Falck stutzte. Die ungewöhnlich aufgekratzte Art des Hauptmanns irritierte ihn. Die westdeutsche Kollegin zeigte sich dagegen unerwartet still. Falck fiel auf, dass Schmidt *Pall Mall* rauchte, die er ganz offensichtlich von der Suderberg bekommen hatte. Was war denn hier los?

»Ich glaube nicht, dass Rühle die Frauen überfallen hat. Der ist doch …«

»… stockschwul, ich weiß, aber warum sollte er deshalb nicht der Täter sein? Die Aussagen der beiden Frauen sind schon sehr genau. Vor allem die Sache mit der abgebrochenen Zahnecke. Lassen wir ihn mal schmoren. Der Haftrichter hat die U-Haft abgesegnet. Rühle tobt gerade durch die Zelle.«

»Der schiebt einen Affen«, kommentierte Suderberg. Sie trug heute einen grünen Pullover und fast weiße Jeans. Ihr

Make-up war dezenter als sonst, sie sah unausgeschlafen aus.

»Was macht er?«, fragte Schmidt.

»So nennen wir das, wenn ein Junkie runterkommt und keinen Stoff hat.«

»Der Junkie kommt runter?« Schmidt sah sie fragend an.

Suderberg nahm einen letzten Zug und drückte dann ihre Kippe aus. »Das bezeichnet einen Drogensüchtigen, der von seinem Trip runterkommt, also im Prinzip nüchtern wird. Ein kalter Entzug. Wir sagen auch *Cold Turkey*. Es gibt bei uns dafür Ersatzdrogen, die können sie sich in der U-Haft oder beim Entzug verabreichen, damit es erträglicher wird. Das ist wirklich eine Qual, das sag ich Ihnen.«

»Und was nimmt der Rühle?«

»Heroin, würde ich sagen. Haben Sie die Einstiche in der Armbeuge gesehen?«

»Ich dachte, das ist ein Ausschlag.«

Suderberg schüttelte den Kopf.

»Aber wie kann der Mann denn so schnell süchtig werden? Die Mauer ist doch noch keinen Monat offen.«

Suderberg seufzte. »Das geht ganz schnell. Heroinabhängig ist man im Prinzip vom ersten Mal an«, sagte sie leise. »Die Szene ist sehr mobil. Hier öffnet sich gerade ein gigantischer Markt. Nicht nur für Fernseher, Autos und Pornografie, sondern auch für Drogen aller Art. Und die Leute im Osten haben … wie soll ich sagen … so einen Nachholbedarf, die würden alles probieren!«

»Na ja, es ist ja nicht so, dass wir hier alle bescheuert sind«, unterbrach Schmidt sie.

»Das hat überhaupt nichts mit bescheuert sein zu tun. Und fühlen Sie sich nicht gleich wieder angegriffen. Es ist so, und es ist völlig normal. Auch Konsumieren muss gelernt sein. Woher hättet ihr denn das lernen sollen?« Sie sah auffordernd in die Runde. »Den meisten Ostdeutschen fehlt diesbezüglich jegliches Misstrauen. Die sind total gutgläubig und bedanken sich noch, wenn man sie gerade beschissen hat. Sie lassen sich von Straßenhändlern alles mögliche Zeug andrehen. Wenn es aus dem Westen kommt, muss es gut sein. Und alles soll ausprobiert werden.« Sie hob bittend die Hand, weil Schmidt schon zum Protest ansetzte. »Und jetzt machen sich die Kriminellen auf den Weg. Jeder will etwas vom neuen Markt Ostdeutschland. Da wird noch einiges auf Sie zukommen. Übrigens auch aus dem Osten. Jugoslawen, Polen, Russen.«

Es war still im Büro, nachdem Suderberg ihren Vortrag beendet hatte.

»Haben Sie denn etwas erreichen können?«, fragte Bach in die Stille hinein.

Schmidt übernahm sofort. »Ja und nein. Dieser Torsten Gwisdek hatte offensichtlich Kontakt mit einem Mann, dessen Beschreibung auf Thomas Kallbusch passt. Das wissen wir nur von verschiedenen Aussagen. Offenbar war Gwisdek auch gelegentlich Gast in der Kneipe, in der Kallbusch ums Leben kam. Ob sie da zusammensaßen, wurde nicht bestätigt. Wir wissen inzwischen, dass Kallbusch in einer großen Wohnung in der Nähe der Leipziger Straße übernachtet hat, die einer alten Frau gehört. Also, der Frau gehört das ganze Haus. Gestern jedenfalls war sie nicht anzutreffen. Wir wollen heute versuchen, mit ihr zu sprechen. Kallbusch soll der Frau fünfzigtausend D-Mark dafür angeboten hat.«

Bach pfiff anerkennend. »Fuffzigtausend!«

»Das ist nichts!« Suderberg schüttelte den Kopf.

»Für Sie vielleicht!«

»Nein, im Ernst. Sie denken, das ist viel Geld, aber in ein paar Jahren ist die Bude eine Million wert.«

Bach schüttelte energisch den Kopf. »Nie im Leben!«

»Gwisdek jedenfalls soll gesehen worden sein. Er und ein

paar junge Frauen. Wir fahren jetzt alle dahin und sehen uns das an. Kallbuschs Unterkunft vor allem und das ganze Haus. Kallbusch soll außerdem nicht allein gewesen sein. Er hatte einen Begleiter. Hauptkommissarin Suderberg meint, das sei sein Leibwächter gewesen.«

»Darf ich mal etwas sagen?« Falck erhob sich.

»Wollen Sie jetzt auch eine Rede halten?«, fragte Schmidt feixend.

Aber Falck war nicht bereit, sich jetzt ablenken zu lassen. Er hatte gerade so etwas wie eine Eingebung. »Dieser Rühle. Können wir den herholen? Jetzt?«

Suderberg sah ihn unwillig an. »Warum denn das? Wollen wir nicht das Haus der alten Frau durchsuchen?«

»Es ist wichtig, glauben Sie mir! Es geht um Mord oder wenigstens um Totschlag!«

»Und wen soll der Rühle totgeschlagen haben?«, fragte Schmidt.

»Den Wetzig! Die Akte von damals, wo ist die?«

Schmidt zuckte mit den Achseln und wirkte plötzlich verlegen. »Hast du doch selbst weggeräumt vorgestern.«

»Die Akten, die hier lagen, waren von der Mordkommission? Haben Sie die mitgenommen, als Sie hierherversetzt wurden?« Falck war verblüfft.

»Das waren meine Fälle«, versuchte Schmidt sich zu verteidigen. »Und der Fall Wetzig war geklärt! Ich weiß nicht, was der Rühle damit zu tun haben soll!«

»Wollen wir quatschen oder handeln?«, mischte Bach sich ein. »Ich hole den Rühle her. Ihr sucht die Akte! Wollen Sie mitkommen, Frau Hauptkommissarin? Frauenpower!«

Heiko Rühle ging es schlecht. Eigentlich hätte er in ein Krankenhaus gehört. Der Schweiß lief ihm über die Stirn, er zitterte und hatte sich in seiner Zelle so oft erbrochen, dass sein

Magen komplett leer sein musste. Die Arme vor den Bauch gepresst, wiegte er sich auf seinem Stuhl vor und zurück. Die Schwellung der Nase war etwas zurückgegangen, aber unter seinen Augen hatten sich schwarze Ringe gebildet.

»Haben Sie das verstanden?«, fragte Schmidt schon das zweite Mal. »Sie wurden von zwei Zeugen identifiziert. Und ich wette, wenn wir weitere Zeugen befragen, werden diese das bestätigen. Das bedeutet erstens, Sie bleiben hier in U-Haft, und zweitens, Sie werden für noch ein paar Jahre in den Knast gehen.«

Rühle reagierte nicht, nur ein paar Tränen liefen ihm übers Gesicht. »Habt ihr nicht irgendwas?«, krächzte er.

»Wir könnten was besorgen, wenn Sie ein bisschen mitmachen«, sagte Suderberg und erntete von allen drei ostdeutschen Polizisten erstaunte Blicke.

Rühle sah gequält und doch hoffnungsvoll auf.

»Lars Burghardt kennen Sie schon lange?«, fragte Falck und wollte den Moment nutzen.

Rühle nickte.

»In welcher Beziehung stehen Sie zu ihm? Ist er ein Freund, sind Sie ein Paar?« Damals hatte Burghardt die Haare ganz kurz und keinen Bart getragen, klar, dass er ihn nicht gleich als den Mann von damals erkannt hatte, dem er durch den Alaunpark gefolgt war.

Rühle verzog das Gesicht bei der letzten Frage. Das bestätigte Falcks Vermutung.

»Sie haben Burghardt im Gefängnis kennengelernt? Sechsundachtzig etwa, hab ich recht?«

»Fünfundachtzig«, krächzte Rühle. »Ich wurde in seine Zelle verlegt.«

»Siebenundachtzig wurden Sie entlassen, Burghardt ein paar Monate später. Anfang achtundachtzig?«

Rühle nickte.

»Siebenundachtzig kam es zu ersten Anzeigen wegen sexueller Belästigung. Sie waren gerade entlassen.«

»Damit habe ich nichts zu tun«, presste Rühle hervor.

»Aber mit den Fällen achtundachtzig schon. Mindestens zwei Frauen wurden von Ihnen angegriffen!«

Hinter Rühle fuchtelte Schmidt jetzt herum und klopfte dann fragend auf die Akte Wetzig. Falck nickte, winkte ab.

»Warum haben Sie das getan?«, fragte er weiter. »Sie haben den Frauen weder etwas gestohlen, noch haben Sie sexuelles Interesse an ihnen. Es ist doch offensichtlich, dass Sie homosexuell sind.«

Nun hatte Bach im Hintergrund einen Einwand, wiegte den Kopf. Falck winkte auch sie weg, er wusste, dass es auch bisexuelle Menschen gab. Das Herumgefuchtel der Kollegen im Hintergrund störte jedoch nur.

»Was wollen Sie denn jetzt hören?«, fragte Rühle und krümmte sich unter einem Krampf.

»Ich will auf Folgendes hinaus: Burghardt ist nicht wirklich Ihr Partner. Er unterdrückt Sie, er zwingt Sie zu Handlungen, die Ihnen nicht gefallen. Er hat Sie veranlasst, die Frauen anzugreifen, vermutlich aus Spaß, um zu sehen, wie hörig Sie ihm sind. Er lässt Sie Handtaschen stehlen oder Einbrüche begehen. Sie müssen Schmiere stehen, wenn er sich an kleinen Jungs vergreift, holt Fremde in Ihre Wohnung. Ich wette, Sie sind sogar für ihn geschminkt. Burghardt hat Sie auch umgehend zu einem Heroin-Junkie gemacht, damit Sie noch abhängiger werden.«

Rühle hatte begonnen, unaufhörlich den Kopf zu schütteln, und auch Bach und Schmidt hinter ihm verzogen die Gesichter. Nur Hauptkommissarin Suderberg schien interessiert zuzuhören und nachzudenken, stellte Falck erstaunt fest.

»Spritzen Sie sich selbst?«, fragte sie Rühle jetzt. »Kaufen Sie das Zeug? Nein, warten Sie, das macht Burghardt, richtig?«

Rühle kniff den Mund zusammen. »Das geht Sie nichts an. Mir gefällt das so. Ich brauch jemanden, der mich lenkt.«

»Das ist mir egal, ich will wissen, ob es so ist!«, übernahm Falck wieder.

Rühle schwieg.

»Also gut, wenn wir jetzt die Wohnung durchsuchen, finden wir dann einen blauen und einen braunen Motorradhelm? Sind Sie im Besitz einer beigefarbenen Simson?«

Rühle schüttelte den Kopf. »Nee, nichts davon. Ich weiß auch nicht, was das soll. Buchten Sie mich doch ein, wegen sexueller Belästigung oder Diebstahl. Mir egal. Lars ist vielleicht manchmal gemein, aber der hat sich immer um mich gekümmert. Als Einziger. Alle anderen haben immer nur auf mir herumgehackt. Und ich sag nix mehr. Sie haben eh nichts für mich.«

Nun war es Falck, der den Kopf schüttelte. »Nein, es geht hier nicht um sexuelle Belästigung oder Diebstahl. Es geht um Mord!«

Rühle zuckte zusammen.

»Wo waren Sie am Morgen des zehnten Mai achtundachtzig? Ich kann es Ihnen sagen«, beantwortete Falck seine eigene Frage. »Ich habe Sie gesehen. Sie waren auf der Prießnitzstraße im Haus vom ABV Wetzig. Sie haben ihn über das Geländer geworfen, Sie und Burghardt.«

Rühle konnte nicht antworten, er schüttelte nur heftig den Kopf.

»Ich habe Sie gesehen. Ihr Moped, Ihre Helme. Ich war bei Ihnen im Hinterhaus auf der Pulsnitzer, ich habe Sie reden hören, Sie und Burghardt. Ich habe Sie auf dem Moped gesehen, eindeutig. Sofern ich weiß, war Wetzig vierundachtzig maßgeblich an der Verhaftung Burghardts beteiligt, er hat ihn des Einbruchdiebstahls und des Raubes überführt. Burghardt wollte sich dafür rächen. Sie haben Wetzig in seinem Haus überfallen und über das Geländer geworfen. In der Akte steht, er hätte sich noch am Geländer festgehalten, er hat die Geländerstangen mit beiden Händen umfasst. Aber die Handabdrücke standen auf dem Kopf.« Falck bemerkte Schmidt, der die Akte öffnete und zu blättern begann. »Sie haben ihn über das Geländer gehängt. Er versuchte sich festzuhalten, dabei segelte seine Mütze davon. Dann haben Sie ihm die Finger aufgebogen. Er stürzte ab, schlug mit dem Kopf auf, starb an Genick- und Schädelbasisbruch. Sie haben Wetzig umgebracht. Sie und Burghardt.«

»Nee, nicht, so war das nicht!«, keuchte Rühle.

»Wie denn dann? Es ist eindeutig nachvollziehbar. Das ist Mord oder wenigstens Totschlag, dafür gibt's locker zwanzig Jahre.«

»Nein!«, schrie Rühle auf und Spucke flog durch die Luft. »Wir wollten ihm nur Angst machen.«

»Sie oder Burghardt? Es müsste doch in Ihrem Interesse gewesen sein, unauffällig zu bleiben?«

»Lars wollte ihm Angst machen. Er wollte sich rächen an ihm, dafür, dass er ihn in den Knast gebracht hat. Er wollte ihm klarmachen, dass er mit allem rechnen musste. Aber glauben Sie mir, wir wollten ihm nur Angst machen. Der hatte Diebesgut unterschlagen. Der hat Lars verhaften lassen, aber sich selbst bereichert. Lars wollte ihm drohen, dass er Bescheid weiß, und wenn er uns nicht in Ruhe ließe, wollten wir ihn verzinken.«

»Und das wollten Sie, indem Sie ihn übers Geländer hängten?«

»Ja, Lars wollte das«, schluchzte Rühle kleinlaut. »Aber ich konnte ihn nicht halten. Der war so unglaublich schwer, sein Bein rutschte mir aus der Hand, der Schuh flog weg und plötzlich lag er unten. Das war keine Absicht, das müsst ihr mir glauben!«

12

Die Wohnung in der Talstraße war leer. Zwar lagen die Matratzen noch da und der Müll und Unrat, doch alles, was Burghardt wichtig schien, war weg. Von Burghardt keine Spur. Noch in der Nacht musste er abgehauen sein, kaum dass er von Rühles Verhaftung erfahren hatte.

»Der könnte jetzt überall sein«, schnaufte Schmidt.

Suderberg sah sich um. »Holen Sie Verstärkung. Der könnte noch im Haus sein, in einer der anderen Wohnungen. Sich schnell verstecken geht immer. Aber es ist nicht so leicht, sich einen neuen Unterschlupf zu besorgen.«

»Der wird sich auskennen«, mutmaßte Schmidt und nickte nachdenklich.

Falck betrachtete insgeheim das auf einmal so harmonische Miteinander der beiden Kollegen. Er kapierte es einfach nicht. Woher kam dieser Sinneswandel der beiden?

»Was ist denn eigentlich ein toter ABV?«, fragte Suderberg.

»Ein Abschnittsbevollmächtigter, der nicht mehr lebt«, erklärte Schmidt trocken.

»Das ist ein Polizist, der für einen bestimmten Bereich im Viertel verantwortlich ist«, erklärte Bach. »Das umfasst meistens mehrere Straßenzüge. Er lebt selbst auch in dem Viertel und kennt sich daher gut aus. Die ABVs sind Ansprechpartner für kleinere Probleme und stehen in Verbindung mit der Polizei, falls ihnen irgendwas verdächtig vorkommt.«

»Wie der Blockwart bei den Nazis?«, fragte Suderberg.

»Nee!«, widersprach Bach automatisch.

»Na ja, ein bisschen schon«, gab Schmidt zu bedenken.

Falck hatte sich das alles stumm angehört und wartete nur darauf, zu Wort zu kommen.

»Ich glaube, ich weiß, wo der Burghardt ist«, sagte er dann schnell und laut. Es ärgerte ihn, dass man ständig in Gefahr war, unterbrochen zu werden.

»Im Hinterhaus, auf der Pulsnitzer«, setzte er rasch hinterher.

»Der wird doch nicht so dumm sein«, widersprach Schmidt.

»Wenn ihm gestern Nacht auf die Schnelle nichts Besseres einfiel!«, kam Bach zu Hilfe.

»Der kann nicht ahnen, dass wir so weit sind«, fügte Falck hinzu. »Vor allem nicht, dass wir von der Sache mit Wetzig wissen! Los, es sind keine zweihundert Meter zu Fuß.«

»Na ja, noch habe ich hier zu befehlen!«, knurrte Schmidt. »Aber von mir aus. Also, los dann.«

Leise bewegten sie sich in den Hinterhof, in dem es noch genau so aussah wie anderthalb Jahre zuvor. Hier wohnte niemand, zumindest nicht offiziell. Sie verteilten sich um das Hinterhaus. Falck stieg auf einen Vorsprung, zog sich vorsichtig mit den Fingern am Fenstersims hoch und wagte einen Blick in die Erdgeschosswohnung. Es sah so aus, als ob in einer Ecke jemand lag und schlief. Er ließ sich hinunter, zeigte in die Wohnung hinein und nickte.

Schmidt zog seine Waffe, die anderen ebenso. Burghardt schien durchaus gewaltbereit. Dann betraten sie lautlos das Treppenhaus, Falck voran, hinter ihm Schmidt, dann Bach und Suderberg. Sie stiegen die vier Stufen hoch und drangen in die Erdgeschosswohnung ein, deren Tür so kaputt war, dass man sie nicht verschließen konnte. Falck achtete genau darauf, wohin er trat, denn der Boden der Wohnung war übersät mit Zeitungen, Glassplittern und Laub. Falck deutete Schmidt und den anderen an, dass die verdächtige Person im Nebenraum in der Ecke liegen müsste, stellte sich dann an der Tür auf und wagte einen Blick. Die Lage schien unverändert. Als sie alle beieinanderstanden, stieß Falck in das nächste Zimmer vor. Er blieb in sicherem Abstand vor der Gestalt stehen, die in einem Schlafsack steckte und mit dem Gesicht zur Wand schlief.

»Lars Burghardt!«, rief er halblaut, als er alle Kollegen im Raum wusste, die ihm Deckung geben konnten. Bach hielt Handschellen bereit.

»Herr Burghardt, aufwachen!« Falck trat näher, um den Schlafenden mit dem Fuß anzutippen. Doch der Schlafsack war leer, das Innere nur ausgestopft. Der Kopf war durch zusammengeknülltes Zeitungspapier nachgeformt worden.

Plötzlich schlug hinter ihnen die Toilettentür auf. Burghardt sprang Suderberg, die am nächsten stand, an und umschlang mit einem Arm deren Hals. Er hielt ihre Pistolenhand fest und wand ihr die Waffe aus den Fingern.

»So, ihr Scheißbullen«, keuchte er. Doch weiter kam er nicht. Da rammte ihm die Hauptkommissarin bereits ihren linken Ellbogen in den Unterleib, ließ sich aus der Umklammerung sinken und hielt gleichzeitig Burghardts Hand fest, in der er die Pistole hielt. Blitzschnell tauchte sie unter Burghardts Arm durch und verdrehte ihn. Burghardt musste sich nach vorne beugen, damit es ihm den Arm nicht auskugelte. Abschließend trat sie ihm von unten ins Gesicht und versetzte ihm einen Handkantenschlag ins Genick. Bewusstlos fiel Burghardt zu Boden.

Suderberg richtete sich auf, zog ihre Jacke zurecht, dann hob ihre Waffe auf. Erst jetzt bemerkte sie, wie die drei Ostkollegen sie gebannt anstarrten. Sie bedachte den bewusstlosen Mann auf dem Boden mit einem abfälligen Blick.

»Ich hasse es, wenn sie einen Scheißbulle nennen!« Sie

zuckte die Achseln und blies sich eine Strähne aus der Stirn, die sich aus dem Zopf gelöst hatte.

Bach löste sich aus der Erstarrung und lief zu dem Bewusstlosen, um ihm Handschellen anzulegen. Dann drehte sie ihn auf den Rücken und prüfte seinen Puls. Sie nickte Schmidt zu.

Der pfiff leise und anerkennend und sah dann zu Falck.

»Na, sag schon!«

»Was denn?«

Schmidt hob die Hände, als sei das klar. »Dass du recht hattest. Dass wir das damals besser hätten prüfen sollen. Dass ich mir nichts dabei gedacht habe, dass die Handabdrücke am Geländer kopfüber waren. Dass wir schneller hätten handeln müssen.«

Falck sah seinen Vorgesetzten ruhig an. »Hatte ich nicht vor.« Das kostete ihn allerdings einige Anstrengung, denn genau das war ihm gerade durch den Kopf gegangen.

»Ich hatte aber auch ein bisschen recht mit dem Rühle!«, murmelte Schmidt, als erhoffte er sich wenigstens noch etwas Lob.

»Na ja …«, beschwichtigte Bach.

»Können wir uns jetzt bitte wieder um meinen Fall kümmern?«, forderte Suderberg energisch ein. »Lassen Sie den Typen abholen, dann fahren wir los!«

13

Die alte Dame, der das Haus gehörte, in dem Kallbusch genächtigt hatte, musste schon weit über achtzig sein, schätzte Falck. Sie wohnte nicht selbst da, aber in der Nähe. Eifrig lief sie vor ihnen her, um sie zu dem Haus zu führen. Sie bogen in die Weimarische Straße ab und passierten dabei eine Freifläche, auf der der Wildwuchs beseitigt, der Boden planiert und ein Drahtzaun gezogen worden war. Eine kleine gelbgetünchte Holzhütte war auf dem Grundstück zu erkennen. Über der Lücke im Zaun, die als Einfahrt diente, prangte ein Holzschild mit grüner Aufschrift *Heilmann Gebrauchtwagen*. Dahinter standen ein paar Autos, Trabants, Wartburgs, aber auch zwei VW Golf, denen man ihr hohes Alter deutlich ansah, und ein Mercedes, ebenfalls sehr abgenutzt. Es war noch viel Platz für weitere Fahrzeuge. Falck fragte sich, wer diese Autos zu solchen absurd hohen Preisen kaufen würde. Sechsundzwanzigtausend DDR-Mark sollte der Mercedes kosten, obwohl er an einigen Stellen schon durchgerostet war. Tatsächlich standen einige Interessenten da.

»Die schießen jetzt überall wie Pilze aus dem Boden. Und sie werden ihren Schrott hierherbringen!«, orakelte Suderberg, die Falcks Blick bemerkt hatte. Sie hatten jetzt das Haus erreicht.

»Ich wollte das Haus verschenken, aber keiner wollte es haben«, sagte die alte Frau. Die Tür war verschlossen und es gelang ihr nicht gleich, das Schlüsselloch zu treffen.

»Verschenken?«, fragte Suderberg.

»Ja, weder die Blasigs noch die Schades wollten es haben, und oben, der Hellberg, der hat darüber nachgedacht und dann doch abgelehnt.«

»Aber warum denn verschenken? Ein ganzes Haus?« Suderberg war sichtlich irritiert. »Und niemand wollte es haben?«

»So etwas ist eben nur eine Last«, erklärte Schmidt. »Man darf kaum Miete verlangen. Ich glaube, die Mieten sind auf dem Stand von neunzehnhundertsiebenunddreißig eingefroren. Darum hat man als Besitzer kein Geld, das Haus instand zu halten. Davon abgesehen bekommt man kein Baumaterial, weder Dachziegel noch Mörtel oder Farbe.«

»Auch nicht im Baumarkt?«, fragte Suderberg, und Falck rechnete es Schmidt hoch an, dass er sich über so viel Unwissenheit nicht weiter mokierte.

»Es gibt keine Baumärkte. Wer etwas braucht, muss Beziehungen haben. Zum Holzhof, zum Maurer, zum Maler, zum Elektriker. Da sind Stromleitungen drin, die sind noch stoffisoliert, also von vor dem Krieg! So ein Haus will niemand.«

»Ich war drauf und dran, es der Stadt zu schenken. Da kam der nette Mann aus Hamburg. Nun ist er ja leider weg.«

»Fünfzigtausend wären auch zu wenig gewesen, glauben Sie mir. Die Geier sind schon im Anflug. Darf ich?« Suderberg beugte sich vor, um der alten Frau den Schlüssel abzunehmen, und schloss selbst auf.

Das Haus war dunkel und kalt. Im Hausflur standen Pappeimer mit weißen Plastetüten darin. Farbe, wusste Falck.

»Wollen Sie heimgehen, während wir uns das Haus ansehen?«, fragte Bach. »Wir melden uns, wenn wir fertig sind!«

»Natürlich, Sie wissen ja, wo!«

»Also?«, fragte Schmidt, als die Frau weg war, und sah Suderberg an.

Bach berührte Falck am Ellbogen und deutete mit ihrem

Blick auf die beiden Kollegen. Er wusste, was sie meinte. Schmidt und Suderberg mussten sich gestern ausgesprochen haben, oder irgendetwas anderes war geschehen.

»Vorsicht ist geboten«, war Suderbergs Ansage. »Wir durchsuchen jede Wohnung einzeln, einer muss jeweils das Treppenhaus sichern. Ich nehme an, dieser Gwisdek war von Kallbusch eingestellt worden, um erstens die Wohnungen zu renovieren und zweitens junge Frauen zu rekrutieren, die hier als Prostituierte arbeiten sollten. Wenn er Türsteher war, kannte er bestimmt eine ganze Menge junge Frauen, die sich dazu bereit erklären würden.«

»Also, ich weiß ja nicht«, murmelte Bach leise.

Suderberg sah sie fast mitleidig an. »Sie würden sich wundern, was Menschen machen, um schnelles Geld zu verdienen. Schnell und vor allem viel. Eine Prostituierte kann in der Woche mehr verdienen als ein normal arbeitender Mensch in zwei Monaten. Ich prophezeie Ihnen, es dauert noch drei Wochen, dann haben Sie hier einen Straßenstrich und Puffs, so weit das Auge reicht. Los jetzt, fangen wir unten an und arbeiten uns hoch!«

Suderberg hatte recht. Gwisdek hatte ganze Arbeit geleistet. Die Wohnungen waren geweißt und mit billiger Teppichware ausgelegt. Er war kein Profi, das sah man gleich, er hatte gekleckst und die Türrahmen beschmiert. Der Bodenbelag war schief geschnitten und wellte sich. Doch es erfüllte seine Zwecke. Diverse Möbel waren herbeigeschafft worden, Sofas, Betten, sogar neue Klobecken, alles aus Westdeutschland. Es war eindeutig, welches Geschäft hier ausgeübt werden sollte. Hier sollte kein Gast länger als eine Stunde bleiben. Kallbusch hatte der erste Bordellbesitzer in Dresden sein wollen und hatte mit seinem Leben dafür bezahlt.

Sie arbeiteten sich von Etage zu Etage und hatten bereits

sechs Wohnungen durchsucht. Ein langwieriger Prozess, weil Suderberg darauf bestand, stets alles nach allen Seiten abzusichern und jedes noch so kleine Zimmer zu durchsuchen. Schließlich aber waren sie ganz oben angelangt, wo sich noch zwei weitere Wohnungen befanden, beide gleich eingeteilt. Ein Zimmer allerdings war wohnlich eingerichtet, mit zwei einzelnen Betten und großen geöffneten Koffern davor. Die Kleidung stammte eindeutig aus dem Westen. Zwei Männer hatten hier geschlafen und vorher Schnaps getrunken, wie man anhand der leeren Flaschen erkennen konnte.

»Das ist Kallbuschs Zeug und das seines Leibwächters«, schloss Suderberg nach kurzer Untersuchung.

»Und wo soll der sein? Hätte er Kallbusch nicht beschützen sollen?«, fragte Schmidt, dem anzusehen war, dass er sich diesen ganzen Aufwand und das Treppensteigen gern erspart hätte.

»Ich fürchte, der ist auch hin.«

»Oder abgehauen, nachdem sein Chef tot war?«, schlug Schmidt vor.

»Kann auch sein.« Suderberg sah sich unschlüssig um.

»Und nun?«, fragte Schmidt.

»Ich hab was gehört!«, flüsterte Bach, die das Treppenhaus sicherte.

Suderberg lauschte konzentriert und schob sich an Schmidt und Falck vorbei ins Treppenhaus.

»Gibt es hier Gas?«, keuchte sie.

»Ja klar, überall!«, sagte Schmidt. Und im selben Moment war ein dumpfes Geräusch zu hören, als wäre ein schwerer Sack aus großer Höhe zu Boden gefallen. Es folgte ein lautes Fauchen. Glas splitterte.

Die Polizisten blieben wie erstarrt stehen.

»Rein! Tür zu!«, rief Suderberg und stieß die Kollegen zurück in die Wohnung. »Los!«, schrie sie Bach an, die noch auf der Treppe stand. Steffi rannte in die Wohnung, doch noch ehe sie die Tür schließen konnten, erreichte sie eine Hitzewelle, heiß wie ein Wüstenwind. Falck ging wie alle anderen instinktiv in Deckung. Er musste dabei sein Gesicht schützen, so heiß war die Luft. Schmidt wollte die Tür zustoßen.

Suderberg hielt ihn auf. Aus dem Treppenhaus ertönte nun bedrohliches Grollen.

»Nein! Hoch! Aufs Dach!«

»Auf das Dach?«

»Es brennt unten. Wir müssen auf das Dach und zum nächsten Haus!«

»Ich klettere doch nicht auf das Dach. Das sind dreißig Meter!«, sperrte sich Schmidt.

Suderberg hörte nicht zu, sie rannte zur Dachbodentür, zog ihre Waffe, schoss das Schloss auf. »Rauf da!«, schrie sie.

Falck fragte nicht lange, das Grollen näherte sich durch das Treppenhaus, sengende Hitze stieg auf. Er stürmte die steile Dachbodentreppe hinauf, stolperte durch den dunklen Dachboden und rannte zur nächsten Dachluke. Dort stieg er die Holzleiter hoch, hebelte die Eisenhalterung auf und drückte das Fenster hoch. Ihm wurde übel, als er nach draußen sah. Unterhalb des Fensters verlief ein schmaler Steg, auf dem der Schornsteinfeger zum Kamin balancieren konnte. Doch das Dach war steil und von hier oben hatte er einen weiten Blick über die Dächer und die nahe Elbe.

»Los doch!«, befahl Suderberg von unten.

»Das ist irre hoch!«, beschwerte sich Falck.

»Mach, Junge!«, rief Schmidt. »Hier brennt gleich alles ab!«

Schmidts panische Stimme ließ Falck über seinen Schatten springen. Er zog sich hoch, schob sich durch die Luke und hielt sich krampfhaft an deren Rahmen fest. So konnte er natürlich nicht bleiben, die anderen drängten nach.

Bitterkalt pfiff der Wind, fegte winzige Schneeflocken über

das Dach und ließ Falcks Finger steif werden. Die Höhe und der Schwindel lähmten ihn, nur zentimeterweise schob er sich seitwärts. Suderberg dagegen zwängte sich aus der Öffnung, stellte sich auf den schmalen Steg, griff nach Bachs Hand und zog die Kollegin hoch. Bach klammerte sich wie Falck an den schmalen Steg.

»Los, Mensch, mach schon!«, keuchte Schmidt, der immer noch drinnen stand.

»Da rüber!«, befahl Suderberg Falck und zeigte auf das nächste Dach. Doch der Steg führte nicht unmittelbar hinüber, man musste erst eine schmale Leiter Richtung Schornstein erklimmen. Dann war Endstation. Von dort ging es nicht weiter. Falck zitterte, er hatte keine Ahnung, was er tun sollte. Die Angst lähmte ihn. Jetzt spürte er auch schon die Hitze, die sich unter den Dachziegeln staute. Wenn das so weiterging, würden sie wie auf einer Herdplatte gegart werden. Wenn nicht zuerst der Dachstuhl einstürzte.

»Machen Sie genau das, was ich mache!« Suderberg stieg über ihn hinweg, während Schmidt sich aus der Luke quälte. Geschmeidig wie eine Katze lief sie mit sicherem Schritt bis zur Leiter und kletterte bis zum Kamin hinauf. Sie wollte offenbar auf den Dachfirst steigen, überlegte es sich dann anders und setzte sich darauf, um zum Nachbarhaus hinüberzurutschen.

Steffi Bach hatte sich mittlerweile hingestellt, während Falck immer noch auf dem Steg saß und Schmidt langsam zu ihnen robbte.

»Mach, Junge«, knurrte er.

»Komm jetzt, Tobias!«, drängte Suderberg. »Steh auf. Lehn dich in Richtung Dach! Schau einfach nicht runter.«

Einfach nicht runterschauen, das sagte sich so einfach. Falck hatte Angst, aber er tat, wie ihm geheißen, und zwang sich auf die Füße. Er stützte sich auf den Dachziegeln ab und blickte zu Suderberg hoch. Die saß nach wie vor rittlings auf dem First und wartete. Falck hatte jetzt die Leiter erreicht und war froh, die Metallsprossen fassen zu können. Er stieg hoch, doch in dem Moment, als er über den Dachfirst hinwegblickte, wurde ihm schwarz vor Augen.

Er merkte, wie ihn jemand packte und an seiner Jacke zerrte. Es war Suderberg, die zurückgerutscht war.

»Tobias, schau nicht nach unten! Schau nur mich an! Und jetzt schwing dein Bein rüber!«

»Dalli, Junge, ich will hier nicht verbrutzeln!«, fluchte Schmidt von unten.

Falck war schlecht. Er schwitzte und seine Beine zitterten. Aber er heftete seinen Blick auf Suderberg und setzte sich auf den Dachfirst, wie auf einen Sattel. Mit den Händen stützte er sich ab und rutschte ruckweise nach vorne, der Kollegin hinterher. Nicht nach unten schauen, nicht nach unten schauen, sagte er sich immer wieder. Er hörte, wie Bach und Schmidt hinter ihm folgten. Aus der Ferne näherten sich Sirenen.

»Ihr habt es gleich geschafft. Ein Stück noch!«, rief eine Stimme irgendwo von rechts. Falck wagte einen Blick über die Straße und sah einen Mann aus der oberen Etage des gegenüberliegenden Hauses winken.

»Hinter der Esse geht eine Leiter runter, da ist eine Luke!«, rief er.

Falck beeilte sich, wieder starr geradeaus zu blicken. Er musste sich auf den First konzentrieren. Schmidt ächzte hinter ihm, unter sich hörten sie das Gebälk knacken. Verbissen arbeiteten sie sich vorwärts, Suderberg schnell und geschickt voreweg.

Vor dem Haus hatte sich die Feuerwehr gesammelt. Motoren und Sirenen heulten durch die Straße. Die Feuerwehrmänner waren ausgeschwärmt, Fußgetrappel und Befehle ertönten.

Der Mann von gegenüber dirigierte sie aus der Ferne.

»Dorthin! Hocken Sie sich hinter den Kamin!«

Falck sah auf, sie waren bei der nächsten Esse angekommen. Davor war ein Steg zu erkennen, der zu einer schmalen Leiter führte. Mit größter Anstrengung konnte Falck diese mit dem ausgestreckten Arm erreichen und sich abstützen. Langsam ließ er sich herunter, konnte sich hinter dem Schornstein verkeilen und hielt sich mit beiden Händen rechts und links an ihm fest. Er keuchte und schnappte nach Luft. Es kam ihm vor, als ob er die ganze Zeit nicht geatmet hätte. Suderberg war noch weiter nach unten geklettert, bis zur Dachluke. Die war verschlossen.

»Jemand auf dem Dach?«, rief ein Feuerwehrmann nach oben.

»Vier Personen!«, rief Suderberg zurück. »Wir sind auf dem Nachbarhaus!«

»Wir sehen Sie! Drehleiter kommt!«

»Alles okay?«, fragte Bach an Falck gewandt.

»Nee, gar nichts ist okay!«, antwortete er ehrlich.

Bach klopfte ihm ermutigend auf die Schulter und kletterte an ihm vorbei zu Suderberg.

»Wollen wir das Fenster einschlagen?«

»Warten wir einfach, wir sind wohl hier in Sicherheit«, gab sie zur Antwort.

Falck sah sich vorsichtig um. Auch Schmidt hatte sich mittlerweile vorgearbeitet, keuchend und stöhnend, und hockte nun etwa einen Meter über ihm breitbeinig auf dem Dachfirst wie Dschingis Khan auf seinem Pferd. Er wischte sich den Schweiß von der Stirn und nestelte sich eine Zigarette aus der Jackentasche, um sie sich anzuzünden.

»Bin ich etwa der Einzige, dem schwindlig ist?«, fragte Falck fast empört.

»Nee, keine Sorge, ich könnte kotzen, aber immer noch besser als das!« Er deutete nach hinten.

Falck drehte vorsichtig den Kopf, soweit das in seiner Lage möglich war, und sah aus der Dachluke helle Flammen schlagen.

»Schornsteinfeger wär schon mal gar nichts für mich. Wer macht das bloß freiwillig?«, sagte Schmidt. »Na, doch mal eine rauchen?« Er hielt Fack die Schachtel hin.

»Nichts lieber als das, aber ich kann den Schornstein nicht loslassen ...«

»Herr Hauptmann, kommen Sie mal!«, rief der Einsatzleiter der Feuerwehr.

Es war sehr schnell gegangen, dass man ihnen von innen die Luke geöffnet hatte. Nachdem das Gas abgestellt worden war, hatte es noch mehr als eine Stunde gebraucht, um das Feuer unter Kontrolle zu bringen. Kurzzeitig hatte sich eine Menschenmenge eingefunden, die sich aber nach einer Weile wieder zerstreute. Es passierte offenbar zu wenig für die Schaulustigen. Nur einige Autointeressierte blieben noch da und besahen sich die Fahrzeuge des Autohändlers. Das Löschwasser triefte über die Hausfassade und strömte über den Gehweg. Es würde bald gefrieren, wenn die Temperaturen noch weiter sänken. Die Feuerwehrleute waren dabei, die Etagen systematisch zu durchsuchen. Die Nebengebäude waren geräumt.

»Wir können davon ausgehen, dass es sich um eine Gasexplosion gehandelt hat. Dabei haben die Teppiche und Möbel Feuer gefangen, die Teppiche vor allem, weshalb das Feuer sich so rasant ausgebreitet hat«, erklärte der Feuerwehrmann. »Wir haben außerdem im Keller einen Toten gefunden, der Werkzeug bei sich trug, Schraubenschlüssel und Zangen. Könnte ein Handwerker gewesen sein, vermutlich aber eher jemand, der sich am Gas zu schaffen gemacht hat, warum auch immer. Haben Sie nichts gerochen, als Sie reingegangen sind?«

Die Polizisten sahen sich fragend an und schüttelten einhellig die Köpfe.

Der Feuerwehrhauptmann gab sich zufrieden. »Ich wollte seine Bergung anordnen, aber Sie wollen sicher das Opfer noch mal ansehen, oder? Der Dachstuhl ist gesichert, es besteht keine akute Einsturzgefahr.«

Schmidt nickte. »In Ordnung. Wir gehen noch mal rein.«

Falck war noch immer schlecht. Er würde in seinen Albträumen noch wochenlang auf dem Dachfirst balancieren. Diese Erfahrung hatte ihm sogar noch mehr zugesetzt als die Angst vor dem Feuer. Doch vermutlich würde auch das noch folgen. Langsam begann er zu realisieren, was geschehen war.

»Das war kein Unfall«, raunte die Suderberg auf dem Weg ins Haus, wo sie sich den Weg in den Keller bahnten. Es war nass wie in einer Tropfsteinhöhle und stank nach Ruß und verbrannter Plaste. »Das war ein Anschlag auf uns. Der hat gewartet, bis wir oben waren, hat dann den Gashahn aufgedreht und das Feuerzeug angezündet.«

»Moment!«, Schmidt war an der Kellertür stehen geblieben. »Der will sich ja wohl nicht selbst umbringen. Wenn es wirklich nur ein Handwerker war?«

»Hätte die Frau uns nicht sagen müssen, dass da einer im Keller ist?«, gab Suderberg zu bedenken.

»Das hat sie vielleicht gar nicht gewusst«, sagte Schmidt. »Bei uns bestellt man nicht einfach einen Handwerker, der dann umgehend kommt. Die kommen irgendwann und vor allem immer dann, wenn man nicht da ist.«

»Aber die Tür war doch verschlossen!«

»Darf ich euch um etwas mehr Zurückhaltung und Respekt bitten? Immerhin liegt da ein Toter!«, mischte Bach sich ein, bevor die Streithähne wieder aufeinander losgingen. Falck musste ihr insgeheim zustimmen. Er war sich noch nicht einmal sicher, ob er auf den Anblick vorbereitet war. Wenn er darüber nachdachte, wie viele Tote er allein in den drei Tagen beim KDD gesehen hatte, wurde ihm schwindlig.

»Vielleicht ist das die Leiche von Kallbusch!«, kam ihm der Gedanke, dann hätten sie wenigstens eine Leiche wieder.

»Quatsch«, hielt Suderberg dagegen. »Welchen Sinn sollte das denn haben?«

»Welchen Sinn hat überhaupt irgendwas?«, zischte Bach, deren Stimmung nun endgültig im Keller war. »Wollen wir uns das nicht erst mal *ansehen*? Mit den Augen?«

»Sie sind von der Kripo?«, fragte ein Feuerwehrmann, der im Keller Brandwache hielt. »Die vom Dach?«

»Ja, die«, knurrte Schmidt.

»Dahinten liegt er. Zange in der Hand. Hat am Ventil geschraubt. Kein schöner Anblick, im Ernst!«

»Ich weiß, dass es ernst ist!«, schnauzte Schmidt den Mann an.

Und es war ernst. Falck sah schnell hin und drehte sich sofort wieder weg. Im Licht des Scheinwerfers hatte er schon zu viel gesehen. Dem Mann hatte es das Gesicht bis zur Unkenntlichkeit verbrannt. Das Haar war völlig abgesengt. Die unbedeckten Hautpartien waren schwarz und pellten ab. Auch die Finger waren völlig versengt, sahen aus wie geschmolzene Kerzenstummel. Die Kleidung war ebenso verbrannt, doch nur oberflächig.

»Kallbusch ist das nicht. Das ist sein Leibwächter!« Die Suderberg hatte sich bereits zu dem Toten hinuntergebeugt und tastete seine Kleidung und den Körper ab, der unter der Kleidung unversehrt aussah.

»Das wissen Sie?«, fragte Schmidt ein bisschen zu skeptisch, und Falck fürchtete um den kleinen Burgfrieden, der gerade herrschte.

Suderberg sagte nichts, sie wirkte sichtlich unsicher.

»Wenn jemand das Gas angezündet hat, muss er sich doch selbst in höchste Gefahr begeben haben. Wie soll man das bewerkstelligen? Und er müsste ja auf uns gewartet haben«, überlegte Bach laut und ließ damit mal wieder die Stimme der Vernunft zu Wort kommen. Falck sah ihr an, wie sehr sie der Anblick der Leiche mitnahm. Steffi Bach war kreideweiß geworden. Vermutlich sah er auch nicht besser aus. Was könnte heute noch passieren? Eine Steigerung war eigentlich kaum noch möglich.

»Es gibt Zündvorrichtungen. Es genügt ein elektrischer Funke. Er ist ein Profi. Er wird wissen, wie man das macht!«, meinte Suderberg.

»Frau Kollegin«, setzte Schmidt an, »Sie müssen sich schon etwas ins Kollektiv einbringen. Sonst wird das hier nichts mit dem Joint Venture.«

»Tun Sie mal nicht so obercool und schauen sich das lieber mal an. Der Rücken des Mannes ist nicht verbrannt, und er ist ganz steif.« Sie hob den Leichnam an und kippte ihn auf die Seite. »Der lag hier und war schon tot, das wird die Obduktion zeigen. Und wie ein Handwerker sieht er auch nicht aus!« Sie ließ den Leichnam wieder los, und das Geräusch, das dabei entstand, ließ Falck würgen.

»Wir müssen Zeugen suchen«, sagte Schmidt. »Es müsste ja jemand weggelaufen sein. Der Typ vom Autohandel vielleicht und ein paar Kunden, da müssen doch sechs Mann gewesen sein. Lassen wir den jetzt hier rausholen?« Die Frage galt Suderberg.

Sie sah ihn an. »Meinen Sie, Sie bekommen das hin, ohne dass diesmal die Leiche verschwindet?«

Das langte Falck. »Ich geh hoch, das ist mir zu dumm!«

14

»Was für ein Tag«, stöhnte Schmidt und ließ sich auf seinen Stuhl fallen. Sie waren nur zu dritt ins Büro zurückgekehrt. Hauptkommissarin Suderberg hatte etwas Privates zu erledigen, wie sie sagte.

Auch Falck setzte sich auf seinen Platz und stützte erschöpft den Kopf in die Hände. Der leise Triumph seines Ermittlungserfolgs vom Vormittag zeigte bereits keine Wirkung mehr. Er kam sich auf einmal völlig nutzlos vor. Und er ärgerte sich. Jedes Mal stürzten sie komplett planlos durch die Gegend, wie Aushilfspolizisten, denen man ungeliebte Aufgaben verpasste. Dann hatten sie noch um ihr Leben rennen und auf ein Dach klettern müssen, um anschießend neben einer grässlich entstellten Leiche in Streit zu geraten. Es war wirklich erbärmlich.

»Das kannste ja keinem erzählen!«, sagte Schmidt und sah zum ersten Mal, seit Falck ihn kannte, betroffen aus.

»Wir hätten alle tot sein können«, flüsterte Bach. »Für nichts.«

»Und wenn das nun wirklich ein Anschlag war?«, fragte Falck. »Auf uns.«

Niemand antwortete. Nicht einmal Schmidt.

»Ich weiß nicht«, murmelte Bach dann. »Alle Welt feiert draußen, nur wir hängen hier rum wie Idioten. Ein ganzes Haus fliegt in die Luft, keiner hat was gesehen. Einer verletzt sich tödlich, keiner hat was gesehen. Zwei Leichen weg, keiner hat was gesehen.«

Falck sah sie verstohlen an. Sollte sie die gleichen Gedanken haben wie er?

Das Telefon klingelte und Schmidt nahm ab. »KDD«, meldete er sich müde und wurde dann schlagartig munter. »Was? Geht klar!«, rief er und knallte den Hörer auf die Gabel. Er schaute seine Kollegen an. »Wir sollen hoch zur Stasi auf die Bautzner. Da soll was los sein.«

Es war was los. Eine unüberschaubare Menschenmenge hatte sich vor der Stasizentrale auf der Bautzner Straße versammelt. Die meisten standen vor der langen Mauer, die das verhasste und gefürchtete Gelände zur Straße abgrenzte. Schmidt bremste den Trabant so heftig ab, dass die Räder kurz blockierten und über das Kopfsteinpflaster rutschten. Es wurde schon dunkel, und im trüben Licht der Straßenlaternen entdeckten sie zwei Funkstreifenwagen in der nächsten Querstraße. Sie hatten weder Blaulicht eingeschaltet, noch machten die Uniformierten irgendwelche Anstalten einzugreifen. Schmidt stellte den Trabant in der Nähe von ihnen ab.

»Schmidt, Kripo. Was ist denn hier los?«, rief er einem der Streifenpolizisten zu, der neben dem Einsatzwagen stand, und musste gegen den Lärm der Demonstrierenden anschreien, die laut skandierten, klatschten, pfiffen und buhten.

Der Angesprochene salutierte. »Es gab anscheinend einen Aufruf im Rundfunk, eine Anzeige vom *Neuen Forum* und der *Gruppe der Zwanzig* zu unterstützen.«

»Was denn für eine Anzeige?«

»Heute Morgen wurde Anzeige erstattet, wegen befürchteter Aktenvernichtung durch die Stasi. Deshalb sind die alle hier. Es wurde Unterstützung angefordert, sogar Feuerwehren aus dem Umland wurden bestellt. Die stehen alle in der nächsten Querstraße und an der Fischhausstraße oben, weigern sich aber reinzugehen.«

»Reingehen? In die Menschenmenge? Wie denn, mit Wasserwerfern?«

Der Uniformierte zuckte mit den Achseln und nickte. »Sanis sind auch da. Der Verkehr soll umgelenkt werden. Es gibt nur Bedenken wegen der Straßenbahn.«

»Und in der Stasizentrale sind noch Leute?«

»Na klar. Die rüsten sich zum Kampf.«

»Ach, du Heiland«, stöhnte Schmidt, »die sollen da drinnen mal besser ruhig bleiben!«

Leicht gesagt, dachte sich Falck. Immer mehr Menschen strömten heran, viele junge Menschen unter ihnen, und Falck hatte den Eindruck, dass die Stimmung aggressiver wurde. Am Rand der Menschenmenge gab es wilde Diskussionen, ein Mann fuchtelte wütend mit den Armen und versuchte, sich einen Weg durch die Menge zu bahnen.

»Gehen wir mal näher ran!«, bestimmte Schmidt.

»Das würde ich besser sein lassen«, sagte der Polizist.

Schmidt machte nur eine verächtliche Handbewegung und forderte Bach und Falck mit einem Wink auf, ihm zu folgen.

»Aufmachen!«, riefen die Leute vorne in den ersten Reihen. »Aufmachen, aufmachen!« Rhythmisch begannen sie an das Blech der Fahrzeugtüren zu klopfen und am Eingangstor zu zerren. Ein paar Mutige erklommen die Mauer und schrien triumphierend von oben in die Menge. Sobald jemand an den Fenstern des Gebäudes sichtbar wurde, buhte und pfiff die Menschenmenge ohrenbetäubend.

»Stasischweine! Stasischweine!«

»Lasst mich durch«, rief jemand, »ich will meine Akte! Zwanzig Mal war ich schon hier. Kommt raus, ihr feigen Arschlöcher! Zwanzig Mal. Wie Dreck haben die mich behandelt. Wie den letzten Dreck!« Dem Mann brach die Stimme. »Feige Schweine«, presste er hervor. »Aufhängen müsste man die.«

»Aufhängen!«, griffen ein paar den Ruf sofort auf. »Aufhängen! Aufhängen!«

»Kei-ne Gewalt«, erhoben sich Gegenstimmen, »Kei-ne Gewalt, kei-ne Gewalt!«

Schmidt schob sich in die Menge.

»Chef!«, mahnte Bach. »Wo wollen Sie denn hin?«

»Bleib doch zurück, wenn du Schiss hast!«, blaffte Schmidt über die Schulter.

»Komm!« Falck nahm Bach am Arm, sie konnten Schmidt nicht allein lassen.

»Mitbürger! Wir müssen besonnen bleiben. Ich bitte euch, keine Gewalt!«, rief jemand vorn am Tor, doch sein Aufruf ging in der Geräuschkulisse unter.

»Aufmachen! Aufmachen!«

Immer dichter drängten die Menschen. Beängstigend dicht. Kurzzeitig verlor Falck seinen Chef aus den Augen und sah sich nach Bach um, die nicht mehr hinter ihm war.

»Heh, nicht drängeln«, beschwerten sich einige.

»Gehört ihr zu denen?«, fragte einer aus der Menge.

»Stasischweine! Stasischweine!«

»Ruhig, Leute!«, hörte Falck seinen Chef. »Die sind bewaffnet da drinnen!«

»Was willst denn *du*?«, fragte eine Stimme aus der Menge aggressiv.

»Leute, ruhig bleiben«, bat einer besänftigend. »Wir müssen uns doch einig sein!«

»Ihr seid wohl Bullen? Haut bloß ab!«

Jemand stieß Falck heftig gegen die Schulter, einer riss ihm an der Jacke. Dann spürte er, wie jemand nach seiner Pistole greifen wollte. Er kam gar nicht dazu, sich zu wehren, plötzlich war er in ein Handgemenge verwickelt. Einer verpasste ihm eine Ohrfeige. Jemand riss ihn an den Haaren. Andere versuchten dazwischenzugehen.

»Hört doch mal auf!«, schrie eine Frau ängstlich und besorgt. »Aufhören!«

»Was soll denn das?«, fragte jemand anderes.

»Aufhängen!«, begannen die Leute wieder zu rufen. Vorn am Tor gab es plötzlich lautes Gejohle und grelle Pfiffe.

»Aufmachen! Aufmachen!« Dieser Ruf wurde lauter, und immer mehr Menschen stimmten ein. Das Tor ächzte besorgniserregend unter der vorandrängenden Menschenmenge.

Falck kämpfte weiter, stumm und verbissen, gegen einen Mann, der ihm die Waffe wegnehmen wollte. Verzweifelt versuchte er, seine beiden Kollegen in dem Gedränge zu erblicken, aber Bach und Schmidt waren verschwunden. Plötzlich fuhr eine Faust dicht an ihm vorbei und traf seinen Angreifer vor die Brust. »Pfoten weg!« Das war Schmidt. »Komm mit! Bleib immer hinter mir!« Er zerrte Falck an der Jacke mit sich und schob sich wie ein Pflug durch die Menschen.

»Das war echt dumm von mir«, gab Schmidt unumwunden zu, als sie endlich in Sicherheit an einer Mauer standen. Er hatte eine blutige Schramme an der Wange.

»Wo ist denn Steffi?« Falck sah sich um und entdeckte sie etwas abseits am Rand der Demonstranten. Sie sah erhitzt aus, ihr Zopf hatte sich gelöst und die Jacke war eingerissen. Er rannte zu ihr.

»Was muss der auch da reinrennen!«, schimpfte sie wütend und wischte sich schnell ihre Tränen weg.

»Bist du verletzt?«, fragte Falck, doch die Frage ging im aufbrandenden Lärm unter. Denn in dem Moment ging das Tor auf und die Menge drängte unter triumphierendem Geschrei in das Gebäude. Glas splitterte. Doch die Sicherheitsorgane griffen nicht ein.

»Jetzt können wir nur hoffen, dass die keinen lynchen oder dass da drinnen einer durchdreht und abzieht«, kommentierte Schmidt. »Die haben Kalaschnikows da drinnen.«

Im Gebäude gingen nun überall Lichter an, die Leute verteilten sich. Immer wieder hörte man splitterndes Glas und lautes Scheppern, Papier flog aus dem Fenster, verteilte sich wie Flugblätter über der vorwärtsdrängenden Menge.

»Du blutest!« Schmidt deutete auf Steffi Bachs Hals.

»Sie auch!« Sie zeigte auf sein Gesicht. »War es das jetzt wert?«

»Wir sind Polizisten! Wir dürfen nicht bloß danebenstehen, wenn die Menge droht, jemanden aufzuhängen«, verteidigte sich Schmidt. »Was immer da drinnen vorgefallen ist, keiner darf deswegen jemanden umbringen. Das zu verhindern, ist unser Job. Da muss man schon mal eine aufs Maul riskieren, oder?« Schmidt sah seine beiden Kollegen fragend an. »Und ob es euch passt oder nicht, die da drinnen sind irgendwie auch Kollegen, und Kollegen lässt man nicht im Stich, klar?«

»Klar«, sagte Falck leise. Immerhin hatte Schmidt ihn auch nicht im Stich gelassen. »Trotzdem reicht's mir für heute.« Zu all den neuen Erfahrungen der letzten Tage hatte er nun auch noch erlebt, was ihm in Leipzig erspart geblieben war, wie es sich anfühlt, einer wütenden Menge gegenüberzustehen, hineinzugeraten in ein Handgemenge, vielleicht um sein Leben fürchten zu müssen. Was wäre eigentlich gewesen, wenn einer von denen ernst gemacht hätte? Wenn einer vielleicht einen Strick dabeigehabt hätte? Falck verbot sich weiterzudenken.

»Da haste ausnahmsweise recht.« Schmidt lachte bitter auf. »Gehen wir zum Sani. Hier können wir eh nichts mehr ausrichten.«

»Was haben Sie sich denn dabei gedacht, da mitzurennen?«, fragte der Sanitäter vorwurfsvoll. »Haben Sie wirklich geglaubt, die aufhalten zu können? Soll ich Ihnen was sagen? Am liebsten wäre ich da drinnen dabei.«

Bach saß im Sanitätswagen und ließ sich die Wunde am Hals abtupfen und verpflastern. Sie war blass und erschöpft und ließ die Worte des Sanitäters unkommentiert stehen. Sie wirkte, als könnte sie jetzt einen ordentlichen Schnaps vertragen. Falck wartete neben der Tür, während Schmidts Gesichtsverletzung in einem anderen Wagen behandelt wurde.

Inzwischen war es dunkel geworden. Man hatte den Eindruck, es sei bereits tiefste Nacht, dabei war es noch nicht mal zwanzig Uhr. Vor dem Gebäude verlief sich die Menge langsam, doch aus der Stasizentrale drangen nach wie vor Rufe und Schreie und immer wieder Gepolter. Das Gebäude war besetzt, Licht brannte in allen Zimmern. Immer mehr Papiere wurden aus den Fenstern geworfen. Einige Leute kamen mit Kartons heraus, was sicherlich nicht im Sinne der Initiatoren dieses Protestes war, doch so etwas entwickelte immer eine Eigendynamik. Das hatte Falck bereits gelernt. Anfangs war sich die Menge in ihrem Protest einig gewesen, doch sobald sich ein erster Erfolg abgezeichnet hatte, spaltete sie sich in verschiedene Interessensgruppen. Die meisten wollten hier ihrer Wut über die Jahrzehnte von Unterdrückung und Gängelung freien Lauf lassen, was man ihnen nicht einmal verübeln konnte.

Schmidt kletterte umständlich aus einem zweiten Rettungswagen. Sein halbes Gesicht war mit Pflaster verklebt.

»Ich soll mit ins Krankenhaus«, ärgerte er sich, »das soll genäht werden. Ist wohl ein ziemlich tiefer Schnitt. Macht ihr mal Feierabend.« Er gab Falck die Schlüssel des Dienstfahrzeugs.

»Geht klar.« Falck nahm den Schlüssel.

Völlig unerwartet schlug Schmidt ihm auf die Schulter. Falck zuckte fast erschrocken zusammen.

»Falck, danke, dass du hinter mir geblieben bist. Das nenn ich Kameradschaft. Kannst Edgar sagen, wenn du willst, da wir jetzt wahrscheinlich eh den Rest unseres Lebens miteinander verbringen. Oder Eddi. Gilt übrigens auch für dich!« Schmidt beugte sich vor, um zu Bach in den Rettungswagen sehen zu können. Der Versuch eines Grinsens scheiterte unter seinem bandagierten Gesicht.

Wenn er das mal nicht morgen bereut, dachte sich Falck. Die Situation hatte offensichtlich selbst Schmidt rührselig gemacht. Doch er musste zugeben, dass das Angebot ihn auch freute. Und er war auch etwas stolz, obwohl er es selbstverständlich gefunden hatte, dem Kollegen zu folgen.

»Also gut. Danke! Ich bin dann also der Tobias!« Er hielt Schmidt die Hand hin.

»Der Tobi also.« Schmidt hob den Daumen.

»Nee, Tobias«, verbesserte Falck, doch Schmidt hatte sich schon wieder abgewandt und stieg zurück in den Rettungswagen. Der Fahrer startete den Motor und schaltete so schnell das Blaulicht ein, als hätte er schon den ganzen Tag auf den Moment gewartet. Dann scherte er aus der Reihe der wartenden Fahrzeuge aus und gab Falck damit den Blick frei auf das nächste Fahrzeug, in dem der Fahrer und der Rettungsarzt mit geschlossenen Augen in ihren Sitzen hingen. Der Fahrer war ein schmaler Mann, mit Kinnbart und längerem Haar, das er mit Mittelscheitel und zum Zopf gebunden trug.

In dem Moment klingelte irgendetwas bei Falck im Hinterkopf.

»Leutnant Bach, kommen Sie mal bitte«, bat er Steffi angesichts der Sanitäter förmlich zu sich und ließ den Mann dabei nicht aus den Augen, als fürchtete er, das Bild könnte verschwinden.

»Was ist denn?«, fragte Bach und stand schon neben ihm. Jetzt öffnete der Fahrer die Augen, als spürte er, dass er beobachtet wurde.

Falck drehte sich beiläufig weg.

»Der Fahrer in dem Sani-Auto, kommt der dir bekannt vor?«

Bach nahm sich eine Zigarette aus der Schachtel und zündete sie sich mit dem Feuerzeug an. Währenddessen blickte sie wie zufällig auf, um einen Blick auf den Mann werfen zu können.

»Bin nicht sicher, aber der könnte den zweiten Rettungswagen gefahren haben. Der zu dem Unfall gekommen ist, als wir eigentlich auf den Leichenwagen gewartet haben. Ich hab mir noch gedacht, was das für ein albernes Bärtchen ist. Sieht aus wie das Rumpelstilzchen aus *Spuk unterm Riesenrad.*«

Falck nickte bestätigend. Aber da war noch etwas. Er schaute noch einmal in die Richtung des Mannes, der offenbar noch keinen Verdacht schöpfte. Jetzt fiel bei Falck der Groschen.

»Mensch, klar, der war damals bei den Gruftis dabei!«

»Aber du hast doch gesagt, die wären harmlos gewesen.«

»Na ja, ich habe ja nicht jeden überprüft. Der war total unscheinbar. Hatte damals auch noch kein Bärtchen und kürzere Haare.«

»Und nun?«

»Ich frage mich gerade, wie viel Zufall es geben kann. Die Tasche und der Schuh von der Toten lagen in einer Mülltonne auf der Kamenzer Straße, wo auch die Gruftis waren, und der Typ da war bei dem Unfall, angeblich wegen eines Missverständnisses.«

»Und was machen wir nun?«, fragte Bach. »Am besten lassen wir uns seine Personalien geben. Schreiben wir einfach die Wagennummer auf und klären das morgen. Tobias? Ja? Ich will wirklich heim. Ich bin so bedient, ich könnte gleich heulen!« Bach zupfte ihn ungeduldig am Arm.

»Ich weiß nicht, ich glaube, der hat was gemerkt und tut nur so gelassen.« Falck hatte den Eindruck, als wäre der Mann schon ein Stück in seinem Sitz hinuntergerutscht. Plötzlich kam ihm eine Idee und er ging noch mal zu dem Sanitäter, der Bach behandelt hatte.

»Entschuldigung, aber kennen Sie die Leute in dem Fahrzeug da?«

»Nee, die sind nicht von meiner Dienststelle.«

Falck dachte kurz nach. »Meinen Sie, die haben noch lange Schicht oder hat diese gerade begonnen?«

»Nee, wir hatten alle normalen Dienst. Wir sind eh schon drüber, wenn hier Ruhe einkehrt, rücken wir ab. Dann ist Dienstschluss.«

»Gut, danke.« Falck sah seine Kollegin an.

Steffi Bach winkte sofort ab. »Ohne mich! Wir hatten heute eine Verhaftung, mussten über ein Dach vor einem Feuer flüchten, gerade eben wurden wir fast noch gelyncht. Das reicht echt.«

»Steffi, komm, das ist jetzt echt wichtig. Der Kerl wird alle Spuren beseitigen, wenn er was damit zu tun haben sollte. Ich war schon einmal zu spät. Da war Schmidt schuld. Das soll mir nicht noch mal passieren.«

»Ach, Tobias«, stöhnte Bach auf, »du gehst mir auf den Sack!«

15

Falck brachte den Trabant am Straßenrand vom Bischofsweg zum Stehen, löschte das Licht und stellte den Motor ab.

»Warum bleibst du stehen? Der ist doch da reingebogen!«, wunderte sich Bach. Sie war mittlerweile wieder etwas munterer geworden. Es hatte eine halbe Ewigkeit gedauert, bis die Situation an der Bautzner Straße sich so weit beruhigt hatte, dass die Wagen der Schnellen Medizinischen Hilfe abrücken konnten. Es war jetzt fast dreiundzwanzig Uhr. Inzwischen hatte Bach geschlafen, die Arme fest um den Oberkörper geschlungen, weil es so kalt war. Falck hatte derweil Wache gehalten, damit ihm der Wagen mit dem Verdächtigen nicht entwischte. Sie wussten jetzt zwar, dass der Wagen zur Dienststelle des Neustädter Krankenhauses an der Industriestraße gehörte, doch er wollte nicht das geringste Risiko eingehen, den Mann aus den Augen zu verlieren.

Nachdem sie der SMH bis zum Krankenhaus gefolgt waren, hatte es noch einmal über eine halbe Stunde gedauert, bis der Mann wieder herausgekommen war, dick eingepackt in Jacke, Schal und Mütze. Er hatte sich auf ein altes *Diamant*-Damenrad geschwungen und war durch die bitterkalte Nacht geradelt. Die größte Herausforderung war es gewesen, ihm auf den nächtlichen stillen Straßen unauffällig zu folgen.

»Das ist die Kamenzer! Der wohnte da, ich bin mir sicher. Komm schnell!« Falck war schon ausgestiegen und Bach folgte ihm unwillig.

»Kann es sein, dass du gerade versuchst, mir was zu beweisen?«, fragte sie halblaut. Sie fröstelte, zog die Schultern hoch und atmete in ihren Schal.

Falck ging nicht darauf ein, sondern lief eilig zur Kreuzung.

»Komm schon!«, flüsterte er und begann schneller zu laufen, denn der Mann war mit dem Rad bereits die Straße hinuntergefahren. Noch hörte man das Schutzblech klappern und sah in der Entfernung das Licht der Fahrradlampe zittern. Der Mann bog auf den Fußweg ab und steuerte jetzt auf das Haus zu, das genau gegenüber von den Mülltonnen stand, in denen die Tasche und der Schuh gefunden worden waren. Falck bremste seine Kollegin ab. Sie warteten, bis der Mann die Haustür aufgeschlossen hatte und sein Rad umständlich ins Haus zwängte.

»Los, jetzt!« Falck lief wieder los und war schon auf zwanzig Meter herangekommen, da hörten sie die Haustür ins Schloss fallen und den Schlüssel erneut klappern.

»Na toll, der schließt ab!«, stöhnte Bach.

Falck lauschte an der Haustür und hörte, wie drinnen eine weitere Tür aufgeschlossen wurde, vermutlich um das Rad in den Keller zu bringen. Vorsichtig drückte er die Klinke hinunter. Die Tür war abgeschlossen.

»Mensch, wie der heißt und wo der wohnt, hätten wir auch morgen herausfinden können«, zischte Bach. »In sieben Stunden ist wieder Dienstbeginn, und ich liege noch nicht mal im Bett!«

»Das ist doch jetzt egal! Wir müssen da rein. Vielleicht über die Hoftür.«

»Tobias, du nervst!«, maulte sie und war ein Stück weitergegangen. »Hier ist eine offene Durchfahrt!«

»Siehste! Los geht's!«

Sie durchquerten das Nachbarhaus, erreichten dessen Hinterhof, der zum Nachbarhof durch eine Mauer getrennt war. Falck überlegte kurz, schob dann eine der Blechmülltonnen an die Mauer, kletterte hoch und schwang sich über die Mauerkante. Auf der anderen Seite stand er auf dem Teerpappdach eines selbstgebauten Schuppens.

»Kannst kommen!«, rief er leise, doch Bach war schon oben. Falck tastete sich zur Dachkante. Im Hinterhaus ging das Treppenhauslicht an.

»Der wohnt dahinten!«, flüsterte Bach und zeigte auf das Hinterhaus. »Ob der uns bemerkt hat? Der muss doch gerade hier durchgegangen sein.«

Jetzt war es für Bedenken zu spät. Falck erwiderte nichts, sondern ließ sich vom Dach vorsichtig hinunter und half dann Bach hinunterzuklettern. Sie schlichen zur Tür des Hinterhauses. Oben waren Schritte auf der Treppe zu hören. Hier konnten nicht sehr viele Leute wohnen, auch dieses Haus war kaum mehr als eine Ruine. Falck probierte die Klinke. Diese Tür war nicht verschlossen. Falck und Bach huschten hinein und standen für einen Augenblick abwartend im Treppenhaus. Leise schlossen sie die Tür hinter sich.

»Das ist nicht erlaubt, was wir machen!«, tuschelte Bach heiser.

»Wen interessiert das jetzt?«, gab Falck zurück.

»Machst du jetzt einen auf Schimanski?«

»Sei doch mal still. Riechst du das?«

»Ja klar, du riechst!«, erwiderte Bach trotzig.

Über ihnen waren die Schritte verstummt. Sie blieben stehen, hielten die Luft an. Oben klapperte der Schlüsselbund wieder. Das Treppenhauslicht ging unvermittelt aus. Der Mann oben fluchte leise, schaltete es wieder ein. Falck gab Bach ein Zeichen und leise liefen sie weiter. Auf der halben Treppe zum zweiten Obergeschoss warteten sie. Die Tür über ihnen fiel zu.

»Ich bin zuhause!«, hörten sie den Mann sagen. »Was für ein Tag, sag ich euch!«

Bach gab Falck einen festen Stoß in die Seite, der ihn fast aufstöhnen ließ.

Als er sie ansah, hob sie fragend die Hände, zog die Oberlippe hoch, deutete auf die Wohnung, deutete mit den Fingern beider Hände ein Gespräch an.

Falck rieb sich die schmerzende Stelle, schüttelte den Kopf und machte mit einer Hand die Schnattergeste. Bisher hatte noch niemand dem Mann geantwortet. Bach zeigte ihm so deutlich einen Vogel, dass fast ein Abdruck an ihrer Stirn zurückblieb. Dann machte sie kehrt und wollte die Treppe wieder hinuntergehen.

»Es sieht jedenfalls so aus«, sprach oben der Mann in seiner Wohnung weiter, »als ob wir schnell umziehen müssten.«

Bach, die das gehört hatte, blieb stehen und sah Falck staunend an.

»Leck mich fett«, flüsterte sie.

»Also, alle anziehen!«, ertönte wieder die Stimme hinter verschlossener Tür. »Ihr müsst euch ein bisschen beeilen.«

Falck deutete nach oben. Bach nickte. Lautlos erklommen sie die letzten Stufen, postierten sich rechts und links von der Wohnungstür, an der auf einem Holzbrett, mit Lötkolben eingebrannt, *M. Schütt* stand. Bach deutete auf ihre linke Achsel. Falck schüttelte den Kopf. Er glaubte nicht, dass Waffeneinsatz nötig war.

»Du spinnst ja!«, formte Bach fast lautlos mit ihren Lippen und zog die Pistole unter ihrer Jacke hervor.

»Ich hole das Auto. Geht ihr schon mal runter«, sagte der Mann. »Oder? Nein, wartet lieber hier.« Schlüssel klapperten und die Wohnungstür wurde just in dem Moment geöffnet, als das Flurlicht ausging.

Der Mann schrie auf, als er die zwei Personen plötzlich im Licht seines Korridors stehen sah. Erschrocken hielt er sich am Türrahmen fest.

297

»Kripo Dresden«, stellte sich Bach vor. »Herr Schütt? Dürfen wir reinkommen? Zur Klärung eines Sachverhaltes.«

»Nein, ich wollte gerade gehen, ich wollte … ich muss …« Der Mann versuchte, sich an den Polizisten vorbeizudrängen, doch gemeinsam hielten sie ihn zurück und beförderten ihn, unsanfter als geplant, in die Wohnung zurück. Er taumelte, blieb aber auf den Füßen.

»Das dürfen Sie nicht!«, stöhnte er. »Sie dürfen nicht in meine Wohnung!«

»Woher wollen Sie das denn wissen?«, fragte Bach. »Wir wollen uns nur mal umsehen!« Sie zog die Nase kraus. »Es riecht nicht gut bei Ihnen.«

»Gehen Sie, bitte, ich habe nichts Schlimmes getan!« Der Mann verzog das Gesicht, nahm noch einmal unvermittelt Anlauf, um zu flüchten. Doch Falck war wachsam geblieben, stemmte sich gegen den Aufprall und drehte dem Mann den Arm auf den Rücken.

»Ich muss Ihnen Handschellen anlegen, wenn Sie noch mal versuchen sollten wegzulaufen«, drohte er.

»Ich wollte doch nur … Sie verstehen nicht … Sie dürfen nicht einfach …« Der Mann verstummte.

Bach zeigte auf eine Tür. »Da rein?«

Schütt sackte zusammen und nickte stumm.

Bach hatte schon die Tür geöffnet und das hell erleuchtete Zimmer betreten. Mit einem unterdrückten Schrei fuhr sie zurück.

Falck verschlug es den Atem.

»Keine Angst, die tun euch nichts«, flüsterte Schütt, und Falck war sich sicher, dass Schütt nicht zu ihnen beiden sprach, sondern zu den zwei Gestalten, die mitten im Raum an einem Esstisch saßen. Auf den ersten Blick sahen sie wie lebensgroße Puppen aus. Zu seinem Entsetzen bemerkte Falck dann aber, dass diese Puppen in Wahrheit tote Menschen waren. Sie waren komplett mit Folie eingewickelt und saßen, vollständig bekleidet, mit aufgestützten Unterarmen, am Tisch. Vor sich Teller, Gläser und Besteck, als würde gleich das Essen serviert werden. Wie er das getan haben mochte, sie entkleidet, eingewickelt, wieder angezogen, mochte Falck sich gar nicht ausmalen. Die Gesichter unter der durchsichtigen Folie waren grau, die Nasen plattgedrückt und die Lippen hochgezogen. Schütt hatte ihnen Perücken aufgesetzt. Eine Gestalt war bereits zur Seite gesunken und drohte vom Stuhl zu kippen.

»Darf ich?«, bat Schütt und zwängte sich an Bach und Falck vorbei. »Sie ist immer sehr müde!« Er ging zu der eingewickelten Gestalt und nahm sie fürsorglich bei den Schultern, um sie aufzurichten. Der Kopf der Mumie kippte dabei nach hinten. Beinahe liebevoll nahm Schütt ihn in seine Hände und drückte ihn wieder nach vorn. Die Folie quietschte und durch die Bewegung entwich Gas. Falck stand wie erstarrt da und konnte den Blick nicht von dem Horrorszenario wenden. Das musste Hildegard Olpe sein, schoss es ihm durch den Kopf, das Opfer des Autounfalls.

Bach begann zu würgen. »Hören Sie auf damit!«, befahl sie keuchend.

Schütt schien sie nicht zu hören. Noch einmal versuchte er, die Tote nach seinen Vorstellungen zu drapieren.

»Hören Sie sofort auf damit!«, schrie Bach.

Schütt hob den Kopf. »Ich habe nichts Böses getan!«, sagte er leise. »Ich möchte sie nur behalten. Sie sind doch meine Familie. Ich habe sonst keinen.«

»Sie sind tot!«, stöhnte Bach.

»Nicht für mich.«

»Ich muss lüften!« Bach stürzte zum Fenster, fetzte die zugezogenen Vorhänge beiseite und riss das Fenster auf.

»Ist das Alexandra Beyer?«, fragte Falck und zeigte auf die andere Gestalt am Tisch. Immer wieder musste er auf die

Gesichter der Toten blicken. Was war mit deren Augen? Schütt musste sie ihnen geöffnet haben. Irgendwie sahen sie seltsam aus, falsch. Er riss sich zusammen und trat näher an die Szenerie heran und war fast erleichtert, als er sah, dass die Augen aus Zeitungen ausgeschnitten und den Toten auf die geschlossenen Lider geklebt waren.

»Und? Ist sie das? Alexandra Beyer?«, fragte er Schütt noch einmal eindringlich.

Schütt senkte den Blick.

»Oh Gott, bitte nicht noch mehr …«, entfuhr es Steffi Bach, die immer noch schwer atmend am Fenster stand.

»Bitte, nehmen Sie sie mir nicht weg«, hauchte Schütt. »Bitte!«

»Wo?«, fragte Falck. Schütts Kinn begann zu zittern, dann deutete er auf die nächste Tür.

»Wir tun doch niemandem etwas, bitte«, flüsterte er und machte Anstalten, Falck zu berühren, weshalb dieser sich mit einer energischen Bewegung entzog. Hastig ging er zu der anderen Tür. Schütt folgte ihm wie ein Hündchen.

»Bitte, ich flehe Sie an. Bitte! Ich habe doch niemand anderen mehr …«

»Herr Schütt, Schluss jetzt! Reißen Sie sich mal zusammen!« Falck hob abrupt die Hand. Die Situation überforderte ihn langsam. Der weinerliche Tonfall des Mannes zehrte an seinen Nerven, und er ahnte, was sich hinter dieser Tür verbarg. Er atmete einmal tief durch, straffte sich, öffnete die Tür, tastete sich zu dem Lichtschalter vor und machte das Licht an.

Es war ein kleines Zimmer, ein Einzelbett stand da und darin, unter der Decke, den Kopf auf dem Kissen platziert wie ein schlafender Mensch, lag eine weitere Gestalt, ebenso von Kopf bis Fuß in Folie eingewickelt.

»Sie war so schön, wissen Sie? So etwas Schönes kann man doch nicht einfach begraben oder verbrennen?«, fragte Schütt heiser. »Ich mache nichts Unanständiges mit ihr, wirklich. Wir schlafen hier nur.«

»Sie schlafen in diesem Bett? Mit … ihr?«

»Sie müssen das verstehen. Wir teilen uns nur das Bett!«

»Still!«, befahl Falck.

»Nehmen Sie sie mir jetzt weg? Muss ich nach Arnsdorf? Bitte nicht! Ich bin doch nicht verrückt. Das müssen Sie denen sagen! Ihnen glaubt man. Ich will nicht allein sein.«

Falck brachte kein Wort hervor. Er spürte, wie sich sein Magen zusammenkrampfte. Wieder schob sich Schütt an ihm vorbei.

»Bitte, ich will mich nur verabschieden!«

Bevor Falck ihn davon abhalten konnte, hatte sich der Mann die Schuhe ausgezogen und sich ins Bett gelegt. Er schlang die Arme um die Tote.

»Es tut mir leid«, flüsterte er unter Tränen und küsste immer wieder das eingewickelte Gesicht. »Es tut mir so leid. Aber du wirst gehen müssen, und wir sehen uns nie wieder.«

In dem Moment hörte Falck, wie sich Steffi Bach im Nebenraum übergab.

16

»Das war also nichts Sexuelles?«, fragte Schmidt.

Am nächsten Morgen waren sie alle drei wieder pünktlich zum Dienst erschienen, obwohl die Nacht für jeden nur kurz gewesen war. Schmidts eine Gesichtshälfte zierte immer noch ein großes Pflaster. Falck unterdrückte mit Mühe ein Gähnen und schüttelte den Kopf. Bach konnte weniger Selbstbeherrschung aufbringen und gähnte, dass ihr der Kiefer knackte.

»Vollkommen kaputt, der Typ. Der hat mit diesen Mumien gelebt wie mit einer Familie. Er hat sogar gekocht für sie und ihnen Klamotten gekauft«, erklärte sie und schüttelte sich in der Erinnerung daran.

Falck tat der Mann leid. Wie er geweint hatte, als die Leichenwagen gekommen waren, um die drei Toten abzuholen, das Bild brachte Falck nicht aus seinem Kopf. Das war für den Mann tatsächlich, als entrisse man ihm die Liebsten. Die Trauer war aus ihm herausgebrochen, als er Abschied nehmen musste, und er hatte ein Bild des Jammers geboten. Falck konnte die Verzweiflung von Schütt nachempfinden. Der saß jetzt mutterseelenallein in der U-Haft-Zelle und wusste nicht, wie es mit ihm weitergehen würde. Er hatte etwas für immer verloren.

»Aber der Kallbusch war nicht unter den Toten?«, fragte Schmidt nach.

»Bisher haben wir Frau Olpe, Alexandra Beyer und eine Tote, die vermutlich seit siebenundachtzig schon verschwunden ist, identifiziert. Das muss noch geprüft werden. Mehr

Tote gibt's vorerst nicht. Aber noch ist nicht alles durchsucht, er hatte noch einen Bungalow und eine Garage, in der ein Wartburg steht. Würde mich aber wundern, wenn wir Kallbusch fänden.«

»Saubere Leistung! Erst den Fall Wetzig aufgeklärt, Burghardt dingfest gemacht und nun noch diese Sache.«

Falck merkte auf. So viel Lob aus dem Mund von Schmidt klang schon fast verdächtig. Und prompt relativierte der es mit einer Portion Ironie. »Direkt ordensreif. Für den Aufbau des Sozialismus!«

»Wo ist denn eigentlich Frau Suderberg?«, fragte Bach schnell, ehe Falck sich ärgern konnte.

Schmidt hob einen Zettel hoch. »*Bin in Werkstatt. Probleme mit dem Wagen*«, las er vor. »Der hatte vorgestern schon solche Aussetzer gehabt. Sie behauptete, unser Benzin sei schlecht.« Schmidt lachte bei dem Gedanken daran auf. »Ich frage mich, ob die in einer hiesigen Werkstatt mit einem BMW klarkommen? Die haben doch gar keine Ersatzteile. Ach, noch was. Auf der Bautzner ist es übrigens gestern ganz glimpflich ausgegangen. Keine Toten, kaum Verletzte. Die meisten haben sich beim Sturm der Stasizentrale selbst verletzt, hauptsächlich am Glas geschnitten. Jetzt müssen die Schäden erst mal beziffert werden. Es wurde schon einiges zerstört, vor allem gingen viele Akten verloren. Ob auch Waffen abhandengekommen sind, wissen sie noch nicht. Einer der Männer dort hat sich wohl in der Waffenkammer verschanzt und gedroht, jeden niederzuschießen, der die Tür aufzubrechen versucht. Beinahe ein Held. Hätte noch gefehlt, dass hier ein Dutzend Kalaschnikows und Pistolen in Umlauf kommen. Aber das ist alles Hörensagen. Derzeit halten sie das Gebäude besetzt.«

»Wie gehen wir weiter vor?«, fragte Falck und merkte selbst, dass er eine Spur beleidigt klang. Er hätte nichts dagegen gehabt, noch ein bisschen langer über seinen Ermittlungserfolg zu sprechen. Geschlafen hatte er dafür erstaunlich gut. Vermutlich neutralisierten sich die verrückten Ereignisse des Vortages gegenseitig, übrig geblieben war der Gedanke, dass er womöglich Vater geworden war, und die Frage, ob er seiner Mutter davon erzählen sollte. Sie war eine liebevolle Frau, die mit ihm, ihrem Jüngsten, selten geschimpft hatte und seine Entscheidung für die Polizeilaufbahn als Erste akzeptiert hatte. Doch wie sie auf diese Nachricht reagieren würde, konnte er sich beim besten Willen nicht vorstellen.

»Mir ist ganz schlecht vor Müdigkeit«, murmelte Bach und stand auf, um hastig das Zimmer zu verlassen.

»Steffi, kannst du Kaffee kochen? Frau Zille ist heute nicht da!«, rief Schmidt ihr hinterher. »Sie hat Urlaub und will in den Westen, um Weihnachtseinkäufe zu erledigen. Anscheinend hat sie Verwandtschaft in Wolfenbüttel«, brummte Schmidt mehr zu sich.

Einmal mehr fühlte Falck sich nicht ernst genommen. Er wollte wissen, wie es mit dem Fall weiterging, und nicht über die Einkaufsgepflogenheiten von Frau Zille sprechen.

»Also, Kallbuschs Leiche ist noch immer verschwunden«, resümierte er. »Der Tote im Keller gestern ist, soweit ich den Unterlagen entnehme, nicht Kallbusch, sondern vermutlich sein Leibwächter. Genauso, wie es die Suderberg gesagt hat. Können wir nicht noch einmal die Listen der Zeugen durchgehen? Aller Zeugen, vom Todesfall in der Kneipe und vom Hausbrand gestern. Es ist zwar nervig und kostet viel Zeit, aber wir müssen da genauer nachfragen, anstatt hier nur herumzusitzen.«

Schmidt schnappte sich die Akte von seinem Tisch und warf sie auf Falcks Tisch. »Nur zu.«

Falck seufzte, schlug die Akte auf und zuckte zusammen, als die zweite Akte angesegelt kam. Steffi Bach war zurückgekommen und ließ sich auf ihren Stuhl fallen. Sie sah aus, als könnte sie einen Tag Urlaub vertragen.

»Hast du Kaffee gemacht?«, fragte Schmidt. Bach schüttelte nur den Kopf. Missmutig erhob sich Schmidt.

»Dann mach ich es eben«, knurrte er, »bin ja nur der Chef. Macht halt jeder, was er will. Ich sag's ja: Anarchie.«

Bach wartete, bis er draußen war. Dann rollte sie mit ihrem Stuhl zu Falck hinüber.

»Also, im Waschbecken im Frauenklo, da war ein Rest Zahnpasta zu sehen. Eindeutig Westzahnpasta, mit rotem und blauem Zeug drin. Ich schwör dir, die Suderberg hat heute Nacht wieder hier gepennt.«

»Oder hat sich einfach nur die Zähne geputzt? Vielleicht hatte sie einen Zahnarzttermin oder Zahnschmerzen? Würde einiges erklären, oder?«

Bach war aufgestanden und gab ihm mit dem Handrücken einen Klaps an den Oberarm. »Komm, wir klären das!«

»Wie meinst du das denn jetzt?«

»Steh auf, zieh deine Jacke an, wir klären das! Gestern hab ich bei dir mitgemacht, heute machst du bei mir mit!«

Falck gab sich geschlagen. »Und Schmidt?«

»Dem sagen wir über Funk Bescheid. Wir sind ja gleich wieder da!«

»Wo wollen wir hin?«

»Ins Bellevue!«

»Willst du fragen, ob sie dort gemeldet war? Das dürfen sie gar nicht sagen!«

»Aha, heute sind wir wohl kein Schimanski mehr? Wir werden es doch sehen!«

Es waren nur wenige Minuten bis zum Hotel. Sie hätten eigentlich laufen können. Bach parkte den Trabant auf dem Hotelparkplatz und stellte den Motor ab.

»Hast du Skrupel? Musst du nicht! Neue Zeiten, neue Methoden!« Sie zwinkerte Falck zu.

Gemeinsam betraten sie das Hotel und gingen schnurstracks auf die Rezeption zu.

»Ausweis!«, raunte Bach. Hastig holte Falck seinen Dienstausweis heraus.

»Guten Tag, Kripo Dresden«, stellte sie sich der jungen Frau hinter der Empfangstheke vor und zeigte ihren Ausweis vor. »Wir müssen jemanden sprechen, der bei Ihnen im Hotel Gast ist. Es ist eine dringende Angelegenheit.« Bach schaute die Angestellte streng an.

»Also, ich weiß nicht …« Die junge Frau war sichtlich verunsichert.

»Es handelt sich um jemanden aus der Bundesrepublik Deutschland, Frau Sybille Suderberg. Es ist wirklich sehr dringlich!«

»Da muss ich fragen!« Die Rezeptionistin verschwand ins Büro.

»Das klappt nie«, flüsterte Falck.

»Werden wir sehen.« Bach stieß ihn an. Aus dem Büro war ein älterer Mann gekommen, offenbar der Vorgesetzte der jungen Frau.

»Es tut mir leid, wir können Ihnen da nicht weiterhelfen«, sagte er. »Eine Frau dieses Namens ist nicht bei uns im Hotel.«

»Sie meinen, sie ist nicht mehr hier? Wir haben gesicherte Informationen, dass sie hier sein muss.«

»Nein, wir hatten keinen Gast mit diesem Namen!«

»Es handelt sich um eine allein reisende Frau mit hessischem Dialekt, groß, blond, fährt einen großen dunkelgrünen BMW.«

»Nein, wirklich nicht, an so jemanden kann ich mich nicht erinnern.«

»Was soll das denn jetzt bedeuten?«, sprach Falck seine Gedanken draußen laut aus. »Ist das eine Verwechslung? Vielleicht ist sie in einem anderen Hotel?«

»Ich glaube vielmehr, sie macht uns was vor«, sagte Bach nachdenklich. »Lass uns erst mal zurückfahren!«

»Seid ihr bescheuert? Haut einfach ab, ohne was zu sagen!« Schmidt war stocksauer, als sie das Büro betraten.

»Jetzt aber mal halblang, wir sind ja keine Leibeigenen«, fuhr Bach ihm über den Mund. »Wir mussten nur mal schnell was überprüfen. Die Suderberg wohnt nämlich gar nicht im Bellevue. Und ich schwöre, die hat die letzten beiden Nächte hier verbracht. Im Büro!«

»Die Suderberg?« Schmidt riss verwundert die Augen auf. Er lehnte sich zurück, nahm sich eine Kippe und versank in Gedanken. Nach ein paar Augenblicken raffte er sich auf.

»Auf geht's, Falck, besorg uns mal ein Telefonbuch! Unten vielleicht, beim Pförtner, oder klau es aus einer Telefonzelle.«

»Ich hab eins«, unterbrach ihn Bach, holte es aus ihrer Schreibtischschublade und krachte ihrem Chef den dicken Wälzer auf den Tisch.

Der knallte ihn umgehend auf ihren Tisch zurück. »Alle Hotels raussuchen, anrufen, nach der Frau fragen! Ich geh mal in die Direktion und frag nach, was sie an weiteren Informationen über die Frau haben.«

»Hier auch nicht«, seufzte Bach und legte auf. »Die nächste!«

Falck schüttelte den Kopf. »Das war die letzte Nummer der großen Hotels. Die haben wir alle durch. Jetzt müssten wir noch in der ganzen Umgebung herumtelefonieren. Aber es gibt mehr Hotels, als du denkst. Noch dazu im Umland.«

Bach rieb sich die müden Augen. »Das ist sinnlos. Ich sag ja, die Frau hat kein Zimmer, sie schläft immer hier.«

Beide sahen auf, als die Tür aufging und Schmidt zurückkam. Schweigend setzte er sich an seinen Platz, starrte die Wand an und vergaß sogar, sich eine Zigarette anzuzünden. Bach sah Falck kurz fragend an, der hob nur ratlos die Schultern.

»Also, Genossen«, sagte Schmidt schließlich, und es klang alles andere als witzig. Langsam drehte er sich zu ihnen um und grinste unglücklich, wie jemand, der gerade ein Auto geschrottet hat, das ihm nicht gehörte. »Wir sind hier jemandem mächtig auf den Leim gegangen. Es gibt gar keine Anfrage zur Ermittlungsunterstützung. Weder aus Frankfurt am Main noch sonst woher aus dem Westen. Eine Hauptkommissarin Suderberg gibt es immerhin, aber mehr wollten die drüben nicht rausrücken, wegen *des Schutzes persönlicher Daten* oder so einem Quatsch. Sicher ist aber: Es gibt keinen Ermittlungsauftrag, schon gar nicht hier in Dresden. Niemand hat die Frau hierhergeschickt, niemand hat sie hier in Empfang genommen. Wer auch immer die Frau ist, sie hat sich hier eingeschlichen und uns einen mordsmäßigen Bären aufgebunden. Weder bei Neubert in der Mordkommission noch bei irgendeinem anderen in der Direktion ist die Frau gewesen. Leute, da haben wir uns mal so richtig lächerlich gemacht.«

»Aber wie kommt die hier überhaupt rein?«, fragte Bach leise.

»Genau so, wie sie es gemacht hat. Ausweis vorgezeigt, großkotzig, frech, selbstbewusst, Wessi halt, und alle kuschen. Ich sage euch, das nehme ich nicht allein auf meine Kappe! Die Pförtner unten haben sie durchgelassen. Und das Schreiben, das sie mir in die Hand gedrückt hat, sah auch echt aus.« Schmidt schüttelte den Kopf, dann warf er einen schnellen Blick auf seine Armbanduhr. »Schon zehn, und ich hab noch nicht mal gefrühstückt. Ich hol mir 'ne Bocki. Kommt jemand mit zum Kiosk?«

Falck hob zögernd die Hand. Er hatte auch Hunger. Vielleicht nicht gerade auf Bockwurst, aber auf eine Karlsbader Schnitte. Da klingelte das Telefon, und Schmidt, der schon bei der Tür war, stöhnte entnervt auf. Doch Bach hatte schon abgehoben.

»Kriminaldauerdienst«, meldete sie sich. »Alles klar«, sagte sie kurz darauf gedehnt und legte langsam auf.

»Was is?«, fragte Schmidt ungeduldig.

»Das wird Ihnen nicht gefallen.« Steffi Bach verzog das Gesicht, um dann die Augenbrauen hochzuziehen. »Oder vielleicht erst recht.«

17

Das Werkstattgelände in der Erfurter Straße machte auf Falck eher den Eindruck eines Schrottplatzes. Vielleicht lag es an seiner Bekanntschaft mit Suderberg, dass er jetzt alles mit anderen Augen betrachtete. Schmidt parkte den Trabant neben dem Funkstreifenwagen. Die Uniformierten salutierten vorschriftsmäßig, als die Kriminalpolizisten ausstiegen. Einer von ihnen rauchte, ein Umstand, der noch vor vier Wochen nicht geduldet worden wäre.

»Da drüben steht der Wagen!« Einer der Uniformierten zeigte auf eine offen stehende Werkstatt.

»Warum ist keiner von Ihnen dort und sichert den Wagen?«, knurrte Schmidt.

»Wir haben gesagt, sie sollen nichts anfassen«, erwiderte der Schutzpolizist lapidar. Schmidt schnaufte empört, beließ es aber dabei.

Falck ließ Schmidt und Bach den Vortritt und folgte ihnen auf dem Weg zur Werkstatt.

»Moin!«, grüßte Schmidt in den Raum. Die Kfz-Mechaniker in ihren ölverschmierten Arbeitssachen hatten sich alle um den dunkelgrünen BMW versammelt. Man hätte meinen können, sie bewunderten die westdeutsche Automobilkunst, wenn nicht der Kofferraum offen gewesen wäre und eine Leiche darin gelegen hätte. Die Mechaniker machten den drei Polizisten Platz. Auf den ersten Blick war klar, dass sie hier Kallbusch vor sich hatten. Das Blut auf Gesicht und Brust war zu einer schwarzen Schicht geronnen, die schon begonnen hatte zu bröseln.

»Ich habe nur nach einem Bedienheft gesucht«, erklärte einer der Mechaniker.

»Angefasst haben Sie nichts?«, fragte Schmidt.

Der Mann schüttelte den Kopf. »Nur den Drücker.«

»Wer hat den Wagen entgegengenommen?«

»Der Alte!« Der Mann drehte sich um und sah nach draußen. »Da kommt er schon.«

Ein Mann kam über den Hof gehumpelt. Sein Haar war sauber gescheitelt, er trug eine normale Hose und darüber einen Kittel, wie ein Arzt.

»Steht hier mal nicht rum. Heiko, Jens ihr geht an den Lada vom Berger. Volker, du machst die Achse von dem roten Warti.« Dann stellte er sich den Polizisten vor. »Naumann ist mein Name. Die Besitzerin von dem Kraftfahrzeug stand heute Morgen schon am Tor, als ich öffnete. Sie hatte es sehr eilig, klagte über Motoraussetzer. Ich meinte, dass ich viel zu tun habe. Da hat sie mir den hier in die Hand gedrückt.« Naumann zog seine Brieftasche mit einem Hundert-DM-Schein heraus, als wäre es ein Beweisstück. Dann steckte er ihn wieder zurück. »Ich hatte von Anfang an die Benzinpumpe in Verdacht. Sie ist aber intakt, ich vermute mal, der Motor verträgt unser Benzin nicht. Und eigentlich wollte sie ja hier warten. Aber dann sah sie was und ging weg.«

»Und was genau hat sie gesehen?«

»Das haben mir die Kollegen erzählt. Erst hat sie wohl nur dagestanden und hat uns zugeschaut. Dann muss sie plötzlich auf der Straße jemanden gesehen haben und war auf einmal ganz aufgeregt. Sie hat den Leuten noch gesagt, sie würde gleich wiederkommen, und ist losgelaufen, vom Hof da auf die Straße.«

»Aber was sie sah oder wen, das wissen Sie nicht?«

Der Werkstattmeister schüttelte den Kopf. »Nein, leider nicht. Hier war wirklich viel los. Sie sehen ja, wir sind eine große Werkstatt, hier könnten Dutzende Leute gewesen sein. Falls Sie übrigens Interesse an einem Trabant oder Wartburg Neuwagen haben, könnte ich Ihnen ein gutes Angebot machen.«

Schmidt grunzte ablehnend. »Vielen Dank, nein. Aber Sie könnten sich überlegen, wer alles hier gewesen war, während wir den Wagen durchsuchen!«

18

Schmidt legte den Telefonhörer auf. »Es ist doch zum Verrücktwerden. Jetzt haben wir alle Leichen wieder beisammen, dafür lacht man uns jetzt in der gesamten Polizeidirektion aus, weil wir einer Betrügerin auf den Leim gegangen sind.« Er zündete sich wieder eine Zigarette an. »Der Tote ist eindeutig als Thomas Kallbusch identifiziert. Die Suderberg muss ihn unter unseren Augen in den Kofferraum ihres Wagens gestopft haben. Keine Ahnung, wie sie das angestellt hat. Vielleicht hat sie den Schichtwechsel abgewartet. Da haben alle getrieft. Unbegreiflich.« Schmidt lachte zynisch in seine Rauchwolke hinein. »Oder besser noch, sie hat zwei Leuten befohlen, den Mann in ihren Kofferraum zu legen. Das wäre noch der Hit. *Hallo, Sie da, legen Sie doch bitte mal den Mann da rein!*« Schmidt versuchte dabei den hessischen Dialekt nachzuahmen, was ihm ebenso schlecht gelang, wie wenn Nichtsachsen versuchten, sächsisch zu sprechen. Dann fiel ihm etwas ein.

»Ach, schau an, wir sind jetzt berühmt!« Er nahm *Die Union* vom Tisch und hielt die Zeitung hoch. »*Vier Hausbewohner können sich bei dem Hausbrand über das Dach retten*«, zitierte er aus dem Text und hielt zuerst Bach, dann Falck die Zeitung hin. Auf einem Foto sah man vier Gestalten auf dem Dach hocken, wie Hühner auf der Stange. Zum Glück war es relativ unscharf.

Falck ging nicht weiter darauf ein. Sie hatten im Auto gerade einen zweiten Ausweis gefunden, der auf den Namen

Heidrun Mahler ausgestellt war. Dem Bild nach könnte es Sybille Suderberg sein.

»Warum hat sie das getan? Ist sie überhaupt die echte Hauptkommissarin Suderberg aus Frankfurt oder hat sie den Namen nur geklaut? Ich verstehe das alles nicht.«

»Und wenn sie selbst der Killer ist?«, führte Bach fort. »Wenn sie sich schon bei der Frankfurter Polizei hineingeschmuggelt hat? Hat sie sich als Prostituierte ausgegeben, deshalb diese nuttigen Klamotten? So hat sie den Kallbusch ausfindig gemacht und seinen Leibwächter, und wieso wusste sie von Gwisdek? Wäre doch durchaus möglich, dass sie den auch umgebracht hat. Du hast doch selbst gesehen, was in ihrem Auto alles herumlag. Eine zweite Pistole, die nicht auf sie zugelassen ist. Springmesser, Perücken, Sonnenbrillen und das Bündel Geld nicht zu vergessen. Und wie sie gestern den Burghardt überwältigt hat! Hättet ihr das gekonnt? Von wegen Nahkampftechnik. In zwei Sekunden war der hinüber. Wenn die gewollt hätte, wäre der tot gewesen.«

Das war nicht von der Hand zu weisen. Doch logisch machte es die ganze Sache deshalb nicht. »Wieso dann das Feuer und die Rettung übers Dach?«, fragte Falck.

»Sie hatte vielleicht vor, uns ins Haus zu locken und dann aus irgendeinem Grund abzuhauen, bevor das Gas explodiert. Vielleicht hat die Zündvorrichtung zu früh gezündet. Immerhin hatte sie als Erste den Gedanken mit dem Gas«, überlegte Bach weiter.

»Es wurde aber keine Zündvorrichtung gefunden«, hielt Falck dagegen.

»Vielleicht hatte sie gehofft, ich würde mir irgendwann eine Kippe anzünden, aber das Gas hat sich aus einem anderen Grund entzündet«, mischte Schmidt sich ein, ohne erkennen zu geben, ob es ernst oder ironisch gemeint war. »Immerhin war die Elektrik im Haus vorsintflutlich«, fügte er nach kurzem Nachdenken hinzu. Er schien es also ernst zu meinen.

»Wenn sie aber den Kallbusch umlegen und mitnehmen wollte, warum ist sie dann noch hier?« Falck konnte sich einfach nicht vorstellen, dass die Frau eine Mörderin sein sollte.

»Weil ihr BMW wegen unserem schlechten Benzin nicht fährt«, grunzte Schmidt. »Ich frage mich, wenn sie der Killer ist, warum kommt sie dann zu uns?«

Darauf hatte niemand eine Antwort. Eine Weile blieb es still.

»Absurd, oder?«, fragte Schmidt unvermittelt. »Erst wartest du fünfzehn Jahre auf einen neuen Trabi, und plötzlich versucht man, ihn dir anzudrehen. Bestimmt haben schon eine Million Leute ihre Bestellungen storniert. Wer jetzt noch so eine Karre kauft, muss ja bescheuert sein.«

Bach war ein bisschen beleidigt. »Also, ich würde mir noch einen holen. Die wollen noch Verbesserungen entwickeln.«

»Kann man nicht mehr Informationen über die Frau einholen?«, fragte Falck dazwischen und kam sich als der Einzige vor, der noch etwas Konstruktives tat.

Schmidt nickte und zerdrückte die Kippe im Aschenbecher. »Hab ich angefordert. Vorhin, als du auf dem Klo warst. Wird allerdings eine Weile dauern. Wir machen es wie folgt. Wir gehen noch einmal die ganzen Leute durch, die sich in der Kneipe befanden, und überlegen, ob uns doch jemand auffällt. Aber zuerst besuchen wir noch mal diesen Nazikumpel von dem Gwisdek. Inzwischen hab ich nämlich etwas herausgefunden, dem man nachgehen sollte.«

»Ach ja, was denn?«, fragte Falck.

»Nu, mal nicht so neugierig, wo bleibt denn da der Spaß?«

»Und über wen wollen Sie was rausgefunden haben und wann?« Es fiel ihm erstaunlich schwer, Schmidt zu duzen.

Und Schmidt wunderte sich nicht. Bestimmt war ihm sein Angebot zum Duzen nur im Überschwang der Gefühle herausgerutscht, und er hatte es längst vergessen.

Schmidt tippte sich an die Stirn. »Bestimmt denkst du, der olle Eddi sitzt den ganzen Tag wie Pittiplatsch im Büro und popelt in der Nase, du hast mich damals schon so schräg angeguckt beim Wetzig im Treppenhaus, hast bestimmt gedacht, wer ist der Fettsack mit den langen Loden. Du hast damals bestimmt schon drüber nachgedacht, dich über mich zu beschweren, oder? Weil ich deinen Hinweisen nicht angemessen nachgegangen bin.« Schmidt lachte. »Nu guck nicht so betroffen, du warst schon ziemlich stramm. Ist ja auch nicht schlimm, waren wir alle in deinem Alter. Also, alle bis auf die Blueser, die Punker, die Nazis, die Gruftis, die Müslifresser und die Pazifisten. Du musst bloß bedenken, ich konnte damals auch nicht so, wie ich wollte«, beteuerte Schmidt. »Na ja, jedenfalls habe ich meine Leute, und die haben sich nach Gwisdek erkundigt.« Schmidt erhob sich. »Ach, und Gratulation übrigens nachträglich!«

Falck stutzte »Wofür denn?« Doch er spürte schon, wie seine Ohren langsam rot wurden. Schmidt hatte es auf den Punkt gebracht.

»Bist Vater geworden, hab ich gehört.«

»Was guckst du mich an?«, flüsterte Bach, nachdem sie auf der Martin-Luther-Straße aus dem Auto gestiegen waren. »Ich hab ihm nichts davon erzählt!«

Falck wollte ihr glauben, doch von wem sollte Schmidt es sonst haben? Irgendwie fühlte er sich ausgeschlossen, als ob sie sich hinter seinem Rücken lustig über ihn machten. Würde das jemals aufhören?

Sie bogen in die Hausdurchfahrt ein, die in den Hinterhof führte.

Bach schloss zu Falck auf. »Seit wir das mit der Suderberg wissen, ist der Schmidt ziemlich aufgedreht, findest du nicht?«, flüsterte sie ihm zu.

»Hauptmann Schmidt, wenn schon«, spöttelte Schmidt und bewies, dass er weitaus bessere Ohren hatte als vermutet. Dann bremste er abrupt ab.

Falck sah sofort, warum. Im Hinterhof hatte sich eine Gruppe Glatzen versammelt. Junge Männer in knappen Jacken, engen Jeans und schweren Schuhen. Einige rauchten, andere tranken Bier. Ihnen war offensichtlich kalt, doch keiner von ihnen wollte das offen zeigen.

»Na, Betriebsausflug?«, fragte Schmidt forsch und marschierte direkt auf die Brigade zu. »Zum Striezelmarkt? Wird wieder ein Türchen vom Kalender geöffnet?«

»Wer bist du denn«, fragte einer aus der Gruppe, ein Hüne von Mann, dem Falck nur ungern allein im Dunkeln hätte begegnen wollen.

»Ich bin Polizist und möchte gern Herrn Kurze sprechen. Oder ist er hier irgendwo und ich erkenne ihn nur nicht, weil ihr alle so gleich ausseht?« Schmidt tat, als suchte er nach dem Mann.

Der Hüne ließ sich von Schmidts forschem Auftreten nicht beeindrucken. »Der hat jetzt keine Zeit!«

Entweder war Schmidt wirklich gelassen, oder er war ein hervorragender Schauspieler, stellte Falck bewundernd fest. Der Hauptmann zog ein letztes Mal an seiner Zigarette und schnippte sie beiläufig weg.

»Was habt ihr denn Hübsches vor? Ihr wollt nicht zufällig die Radeberger Straße hoch?«

»Warum sollten wir denn dahin? Gibt's da was Besonderes zu sehen?«, fragte der Wortführer.

»Das weißte schon sehr gut selbst. Und jetzt zurück ins Glied, die Erwachsenen müssen arbeiten.« Schmidt hatte keine Miene verzogen, ließ den Mann einfach stehen und marschierte Richtung Hinterhaus. Falck überlegte, was es mit dem Hinweis auf die Radeberger Straße für eine Bewandtnis hatte, aber vermutlich bezog sich das auf ein Wohnheim für Gastarbeiter aus Mosambik.

»Herr Kurze!«, rief Schmidt laut und war vor dem Eingang stehen geblieben. »Schmidt hier, Kripo!«

Oben öffnete sich ein Fenster. »Was ist denn jetzt schon wieder?«, fragte eine Stimme betont genervt. Vor seinen Leuten musste der Mann sich ganz sicher cool geben.

»Wir möchten mit Ihnen reden, dazu würden wir gern mal reinkommen!«

»Und wenn ich das nicht will?«

»Dann muss ich Sie von hier unten fragen, woher Sie das viele Geld haben, um sich einen guten Gebrauchtwagen Marke Opel leisten zu können?«

Kurze schnappte sichtbar nach Luft. »Keinen Schimmer, von was Sie sprechen!«, erwiderte er und winkte dabei unmerklich mit der Hand, dass sie hereinkommen sollten.

»Woher wissen Sie denn das mit der Karre?«, fragte Kurze leise, nachdem er überprüft hatte, dass keiner seiner Kameraden ihnen ins Haus gefolgt war. »Die hab ich erst vor zwei Tagen geholt und in die Garage von meinem Alten gestellt!« In seiner Wohnung stank es nach Bier und kaltem Rauch. An der Wand hing eine Reichskriegsflagge.

»Wir sind die Polizei! Manchmal wissen wir mehr als andere«, erwiderte Schmidt lakonisch. Plötzlich drückte er dem Mann die flache Hand vor die Brust und drückte ihn sanft, aber bestimmt gegen die Flurwand. »Hör mal, Freundchen, ich mach's jetzt kurz und knapp. Ich weiß, dass du niemals so viel Knete hattest und schon gar nicht Westgeld, um dir so eine Karre zu kaufen. Neuntausendneunhundert D-Mark, wie wir vom freundlichen Opelhändler in Hof wissen. Die hast du geklaut, und ich weiß auch, wo. Aus der Bude deines toten Kumpels. Ich vermute mal, der war noch gar nicht kalt, da hast du ihm die Wohnung ausgeräumt. Das nenn ich Kameradschaft! Ist mir aber schnurzpiepegal, verstehst du? Ich will nur wissen, woher Gwisdek die Knete hatte. Und du brauchst gar nicht rumzueiern. Sonst hättest du von dem Geld ja nichts gewusst! Also?«

Für einen kurzen Moment brannte der Widerstand in Kurzes Augen, erlosch jedoch wieder schnell.

»Sie zeigen mich aber nicht an!«, sagte er. »Und denen da draußen erzählen Sie das auch nicht, klar?«

Schmidt sah ihn nur an.

Kurze verstand, dass er keine Fragen stellen, sondern Antworten geben sollte. »Also, Torsten wurde in der Disko angequatscht, von so einem reichen Typen. Wie gesagt, Torsten war Türsteher, so groß, der fiel auf wie ein Leuchtturm.« Er machte eine entsprechende Handbewegung. »Der Typ meinte, er bräuchte einen Jungen wie ihn, einen, der ihm hilft und ein bisschen was hermacht. Er wollte so bald wie möglich einen Laden aufbauen, und Torsten sollte da beim Organisieren helfen.«

»Organisieren? Was denn?«

»Farbe, Möbel, solchen Schnickschnack eben, und er sollte mit Mädels quatschen, die sich was verdienen wollen. Der Typ hat ihm die Kohle dafür gleich in die Hand gedrückt.«

»Dich hat er auch gefragt?«

»Nee, nur Torsten.«

»Nun ist der Torsten aber tot und auch dieser reiche Typ nebst seinem Leibwächter«, merkte Schmidt an.

Kurze sah auf. »Echt?«

»Echt.« Schmidt sah Kurze unverwandt an. »Als Torsten starb, an diesem Abend, da ist dir gar nichts aufgefallen? Wie ist die Schlägerei entstanden, bei der er starb? Wie viele Leute waren beteiligt?«

Kurze hob die Schultern. »Das ging wie immer schnell, jemand sagt was Dummes oder wird falsch verstanden, dann zuckt die Pfote, es knackt; und schon springen alle drauf. An dem Abend war es auch so. Irgend so 'ne Scheißkohle war garantiert beteiligt.«

»Ja? Garantiert?«

»Na ja, oder jemand anderes. Kann sein, dass es doch keine Kohle war. Aber trotzdem. Ich hab keinen Schimmer, hab ja auch erst gesehen, dass was los ist, da bewegte sich der Pulk schon nach draußen. Die schreien ja dann auch immer alle durcheinander.«

»Und sonst? Ihr habt euch doch bestimmt darüber unterhalten. Ist deinem Kumpel etwas aufgefallen, von dem er dir erzählt hat? Irgendetwas Ungewöhnliches? Hat er dir sonst etwas erzählt, im Vertrauen?«

»Er hat gesagt, dass ihn mal eine Frau angesprochen hätte.«

»Ja? Und?«, drängte Schmidt und wedelte mit der Hand.

»Na ja, die war ihm nicht geheuer.«

»Nicht geheuer. Kannst du das mal konkretisieren?«

»Die war eben seltsam. Viel älter als er.«

»Wie alt?«

»Weiß nicht, so alt wie Sie? Ende vierzig vielleicht? Erst hat sie sich an ihn rangemacht und dann nach allen Mitteln der Kunst ausgefragt.«

»Wann?«

»Einen Tag bevor er starb.«

Schmidt atmete tief durch. »Junge, das sind so Dinge, die man der Polizei erzählen sollte, wenn sein bester Kumpel stirbt!«

»Mich hat doch keiner gefragt! Die Bullen wollten gar nichts wissen!«, verteidigte sich Kurze.

»Und die Frau, hat er sie beschrieben, hast du sie gesehen? Irgendjemand?«

»Die war wohl ziemlich aufgedonnert. Und blond.« Kurze hob die Schultern. »Meinen Sie wirklich, für mich könnte das auch gefährlich sein?«

Schmidt sah ihn mitleidig an. »Tja, willkommen in der freien Welt.«

19

»Egon Krenz hat sein Amt als Staatsoberhaupt niedergelegt!«
Schmidt war ins Büro zurückgekommen und verkündete die
neueste Nachricht.

Falck und Bach, die sich gerade gemeinsam über Listen gebeugt hatten, sahen auf, schwiegen aber beide.

»Dachte, es interessiert euch.« Schmidt setzte sich an seinen
Tisch. »Was rausgefunden?«, fragte er.

»Haben Sie was rausgefunden?«, fragte Bach zurück, denn
Schmidt war gerade mal zehn Minuten aus dem Büro gewesen.

Schmidt grinste. »Die Suderberg ist seit mindestens zwei
Wochen nicht zum Dienst erschienen. Drüben, bei ihrer
Dienststelle in der BRD, vermutet man, dass sie in die DDR
eingereist ist. Es gibt jedoch keinen bürokratischen Vorgang,
der das belegt. In Frankfurt pflegte sie wohl engen Kontakt
zur Rotlichtszene. Es gibt im Zusammenhang mit ihr einen
Todesfall, der geprüft wird. Sie gilt als schwierig, tut sich mit
Vorgesetzten schwer, agiert oft auf eigene Faust. Dieser Kallbusch muss ihr schon bekannt gewesen sein, da sie wohl
einige Zeit bei der Polizei in Hamburg gearbeitet hat. Außerdem soll Kallbusch in Konkurrenz mit einigen Rotlichtgrößen
in Frankfurt stehen.« Schmidt zog die Mundwinkel nach unten. »Passt alles super zusammen, oder?«

»Was wollen Sie denn damit sagen?«, fragte Falck.

Schmidt verzog gequält das Gesicht. »Das liegt doch auf der
Hand. Sie selbst ist der gesuchte Killer, arbeitet für eine Frank-

furter Rotlichtgröße, als Polizistin gut getarnt. Kaum ist die Mauer offen, verlagern die ihren Krieg in die DDR. Sie kommt rüber, sammelt Informationen, legt den Gwisdek um, legt Kallbusch um, legt seinen Leibwächter um, macht den Weg frei für ihre Leute. Deshalb ist sie auch noch hier, um den Platz zu besetzen. Und wir Dummies haben sie schön durch die Gegend gefahren.«

»Und warum kommt sie hierher?«, fragte Falck hartnäckig weiter. So schnell wollte er sich mit Schmidts These nicht zufriedengeben. »Ausgerechnet zur Polizei.«

Schmidt hatte auch dafür eine Antwort parat. »Sie nutzt unsere Informationen, lässt sich durch die Gegend kutschieren, ist immer auf dem neuesten Stand unserer Ermittlungen und kann hier außerdem pennen. Was will man mehr?«

»Ermittlungen nennen Sie das?«, fragte Falck und wunderte sich kurz über seine aufsässige Art. Aber das war ihm jetzt egal.

»Heh!«, ermahnte ihn Bach.

»Ist doch wahr! Wir eiern hier rum, rennen durch die Gegend, schubsen Leute, verlieren Leichen, finden sie zufällig wieder. Und keinen interessiert das. Hier macht jeder irgendwas, nur keine Polizeiarbeit!« Falck zwang sich, nicht auf den Boden, sondern Schmidt in die Augen zu sehen.

Dieser starrte ihn einige lange Sekunden an. Bach schaffte unmerklich etwas Abstand zwischen Falck und sich.

»Wohl wahr«, tat Schmidt das Ganze ab und nahm sich eine Zigarette.

»Und dass Sie hier immer rauchen, stinkt mich auch an!«, rief Falck, der seine Vorwürfe an Schmidt zerplatzen sah wie Seifenblasen.

»Dann mach das Fenster auf!«, blaffte Schmidt und zündete sich die Zigarette an. »Ich habe in Erfahrung bringen können, dass diese Heidrun Mahler, deren Ausweis wir im BMW fanden, offensichtlich vor zirka zwei Wochen bei einer Schießerei in einem Bordell in Frankfurt am Main ums Leben gekommen ist. Seit diesem Tag ist auch die Suderberg nicht mehr zum Dienst erschienen. Ich habe den Staatsanwalt dazu gebracht, eine Fahndung auszurufen. Die Westdeutschen haben schon mal vorsorglich eine Auslieferung der Suderberg beantragt. Keine Ahnung, was da drüben gegen sie läuft. Und wenn du Lust auf Polizeiarbeit hast, dann mach doch, Tobi! Dort liegt alles, was wir haben.« Schmidt langte nach Unterlagen auf seinem Tisch und warf sie Falck auf den Tisch. »Der Leibwächter wurde stranguliert, sagt die Gerichtsmedizin. Der war schon einen Tag tot, als das Gas sich entzündete. Die Feuerwehr hatte einen Spezialisten vor Ort gehabt, der meinte, dass die Gasleitung einfach aufgedreht wurde. Es gibt keine Zeugen dafür, dass vor und nach uns irgendjemand das Haus betreten hätte.«

»Du meinst, die Suderberg wollte Selbstmord begehen?«, fragte Falck.

»Immerhin hat sie ja einen Ausweg übers Dach gewusst.« Schmidt lächelte, doch das Lächeln war nicht echt. »Wenn dir meine Theorie nicht passt, Tobi, dann mach dir deinen eigenen Kopf. Ich mach jetzt jedenfalls Feierabend.«

20

»Komm, gehen wir heim!« Stefanie Bach erhob sich, streckte ihren Rücken durch und gähnte. »Diese ganzen Zeugenaussagen sind doch alle nichtssagend. Vielleicht hat Schmidt ja recht.«

»Was heißt Schmidt hat recht? Du glaubst das doch auch!« Falck sortierte das nächste Blatt nach rechts. Er hatte alle Protokolle schon zweimal gelesen. Es war sinnlos, aber er wollte es nicht zugeben.

»Na komm! Ist schon dunkel, und ich hab noch kein einziges Weihnachtsgeschenk. Ich wollte noch mal ins *Centrum Warenhaus*. Kommst du mit? Ich hasse es, Geschenke zu besorgen. Du könntest mich vielleicht beraten? Oder hast du Lust, am Freitag mit mir nach Westberlin zu fahren?«

Falck sah jetzt doch auf. »Meinst du das ernst?«

Bach zögerte kurz, dann winkte sie ab. »Nee, war nur Spaß. Kommst du jetzt?«

Falck sah sie nachdenklich an. »Ich glaube, der Täter hat noch in der Kneipe gesessen. Das muss einer der Männer gewesen sein. Wir müssen das überprüfen.« Falck tippte auf das Blatt.

Bach seufzte und setzte sich wieder. »Dass es die Suderberg war, willst du einfach nicht akzeptieren, was? Sie war schon da, als wir kamen. Woher soll die das gewusst haben? Ein Funkgerät hat sie nicht. Du willst nur Schmidt den Triumph nicht gönnen.« Sie sah Falck an. »Ich bin ja auch genervt von ihm, aber du siehst doch, der macht ganz schön was durch. Das merken wir nur nicht.«

»Er bindet uns nicht ein, weil er glaubt, das hier sei seine Abteilung!«

»Merkst du das denn nicht, Tobias? Hier bricht doch alles nach und nach zusammen. Schmidt hält wenigstens unseren Laden am Laufen.«

Falck hob die Schultern. »Was bricht denn hier zusammen?«, sagte er fast etwas trotzig. »Ich gebe das mal weiter. Die sollen die Leute überprüfen.«

»Und?«, fragte Bach.

»Wie *und*?«

»Und dann? Du hast doch was vor.«

Falck zögerte, es auszusprechen, tat es dann aber doch. »Ich mache mir Gedanken über die Suderberg. Sie ist allein, hat kein Dach über dem Kopf, und ich frage mich, was sie gesehen haben muss, dass sie ihr Auto in der Werkstatt hat stehen lassen?«

»Mensch, Tobias, mach es nicht so spannend. Was hast du denn vor?«

»Alles spielt sich in dem Viertel an der Leipziger Straße ab, der Mord, der Hausbrand, und auch die Werkstatt ist da. Ich will hinfahren und mich umsehen.«

»Einfach so?«

»Ja, einfach so. Fahr du ruhig heim!«

»Tobi, du nervst echt.«

»Du musst ja nicht mitkommen. Und bitte, sag nicht *Tobi* zu mir. Das sagt meine Omi zu mir. Nur die und sonst niemand! Nicht mal meine Mutter.«

Bach lachte, nahm ihre Jacke und wand sich den Schal um den Hals. »Doch, ich! Dein Pech! Gehen wir?«

»Meinst du nicht, es reicht jetzt langsam?« Seit einer Stunde saßen sie jetzt schon in ihrem Trabant. Falck kam seine Theorie immer unsinniger vor. Kreuz und quer waren sie durch das

Viertel gefahren, hatten die Kneipe beobachtet, waren am Haus in der Weimarischen Straße vorbeigefahren, auf dessen Dach sie hatten klettern müssen, und hatten in der Nähe der Autowerkstatt gewartet, in der Hoffnung, Suderberg bei dem Versuch, ihr Auto zu holen, zu stellen. Es sei denn, sie wusste, dass der BMW gar nicht mehr dort war, sondern auf einem überwachten Parkplatz für sichergestellte Fahrzeuge stand. Bachs Laune sank von Minute zu Minute.

Falck fror, obwohl sie den Motor laufen ließen, damit warme Luft ins Innere des Trabants geblasen wurde. Es hatte begonnen zu schneien, kein schöner, nostalgisch anmutender Schnee, sondern kleiner harter Graupel, der an die Scheiben schlug und eine eiskalte Nacht ankündigte, die noch kälter werden würde als die Nächte zuvor.

»Fahren wir noch einmal zu dem Haus? Dann bringe ich dich heim!«, sagte er. Doch seine Kollegin gab keine Antwort, sie stöhnte nur. Kein Nein war ein Ja, dachte sich Falck und bog ein weiteres Mal in die Moritzburger ab. In Sichtweite des Hauses blieben sie stehen. Die Fassade glänzte noch vom gefrorenen Löschwasser, in dem sich das Licht dreier Scheinwerfer von dem Autohandel reflektierte.

»Lass uns mal nachschauen, ob die Haustür zu ist.« Falck wartete gar nicht erst auf Bachs Reaktion, stellte den Motor ab und stieg aus. Zu seiner Erleichterung hörte er, dass Bach ihm folgte. Schweigend liefen sie die Straße entlang. In dem Augenblick gingen beim Autohändler die Lichter aus. Nun beleuchteten nur noch die alten Gaslaternen die Straße. Falck konnte den Autohändler erkennen, ein älterer kleiner Mann, der das Grundstück verließ und an einem losen hölzernen Zaunteil zerrte, um damit die Einfahrt zu verschließen. Er schloss es rechts und links mit Fahrradschlössern an den Zaunpfählen an.

»Wollen Sie noch mal einen Blick darauf werfen?«, fragte

er, als er Bach und Falck entdeckte, und deutete auf seine Fahrzeuge. Er hatte sie ganz offenbar nicht wiedererkannt.

»Nein danke«, sagte Bach hastig, »wir sind nicht deswegen hier.«

»Sind Sie wegen des Brandes hier?« Der Mann war misstrauisch, vermutlich waren heute schon einige Schaulustige da gewesen.

»Darüber wissen wir bereits Bescheid.« Bach nickte freundlich, dabei zitterte sie am ganzen Körper, so kalt war ihr. »Glauben Sie denn, dass Sie Ihre Autos loswerden? Die Leute haben für so etwas doch gar kein Geld.«

Schlagartig wurde der Mann freundlicher. »Ach, das wird schon. Zwei konnte ich schon verkaufen. Morgen soll noch ein Golf kommen. Falls Sie also doch interessiert sein sollten …?« Er grüßte und wollte gehen, doch nun blieb er noch einmal stehen. »Sie sind doch die Polizisten, oder? Mit dem Toten in der Kneipe da vorn, haben Sie damit auch etwas zu tun?«

»Wissen Sie etwas darüber?«

»Ich weiß nur, was mir jemand erzählt hat. Aber mir ist etwas eingefallen. Ich weiß nicht, ob das wichtig ist.«

»Moment, Ihr Name ist Heilmann?«, fragte Falck nach.

»Ja, Joachim Heilmann. Steht ja auch da: *Heilmann Automobile*!« Er zeigte mit gewissem Stolz auf ein neues Schild an seinem Schuppen. »Dieser Mann, also der, der vor der Kneipe starb, der war einen Tag zuvor hier auf meinem Hof. Wir haben ein bisschen geredet, und er wollte wissen, woher ich die Autos beziehe. Die besorgt mir nämlich ein Freund, der ist zweiundachtzig in den Westen abgehauen und betreibt eine Autowerkstatt drüben. Das läuft alles ganz legal, ich habe Importpapiere.«

»Was hat Ihnen der Mann denn erzählt?«, versuchte Bach den Mann wieder auf die richtige Spur zu bringen.

»Er war ganz aufgebracht. Er hat mir erzählt, dass ihm seit einiger Zeit eine Frau folgt, von der er glaubte, dass es eine Polizistin oder eine vom Finanzamt sei, die ihm aus dem Westen nachspionierte. Der muss wohl ziemlich Geld gehabt haben. Da ist das Finanzamt ja sehr findig. Na ja, sieht man ja, dass es einem nichts nützt. Am Ende kannst du nichts mitnehmen.«

»Hat er Ihnen denn den Namen der Frau genannt? Oder hat er sie beschrieben?« Falck war hellhörig geworden.

»Nein, hat er nicht. Er hat sich aber dauernd umgesehen, als fürchtete er, dass sie jeden Augenblick auftauchte. Und sein Freund, also, ich glaube, das war so eine Art Leibwächter, der war auch ganz nervös. Und Sie sehen ja, irgendwas stimmt hier nicht. Ich kann mir einfach nicht vorstellen, dass einer von den Gaswerken das Ventil geöffnet und dann noch geraucht haben soll.«

»Erzählt man das?«, fragte Bach.

»Na, Sie kennen doch die Leute.« Heilmann lachte. »Also dann, einen schönen Abend noch. Und wenn Sie doch noch Interesse haben, kommen Sie einfach vorbei, ich kann Ihnen einen guten Preis machen.« Heilmann nickte ihnen freundlich zu und stieg dann in einen Wartburg, der ein Stück die Straße hinunter geparkt war.

Bach und Falck sahen ihm nach. »Ich geh da jetzt rein«, sagte Falck nach einer Weile leise und deutete auf das Haus. Eigentlich hatte er seine Mutter längst anrufen wollen, um ihr von seinen ersten Tagen im neuen Dienst zu erzählen. Das hatte er ganz vergessen. Außerdem wollten sie besprechen, wo sie Weihnachten feiern wollten, zuhause oder bei seinem Bruder oder seiner Schwester. Die waren beide schon verheiratet und hatten Kinder. *Hallo, Mutti, Überraschung, ich habe jetzt auch eins.* Falck musste beinahe lachen bei dem Gedanken, wie seine Mutter bei dieser Nachricht reagieren würde.

»Jetzt musst du selbst lachen, oder?« Bach verschränkte die Arme und war mürrisch.

»Nee, mal im Ernst. Ich geh da rein. Vielleicht hat sie sich ja drinnen versteckt.«

»Warum sollte …?« Bach schüttelte ratlos den Kopf.

»Weil sie dort niemand suchen würde!«

»Und du meinst, wir gehen da rein, zu zweit, ja? In ein stockfinsteres fremdes Haus, in dem es gestern erst gebrannt hat? Damit die uns abmurksen kann. Kannst du mal ganz kurz deinen Verstand einschalten? Wenn du unbedingt da rein-willst, funk lieber die Zentrale wegen Verstärkung an. Echt jetzt, Tobias, mach, was du willst, aber ich bleibe hier stehen.«

»Aber wir können doch nicht …« Falck schloss den Mund.

»Was denn?« Bach wurde spürbar schlecht gelaunt. »Du kannst dich nicht um alles kümmern. Soll sich doch die Mord-kommission kümmern. Mir ist arschkalt, siehst du eigentlich, wie ich hier bibbere? Würde mich nicht wundern, wenn ich morgen krank bin.«

Es fühlte sich nicht gut für ihn an, als Bach aus dem Auto stieg. Sie wohnte in einem Mehrfamilienhaus im Ortsteil Omsewitz, in Sichtweite zu den Wohnblöcken des riesigen Neubauviertels Gorbitz. Ihre Eltern lebten auch in dem Haus. Wie es eben so war in einer Gesellschaft, in der man entweder Glück haben oder jemanden kennen musste, schnell und auch ein bisschen frech sein musste, um eine Wohnung zu bekom-men.

Jetzt, als der Sitz neben Falck leer war, da war ihm, als wäre er noch nicht fertig für heute, als hätte er noch nicht genug getan. Doch was hätte er schon tun sollen? Doch in das Haus hineingehen? Verstärkung rufen und sich lächerlich machen? Und wenn es nun stimmte? Wenn die Suderberg eine Auf-tragsmörderin war, so skrupellos, dass sie in der Polizeidirektion ein und aus ging und vor ihren Augen Menschen umbrachte und deren Leichen beseitigte? Was würde ihm geschehen, wenn er ihr auf eigene Faust nachspürte?

Er hatte keine Ahnung von den Zuständen im Westen. War es vielleicht normal, dass sich die Zuhälter gegenseitig umbrachten? Spiegelten nicht die Filme immer auch die Gesellschaft wider, weswegen die amerikanischen Filme und die westdeutschen Fernsehserien von Verbrechern mit Waffen und ohne Skrupel nur so wimmelten.

Falck wollte unbedingt etwas tun, das ihn zufrieden diesen Tag beenden ließ, und heute war er ganz bestimmt noch nicht zufrieden. Als er in die Gompitzer Straße einbog, um wieder in Richtung Stadtzentrum zu gelangen, machte ihm das Knacken des Funkgerätes bewusst, dass er noch mit dem Dienstwagen unterwegs war. Er musste ihn noch zurückbringen, ehe er heimfahren konnte. Oder sollte er ihn einfach über Nacht behalten? Es gab hierzu keine Anweisungen mehr oder zumindest keinen, den das interessierte.

Der Schneefall hatte zwar nicht zugenommen, doch es schneite unablässig weiter. Mittlerweile holperte der Trabant mit seinen harten Reifen über eine feine weiße Schneeschicht. Falck schaltete zurück in den dritten Gang, um abzubremsen, der Motor heulte kurz auf. Weiter unten, auf der Pennricher Straße, beschleunigte er wieder. Ein W50-Laster vom städtischen Winterdienst hatte Salz gestreut und war weit vor ihm rechts abgebogen. Falck fuhr weiter geradeaus, auch hier taute vom Salz der Schnee auf dem Pflaster. Das Emerich-Ambros-Ufer kam in Sichtweite, eine Straße, die zu beiden Seiten parallel der Weißeritz verlief, an der sich auch das Reichsbahnausbesserungswerk befand. Es war nicht viel los auf den Straßen, schon gar nicht in Richtung Stadtzentrum. Die Ampel an der Kreuzung, an der die Fröbelstraße den schmalen Fluss und das Ambros-Ufer kreuzte, schaltete auf Grün, und Falck beschleunigte. Gerade als er die Brücke erreichte, traf den Trabant hinten links ein heftiger Stoß. Falck wurde das Lenkrad aus der Hand gerissen, das Auto drehte sich. Einen weiteren heftigen Schlag gab es, als es den Bordstein hinaufsprang, und ehe er verstehen konnte, was geschah, durchbrach der Trabant das Geländer der Brücke und stürzte ins Wasser.

Der Gurt hielt Falck, als das Auto nach fünf Meter freiem Fall frontal aufschlug. Trotzdem prallte sein Kopf gegen das Lenkrad. Eine paar Augenblicke stand der Wagen, dann neigte er sich nach vorn. Falck wollte sich nach hinten werfen, doch er hing fest und konnte sich nicht bewegen. Das Auto kippte auf das Dach, das zwar dem Gewicht des Wagens standhielt, doch die Fenster zersplitterten und der Innenraum war in Sekundenschnelle mit Wasser geflutet.

Der Fluss war nicht tief an dieser Stelle, dreißig, vierzig Zentimeter, doch es reichte, dass Falcks Kopf im eisigen Wasser hing. Falck musste sich weit zur Seite beugen, seinen Hals verrenken, um Luft zu schnappen, und geriet immer wieder unter Wasser. Hektisch suchte er nach dem Gurtschloss, doch in seiner Panik konnte er es nicht lösen. Er stemmte die Hände ins Dach, um sich nach oben zu drücken. So bekam er zwar etwas Luft, doch er hing hilflos im Gurt, und schon begannen seine Hände und Arme zu schmerzen im eiskalten Wasser, wurden gefühllos. Lange würde er das nicht aushalten. In letzter Not fingerte er nach dem Funkgerät, doch das Gerät war tot.

»Hallo?« Plötzlich war von irgendwoher eine Frauenstimme zu hören.

»Hilfe!«, schrie Falck.

»Warten Sie! Warten Sie, wir kommen.«

Durch das Rauschen des Wassers waren Geräusche zu hören. Jemand rutschte den Hang hinunter, platschte durch das Wasser.

»Los, hier, drücken auf drei!«, rief ein Mann, und der Wagen bewegte sich.

»Los, weiter!«

Endlich spürte Falck, wie der Trabant sich drehte, zuerst auf die Seite, bis die Schwerkraft ihn schließlich auf die Räder fallen ließ. Die Helfer zerrten an den Türen und bekamen schließlich nach einigem Mühen die Beifahrertür geöffnet. Jemand löste Falcks Gurt, Hände fassten ihn am Jackenkragen und zogen ihn aus dem Fahrersitz.

»Komm raus, Junge!«

Falck wollte mithelfen, doch ein Schmerz durchfuhr seinen Rücken, der ihn aufschreien ließ.

»Das nützt jetzt nüscht«, meinte einer der Helfer trocken. »Du musst da raus, sonst holst du dir den Tod!«

21

»Du hast meinen schönen Trabi geschrottet?« Schmidt hatte sich vor Falcks Krankenhausbett aufgebaut. Er hatte ihm noch nicht einmal einen guten Morgen gewünscht.

Falck, der die Nacht im Krankenhaus Friedrichstadt verbracht hatte, richtete sich stöhnend auf. Sein Rücken schmerzte, doch nach dem ersten Befund war er nur gestaucht, die Wirbelsäule unversehrt. Er wollte dem Ersthelfer am Unfallort wirklich keinen Vorwurf machen, doch bei dieser Rettungsaktion hätte seine Wirbelsäule nicht ernsthaft verletzt sein dürfen.

»Erstens ist es nicht dein Trabi«, sagte Falck ärgerlich und fand es durchaus angemessen, Schmidt jetzt ebenfalls zu duzen, »zweitens wurde ich gerammt!«

»Logisch!« Schmidt riss theatralisch die Augen auf. »Die Zeugen sagen aus, dass du mit ordentlich Dampf angepfeffert kamst!«

»Welche Zeugen?«, fragte Falck zornig. »Da war weit und breit kein Mensch, als ich an die Kreuzung kam. Ich bin ganz normal geradeaus gefahren, wieso soll ich denn plötzlich die Kontrolle verlieren? Und außerdem kann man das doch sicher sehen, dass ich gerammt wurde. Lackspuren, Splitter, was weiß ich. Das andere Auto muss ja auch kaputt sein.« Es war sinnlos, darüber zu diskutieren, vielmehr galt es zu handeln. Im Krankenhausnachthemd argumentierte es sich so oder so wenig aussichtsreich.

Schmidt hob beschwichtigend die Hände.

»Wie soll denn das passiert sein?«, fragte er schließlich etwas ruhiger und zog sich den Stuhl neben Falcks Metallbett.

»Der muss mir gefolgt sein, ohne Licht. Die Fröbelstraße runter hat er dann Gas gegeben und mich hinten links getroffen. Oder er kam vom Ambros Ufer, dann aber garantiert auch ohne Licht.«

»Hat er dich wirklich absichtlich gerammt oder meinst du, es könnte einfach ein Unfall gewesen sein?«

»Könnte, ja, aber ich sage dir, das war Absicht.« Falck verzog das Gesicht bei jeder Bewegung. »Wo ist denn eigentlich Steffi?«

Schmidt zog die Schultern hoch. »Nicht im Büro. Und zuhause nicht erreichbar.«

»Wie meinst du das?«, fragte Falck und schob sich noch weiter hoch im Bett.

Eine Krankenschwester, die gerade an der offenen Tür des Zimmers vorbeikam, sah das.

»Na, na, na, junger Mann, schön sachte mit dem Rücken!«

Falck lächelte verkniffen. »Wie meinst du das, nicht zu erreichen? Ich habe sie letzte Nacht heimgebracht!«

»Ich habe bei ihr jedenfalls angerufen, aber sie geht nicht ans Telefon!«

»Und ihre Eltern? Sie wohnen im gleichen Haus!«

Schmidt hob die Hände. »Von denen habe ich doch keine Nummer, geschweige denn, dass ich überhaupt weiß, wo ihre Eltern wohnen und ob die ein Telefon haben.«

Falck richtete sich jetzt ganz auf und schwang vorsichtig die Beine aus dem Bett. Er deutete auf den spindartigen Schrank in der Zimmerecke. »Sind da meine Sachen drin?«

Schmidt stand auf, um nachzusehen. »Nee, da ist nichts! Das war bestimmt alles nass. Deine Dienstwaffe wurde übrigens von der Funkstreife konfisziert, die zuerst am Unfallort war. Die wurde heute Nacht noch in der Direktion abgegeben.«

»Dann gib mir deine Jacke, wir müssen los!«

»Nun mal schön langsam, Junge, wo willst du denn hin?«

»Zu Steffi nach Hause!«

»Ich kann auch …«

Falck war schon aufgestanden. »Nein, komm, lass uns gehen. Kannst du mal nachschauen, ob auf dem Gang die Luft rein ist?«

»Warte mal!« Schmidt verließ das Zimmer, und es dauerte eine Weile, bis er eilig zurückkam.

»Los, zackig!« Er warf Falck eine Kordhose und einen Pullover auf das Bett und stellte ein Paar Schuhe vor ihn. Falcks fragenden Blick wischte er mit einer Handbewegung weg.

»Frag besser nicht. Der Kerl im Nachbarzimmer braucht das gerade nicht.«

Falck fragte nicht, stieg in die etwas zu große Hose, warf sich den Pullover über und fuhr in die Slipper, die eigentlich auch zu groß waren.

»Lass uns gleich zu Steffi fahren, die Knarre können wir nachher noch holen.«

»Ich weiß es nicht«, sagte die Frau, die unverkennbar Steffi Bachs Mutter war. »Ich weiß nur, dass sie gestern sehr spät kam. Wo sie jetzt ist, weiß ich wirklich nicht.«

»Ich habe gehört, dass jemand bei ihr geklingelt hat, kaum dass sie zu Hause war«, rief Steffis Vater aus einem der Zimmer in der Wohnung. Dann kam er zur Tür. Er war dabei, sich für die Arbeit fertig zu machen, und war noch nicht vollständig bekleidet.

»Es hat geklingelt?«, fragte Falck. »Gleich nachdem sie kam?«

Herr Bach nickte. »Ja. Ich dachte noch, wen sie wohl um die

Zeit noch empfängt. Wir glauben ja, sie hat einen Freund und will es uns nicht sagen.«

»Und dann? Ging sie weg?«

»Zumindest der Besucher ging wieder. Dann hörte ich einen Motor starten. Ich habe mich noch gewundert, denn es hörte sich nach einer großen Maschine an. Einen Viertakter auf jeden Fall. Und ich würde behaupten, dass es eine Frau war, die gesprochen hat.«

»Eine Frau, wirklich? Und das war nicht Ihre Tochter?«

»Nein, ich erkenne doch die Stimme meiner Tochter. Da war noch eine andere Frau.«

»Ich geh mal zum Funk!«, sagte Schmidt und rannte fast die Treppe hinunter.

»Sonst noch etwas?«, fragte Falck. Er wollte die Eltern seiner Kollegin nicht beunruhigen, doch er musste es genau wissen. »Haben Sie einen Schlüssel?«

»Für Steffis Wohnung? Ja!«

»Lassen Sie uns nachsehen, bitte«, drängte Falck.

»Na gut, wenn's sein muss.« Herr Bach wollte sich nichts anmerken lassen, doch er ließ vor Nervosität den Schlüssel fallen, als er ihn vom Haken nahm. Hastig hob er ihn auf. Dann gingen sie zusammen eilig die Treppe hinauf. Herr Bach zitterte, als er aufschließen wollte, und verfehlte zweimal das Schloss.

»Steffi! Bist du da?«, rief Falck in die Wohnung. »Wir kommen mal rein, dein Vater und ich!«

»Es wird doch nichts passiert sein?«, fragte Frau Bach besorgt, die ihnen gefolgt war.

»Moni, geh runter!«, bestimmte Herr Bach. Falck war schon dabei, sich in der Wohnung umzuschauen. Er warf einen raschen Blick in die Küche, ins Wohnzimmer, ins Schlafzimmer und auch ins Bad.

»Sie ist nicht hier! Bleiben Sie hier, am Telefon. Rufen Sie in der Zentrale an, sobald Sie etwas erfahren. Wenn sie sich meldet oder auftaucht.«

Falck wollte los, doch der Mann hielt ihn am Arm fest.

»Was ist denn los? Müssen wir uns große Sorgen machen?«

»Ich weiß es nicht«, gab Falck ehrlich zu. Warum sollte er den Eltern irgendetwas vormachen? »Wir melden uns, sobald es Neuigkeiten gibt!«

»Du glaubst es nicht!«, grunzte Schmidt und war entrüstet. Er startete den Motor, kaum dass Falck auf dem Beifahrersitz saß. »Heute Nacht wurde der BMW der Suderberg vom Gelände der Dienststelle gestohlen. Die Wache hat nichts bemerkt. Das Tor stand morgens offen, das Schloss war einfach geknackt, die Karre weg.«

»Was machen wir jetzt?«, fragte Falck. Ein Gefühl wie Sodbrennen stieg in seinem Körper auf und wanderte bis in seinen Kopf. Er wollte gleichzeitig überall sein und wusste doch nicht, wohin. »Wir haben das auf die leichte Schulter genommen!«

»Was hätten wir noch machen sollen?«, blaffte Schmidt.

»Was weiß ich, irgendwas. Alles wäre besser gewesen, als nur dämlich herumzuquatschen. Wir quatschen doch immer nur blöde! Merkst du das nicht? Anstatt mal konstruktiv zu sein, wird immer jeder gleich runtergemacht, wenn er eine Idee hat. Dieses ewige Diskutieren bringt uns kein Stück weiter.«

»Sei mal nicht so hart mit uns. Keiner konnte ansatzweise ahnen, was auf uns zukam. Und du, du warst doch früher der Strammste von allen!«

»Bin ich immer noch!« Falck sah Schmidt unverwandt an. »Früher habe ich an den Staat geglaubt. Stimmt. Mir wurde ja nie etwas anderes erzählt, von keinem, auch nicht von meinen Eltern. Aber meine Einstellung hat damit nichts zu tun! Ich wollte schon immer Ordnung und Sicherheit bewahren, und das will ich auch jetzt noch. Brauchst gar nicht so blöd zu feixen!«

»Ich feix gar nicht!«, wehrte sich Schmidt.

Falck war einfach automatisch davon ausgegangen. Er hatte sich in Rage geredet. »Stattdessen wird immer noch mehr Chaos verursacht. Und wir machen fleißig mit.«

»Mach mal halblang ...«, setzte Schmidt an.

»Was habt ihr denn eigentlich gemacht, an dem Tag, als ihr allein unterwegs wart, du und die Suderberg?«

Schmidt sah ihn irritiert an. »Was denn? Wie meinst du das?«

»Ihr wart am nächsten Tag dermaßen schräg drauf! Hat sie dich eingewickelt? Habt ihr was miteinander?«

»Sag mal, spinnst du, so mit mir zu reden? Ich bin immer noch dein Vorgesetzter!«

»Sagst du das jetzt immer, wenn dir was nicht passt? Also, jetzt sag schon. Willst du es nicht zugeben? Hat sie dich eingewickelt? Vielleicht den BMW fahren lassen? Mit dem Toten hintendrin?«

»Du hast sie ja nicht mehr alle!« Schmidt kniff die Lippen zusammen und gab kräftig Gas. »Vielleicht ist Steffi einfach noch mal auf Rauze gegangen oder pennt bei ihrem Freund?«, fügte er noch hinzu.

Das machte es für Falck nicht besser. Er schwieg einen Moment. Sein Rücken tat ihm wieder weh und die Sorge um Steffi nahm überhand. Ganz bestimmt ist sie nicht noch mal losgegangen, nur weil sie um die Häuser ziehen wollte.

»Wie bist du denn eigentlich beim KDD gelandet?«, fragte er ein wenig später, und es hörte sich aggressiver an, als es sollte.

»Ist eben manchmal so, dass man versetzt wird«, schnaubte Schmidt. »Was hat denn das jetzt damit zu tun?«

Falck sagte nichts, sah Schmidt nur weiter unverwandt an und nahm sich vor, sich von der halsbrecherischen Fahrweise nicht beeindrucken zu lassen.

Schmidt sah aus, als führte er ein Selbstgespräch. »Mir ist einmal die Hand ausgerutscht«, begann er dann. »Das war ziemlich heftig, geb ich zu. Hat dem Typen das Kinn ausgerenkt. Der ist gleich zu Boden gegangen.« Er sah kurz zu Falck und verzog seinen rechten Mundwinkel zu einem nach Verständnis heischenden Grinsen. »Hat es sich redlich verdient, ein Großmaul, sag ich dir, und was für eines. Außerdem war ich bei der Mord sowieso schon auf der Abschussrampe. Ich war nämlich nicht so angepasst, haste ja bestimmt schon gemerkt. Neubert wollte den Posten für sich. Jedenfalls traf ich bei einer Hausdurchsuchung auf einen Typen, der wurde wirklich richtig frech. Ich habe ihm eine geballert. War dummerweise der Sohn von irgendeinem Bezirksrat, ein richtiges Bonzenkind. Das hat mir den leichten Knick in der Karriere verursacht. Auf so was haben die bloß gewartet. Es gab gleich ein Parteiausschlussverfahren. Ich bin zwar dringeblieben, aber ich musste mich bei dem Vater von dem Affen entschuldigen und erklären, was ich falsch gemacht habe. Das war vielleicht eine Veranstaltung. Die blanke Erniedrigung. Aber ich meine, das war es wert. Nun weißt du Bescheid!«

Falck schämte sich jetzt etwas. Die Geschichte von Schmidt ging ihn nichts an, er wusste das. Er hatte nur seine Sorge um Steffi an jemandem auslassen wollen.

»Halt mal an der Kreuzung an!« Er zeigte auf die Unfallstelle, der sie sich näherten. Im Geländer klaffte eine Lücke, breit wie ein Trabant, die nur mit zwei Absperrbarken gesichert war. Schmidt widersprach nicht, blinkte rechts und parkte das Auto. Dann nahm er eine Verkehrskelle vom Rücksitz und stieg aus. Mit der Kelle bremste er den Verkehr und betrat die Kreuzung.

»Weiter vorn!« Falck zeigte auf die ungefähre Stelle, an der ihn der andere getroffen haben musste. Schmidt kauerte jetzt mitten im Verkehr auf dem Boden. Mit ausgebreiteten Armen deutete Falck den gaffenden Autofahrern an, sie zu umfahren.

Schmidt hatte etwas von der Straße aufgeklaubt. »Heiliger Bimbam«, murmelte er. »Das sind Glassplitter, die garantiert nicht von einem Trabant stammen.« In gebückter Haltung ging er ein Stück weiter. »Und hier!« Triumphierend hielt er den Teil einer Plastekarosse hoch. Das war eindeutig von einem Trabant, und es waren dunkelgrüne Lackspuren zu erkennen.

Er richtete sich auf. »Los, steig wieder ein, wir müssen in die Zentrale!«

»Fahndung ist raus, landesweit!« Schmidt legte auf, schniefte, holte sich eine Zigarette heraus. »Aber die wäre schön doof, wenn sie mit der zerbeulten Karre durch die Gegend fährt.« Er zündete die Kippe an. »Heute passiert noch was«, unkte er.

»Es passiert doch schon dauernd was!«, murrte Falck. Blödes Gequatsche war das Letzte, was er noch brauchte. Er hatte eine Uniformhose bekommen und eine braune Lederjacke, die Schmidt ihm besorgt hatte. Auch seine Pistole hatte er zurück. Wie zu erwarten gewesen war, ging sofort das Gerücht um, dass er betrunken in die Weißeritz gestürzt sei. Und Kollegen hatten an ihre Bürotür das Bild aus der Zeitung vom Vortag geklebt: Vier Bullen auf dem Dach. Aber jetzt hatte er wirklich andere Sorgen. Er war fertig zum Abmarsch.

»Diese Woche ist schon so viel passiert, das reicht für zehn Dienstjahre. Ich will nicht noch eine Kollegin verlieren. Fahren wir zur Leipziger Straße! Wenn irgendwas passiert, dann dort.«

Schmidt stand der Widerspruch ins Gesicht geschrieben, doch nach kurzem Zögern nickte er.

341

Wahrscheinlich war es genauso sinnlos wie am Abend zuvor, dachte sich Falck, als sie die Leipziger Straße erreichten. Doch es war inzwischen hell, und heute würde ihn nichts davon abhalten, das Haus noch einmal zu durchsuchen. Falck rutschte auf dem Beifahrersitz herum, sein Rücken schmerzte.

»Guck mal, da!«, Schmidt bremste so hart, dass Falck ein scharfer Schmerz in den Rücken schoss und der Fahrer hinter ihnen wütend hupte. Auf dem überwucherten Gelände vor dem alten Schlachthof stand der BMW mitten in einem riesigen Dickicht.

Schmidt bog in die gepflasterte Einfahrt ab. Gemeinsam stiegen sie aus, um den Wagen zu untersuchen. Sie stakten durch das Gebüsch, das mit feinem Schnee bedeckt war.

»Warum steht der hier? Ob die im Schlachthof sind?«, überlegte Schmidt laut und sah sich nach den Gebäuden um. »Da brauchen wir zwanzig Mann, um das zu durchsuchen. Besser hundert!« Er öffnete den Kofferraum. »Hier sind Tüten drin und Stricke!«

Falck war inzwischen aufmerksam um den BMW gelaufen. »Das Auto ist nicht verbeult!« Dieses Auto hatte ihn eindeutig nicht gerammt.

Schmidt wollte sich selbst überzeugen. »Ich kapier nix mehr!«

»Der Motor war wohl wieder ausgegangen, sie hat den Wagen ausrollen lassen.« Falck öffnete die Tür und besah sich den Innenraum. »Hier! Blut! Das ganze Lenkrad ist voll.«

»Hier auch, guck mal!« Schmidt hatte auf der leichten Schneeschicht einen Tropfen entdeckt. »Da, noch mehr, in diese Richtung!« Er zeigte stadtauswärts.

»Das ist ziemlich viel Blut. Komm!« Sie rannten zurück zum Trabant.

An der nächsten Querstraße hielten sie wieder und mussten eine Weile auf dem Gehweg suchen, bevor sie weitere

Blutstropfen entdeckten. Sie lagen mit ihrer Vermutung also richtig.

»Aber warum hat sie Steffi mitgenommen?«, fragte Schmidt. »Warum hat sie sie nicht gleich an Ort und Stelle umgebracht? Dich hat sie doch auch auf direktem Weg umzubringen versucht!«

»Oder aufzuhalten«, versuchte Falck zu relativieren.

»Wenn du mich fragst, das war ein Mordversuch!«

»Ich will nicht darüber reden!«, murmelte Falck.

»Wir müssen es aber in Betracht ziehen.«

»Ich will aber nicht über so etwas reden!«

Sie waren bereits in die Weimarische Straße abgebogen, als sie sich über den Funkstreifenwagen vor dem Autohändler wunderten. Schmidt hielt neben dem Wartburg.

»Was ist denn los?«, fragte er den Uniformierten, der neben dem Auto wartete.

»Autodiebstahl!« Der Polizist deutete auf das Gelände, wo Autohändler Heilmann gerade einem Polizisten etwas in dessen Notizblock diktierte.

»Kommen Sie extra meinetwegen?«, fragte Heilmann, als er die Kriminalpolizisten entdeckte.

»Zufall«, erwiderte Falck und kam näher. »Was ist denn weggekommen?«

Heilmann zeigte auf eine viereckige schneefreie Stelle. »Der Golf!«

»Welche Farbe hatte der?«

»Habe ich gerade Ihrem Genossen gesagt: dunkelgrün. Mein Tor wurde einfach umgefahren!« Heilmann trat von einem Bein aufs andere und rieb sich die Hände, trotz Mantel, Schal und dicken Handschuhen war ihm kalt. »Ich habe eigentlich schon damit gerechnet, dass das passieren würde. Zum Glück bin ich versichert.«

»Wann ist das passiert?«, fragte Falck.

»Ich weiß es nicht. Als ich vorhin eintraf, sah es schon so aus.«

»Leutnant!«, rief Schmidt aus einiger Entfernung. Falck nickte Heilmann zu und ging zurück zu seinem Kollegen. Schmidt deutete stumm auf den Gehweg, auf die Straße und hinüber zu dem Haus, das ihnen beinahe zum Verhängnis geworden wäre. Überall waren Blutspritzer zu erkennen, manche kaum sichtbar, andere ganz deutlich. Die Männer überquerten die Straße. Auch an der Türklinke der Haustür war Blut.

Schmidt griff in seine Jacke, und auch Falck holte die Pistole heraus.

»Ach, warte!«, befahl Schmidt, ehe sie hineingingen. Er pfiff und winkte dem Uniformierten. »Hol mal deinen Kollegen rüber, dalli!«

Der Uniformierte tat wie ihm befohlen, und kurz darauf kamen beide angelaufen.

»Wir suchen eine Frau, Mitte bis Ende dreißig, blonde glatte Haare, könnte gefährlich und bewaffnet sein. Schusswaffengebrauch, Kollegen, aber nur im Notfall. Wenn ihr eine blonde Frau mit Locken seht, die gehört zu uns!«

Die Uniformierten zogen ab, und Schmidt öffnete die Tür.

Es stank penetrant nach Ruß, der Boden war spiegelglatt vom gefrorenen Löschwasser.

»Sie sichern die Kellertür!«, befahl Schmidt dem einen Streifenpolizisten, dem anderen bedeutete er, ihnen zu folgen. Sie durchsuchten die Erdgeschosswohnungen, immer auf der Hut, nicht überrascht zu werden und nicht zu stürzen. Da beide Wohnungen leer waren, gingen sie die Treppe hoch, was wegen der Vereisung fast unmöglich war, wenn man sich nicht an dem rußgeschwärzten Handlauf festhielt. Nach wenigen Sekunden hatten sie allesamt schwarze Hände.

Die Wohnungen in der nächsten Etage waren beide offen.

In der einen Wohnung entdeckten sie auf einem angesengten Bett eine Decke, die nicht verbrannt war, und eine Sporttasche mit Kleidungsstücken. Falck erkannte sofort, dass es Suderbergs Gepäck war. Das waren Klamotten, die er schon mal an ihr gesehen hatte.

»Die ist garantiert getürmt!«, flüsterte Schmidt. »Durchsuchen wir noch die oberen Etagen. Wir sollten Bach unbedingt finden.« Er sah sorgenvoll aus.

Falck nickte, blieb aber stehen.

»Was ist?«, fragte Schmidt.

Falck steckte die Pistole ein, ging auf die Knie, um unter das Bett zu sehen. Sein Rücken meldete sich sofort. Er verzog das Gesicht.

»Denkste etwa, die liegt da drunter?«

Falck antwortete nicht und langte ächzend unter das Bett. Er musste sich dazu fast schon auf den Boden legen. Dann holte er einen Fotoapparat hervor.

Schmidt kam näher.

»Warum liegt das Ding denn da?«, fragte Schmidt.

Falck winkte ab. Er konnte jetzt nicht reden, er musste seinem Rücken gut zureden und nachdenken. Sein Blick fiel zum Fenster. Dann hob er die Kamera vor die Augen und blickte durch den Sucher.

»Man müsste den Film entwickeln«, brummte Schmidt.

»Kannst du mal still sein?«, schimpfte Falck und sah wieder aus dem Fenster. Unten betrat Heilmann gerade seine zum Geschäft umfunktionierte Laube. Kurz darauf kam er wieder heraus, winkte einem Passanten auf der Straße zu und ging dann zu seinem Mercedes, um ihn aufzuschließen. Falck beobachtete, wie er sich in den Wagen setzte und versuchte, den Motor zu starten. Dabei sprach er durch die offen stehende Autotür weiter mit dem Passanten, lachte und schüttelte den Kopf. Dann sprang der Motor an.

»Verdammt!«, rief Falck.

»Was?«, fragte Schmidt, doch Falck war schon aus der Wohnung gerannt. Gleich der erste Schritt auf der vereisten Treppe ließ ihn stürzen und bis aufs Halbpodest hinunterrutschen. Er schrie auf.

»Falck, was ist denn?«, rief Schmidt wieder und folgte ihm. Vorsichtig hangelte er sich am Geländer hinunter. Falck konnte nicht sprechen vor Schmerz. Er verzichtete darauf, sich aufzurichten, sondern rutschte absichtlich und ein wenig kontrollierter die nächste Treppe hinunter. Der eine Uniformierte war schon zur Stelle, um ihm aufzuhelfen. Schlitternd und unter größten Schmerzen humpelte Falck auf die Straße. In dem Moment war Heilmann mit dem Mercedes vom Hof gefahren und beschleunigte Richtung Leipziger Straße. Ohne zu zögern stellte Falck sich mitten auf die Straße, zog die Pistole, zielte und schoss.

»Falck! Bist du völlig plemplem!« Schmidt kam atemlos angerannt und schlug ihm den Arm hinunter. Einer der Uniformierten ergriff Falck von hinten, bog ihm den Arm auf den Rücken und drehte ihm die Waffe aus der Hand, was er widerstandslos geschehen ließ.

Der Mercedes rollte noch und steuerte leicht nach rechts, bis er gegen den Bordstein stieß und stehen blieb. Ein paar Passanten sahen sich verwundert um. Vermutlich hatten sie den Schuss für eine Fehlzündung gehalten.

Schmidt und Falck, dieser im festen Griff des Polizisten, starrten gebannt auf den Mercedes, doch alles blieb still.

Schmidt regte sich als Erster. »Was hast du dir denn dabei gedacht? Komm mit, du Hirni!«, schnauzte er Falck an. Der hatte sich aus dem sowieso schon gelockerten Polizeigriff befreit und lief augenblicklich los. Schmidt hinterher. Kurz vor dem Auto stoppten sie. Der Fahrer war durch die Heckscheibe nicht zu sehen. In der Scheibe war ein kleines Loch, knapp über dem Kofferraum. Schmidt näherte sich der Fahrertür mit größer Vorsicht.

»Verfluchter …« Er verstummte, und Falck stellte sich neben ihn. Heilmann war nach vorne gesunken und lag mit der rechten Gesichtshälfte auf dem Lenkrad. Seine Augen waren geschlossen. Auf den ersten Blick waren keine Verletzungen zu erkennen.

»Hallo«, flüsterte der Hauptmann, »geht es Ihnen gut?«

Als keine Reaktion kam, hielt Falck die Spannung nicht mehr aus, öffnete die Fahrertür und sah sogleich das Loch in der Rücklehne und im Mantel von Heilmann. Wie er es gelernt hatte, griff er dem Mann an den Hals und suchte nach einem Puls.

»Hol mal die SMH«, bat er über seine Schulter hinweg. Dabei wusste er, es war zu spät. Er musste dem Mann mitten ins Herz geschossen haben.

»Junge, das wirst du erklären müssen!«, stöhnte Schmidt.

Falck nickte, er würde das erklären, doch in diesem Augenblick brachte er kein Wort über die Lippen. Es war ihm, als würde er nie wieder etwas sagen können.

»Hören Sie das?«, fragte einer der beiden Uniformierten, die ihnen gefolgt waren.

»Im Kofferraum!«, sagte der andere.

Schmidt packte Falck an der Schulter und zog ihn mit zum Kofferraum. Er öffnete schwungvoll die Klappe, und die Männer starrten hinein.

»Ich kapier das nicht!« Schmidt schüttelte fassungslos den Kopf.

Vor ihnen lag Sybille Suderberg, den Mund geknebelt, an Händen und Füßen gefesselt, und versuchte vergeblich zu schreien. Erst panisch, dann erleichtert sah sie die Männer an. Neben ihr lag Steffi Bach, mit geschlossenen Augen, reglos. Als sie Suderberg hinaushalfen, knickten ihr die Beine weg.

Falck hatte Steffi Bach bereits von ihrem Knebel befreit und schlug sie leicht ins Gesicht.

»Ich glaub, der hat sie erwürgt!«, keuchte Suderberg, die sich schon wieder gefangen hatte. Schmidt riss sich die Jacke vom Leib und breitete sie auf der Straße aus. Die Männer hoben die Polizistin vorsichtig aus dem Auto und legten den leblosen Körper auf die Jacke. Falk kniete neben ihr und versuchte weiter, sie zu Bewusstsein zu bringen.

»Steffi! Komm zu dir! Hörst du mich?«

Suderberg kniete jetzt ebenfalls, tastete nach dem Puls und legte ihren Kopf auf Bachs Brustkorb.

»Scheiße! Keine Atmung, kein Puls!«

»Mach jetzt keinen Mist, Steffi!«, schnaufte Schmidt betroffen.

»Quatschen Sie nicht, holen Sie Hilfe! Ich beatme, Falck, Sie machen Herzdruck!«, befahl Suderberg.

Es waren bestimmt nur Minuten, bis die Schnelle Medizinische Hilfe kam, doch Falck erschienen sie wie eine Ewigkeit. Er presste das Herz seiner Kollegin, schwitzte, schnaufte, während Suderberg ruhig und gleichmäßig Luft in Steffis Lungen pumpte. Endlich kamen die Sanitäter und drängten Suderberg und ihn beiseite. Falck stand auf und ging ein Stück weg. Er wollte nicht zusehen, wollte am liebsten weggehen. Aus dem Augenwinkel sah er, wie sich weitere Sanitäter um den Mann am Steuer kümmerten.

Unvermittelt stand Schmidt neben ihm, die Sanitäter hatten ihm eine Decke um die Schultern gehängt. Er räusperte sich umständlich.

»Wieso hast du das plötzlich gewusst?«, fragte er dann.

Falck schüttelte nur den Kopf.

»Wir haben sie wieder!«, rief plötzlich einer der Sanitäter. »Holt mal die Trage und den Sauerstoff.« Als sich Steffi zu bewegen anfing, drückte er sie sachte zurück. »Nee, schön liegen bleiben, junge Frau.«

»Gott sei Dank«, stöhnte Schmidt erleichtert auf und klopfte Falck heftig zwischen die Schulterblätter. »Mensch, Falck, die hast du jetzt wohl beide gerettet. Wer weiß, was der mit denen angestellt hätte. Aber jetzt musst du mir schon sagen, wie du draufgekommen bist!«

Falck öffnete den Mund und musste dann doch kurz warten, bis er den Würgereiz unterdrückt hatte. Endlich löste sich die Blockade.

»Der Fotoapparat! Ich dachte mir, wen will die fotografieren? Den Heilmann? Gestern hatte ich noch mit ihm gesprochen, und er erzählte von einem Kumpel im Westen, der ihm die Autos schickt. Und dann fragte ich mich, warum die Suderberg ausgerechnet von dem ein Auto stehlen sollte. Heilmann hat selber den Golf gestohlen, der wollte uns weghaben, weil er sich nach unserem Gespräch gestern nicht mehr sicher sein konnte. Und vorhin, als ich aus dem Fenster sah, stieg er in den Mercedes ein. Und mir fiel auf, dass er alles mit der rechten Hand machte, das Aufschließen, die Tür öffnen, den Lenker anfassen, alles mit der rechten Hand. Ich glaube, der hat sich bei dem Zusammenstoß gestern Nacht die linke Hand verletzt.«

»Wollen wir nachsehen?«, fragte Schmidt.

Falck schüttelte den Kopf. Er konnte dem Toten jetzt nicht zu nahe kommen.

»Sani!«, rief Schmidt, »zieht ihm mal den linken Handschuh ab! Ist seine Hand verletzt?«

Der Sanitäter bückte sich. »Ja! Er hat einen Verband, der bereits durchgeblutet ist!«, rief er Schmidt zu.

»Mensch, Junge, alles richtig gemacht!« Erneut klopfte Schmidt Falck auf die Schultern. »Trotzdem, das wird schwer sein zu erklären, warum du gleich losballern musstest!«

Falck wurden auf einmal die Beine weich. Hilflos sah er sich um und setzte sich dann, mangels besserer Möglichkeiten, auf den Bordstein.

»Was ist denn? Machst du schlapp?«, fragte Schmidt. »Hör zu, Junge, du hast richtig gehandelt, das war höchste Eisenbahn.«

»Haben Sie schon mal einen …« Falck sah dem Hauptmann in die Augen. »Ich meine …« Er brachte den Satz einfach nicht raus, sondern deutete nur matt auf den Mercedes.

Schmidt hatte ihn verstanden. Und zu Falcks Erstaunen ließ er sich neben ihn auf die Bordsteinkante nieder.

»Nein, noch nie. Ich habe noch nicht mal auf jemanden schießen müssen. Bei der NVA war ich früher an der Grenze. Da habe ich jeden Tag gehofft, dass niemals während meiner Schicht einer versuchen würde rüberzumachen.«

Falck spürte etwas in sich hochsteigen, dem er nicht mehr Herr wurde. Es brannte ihm in den Augen und schlimmer noch im Herzen.

»Ich habe ihn gar nicht …« Er deutete wieder auf den Mercedes. »Ich meine, ich wollte ihn aufhalten, ich wollte doch nicht …« Schlagartig wurde ihm speiübel. Er hätte auch auf den Reifen zielen können. Stattdessen hatte er einen Menschen getötet. Ehe er den Gedanken zu Ende gedacht hatte, erbrach er sich auf das Pflaster.

Ihm tat alles weh. Sein Körper schmerzte überall und noch mehr seine Seele. Es kam ihm vor, als hätte er alles verloren. Sein Land, seine Ordnung, seine Orientierung, sein gesamtes Leben, wie er es bisher gekannt hatte. Auf einmal bestand alles nur noch aus Unsicherheit. Seine Gefühle, seine Gedanken waren ein einziges Chaos, von seinem Beruf ganz zu schweigen. Und es gab niemanden, mit dem er darüber reden konnte. Was mit Claudia hätte sein können, war für immer verloren, und selbst Ulrike hatte er noch nicht vergessen. Er presste sich die Hände auf das Gesicht.

»Mach mal ruhig, Junge«, meinte Schmidt väterlich und hängte ihm die Decke um die Schultern. »Das ist eine üble Sache, aber es ist doch nicht deine Schuld.«

Falck nahm die Hände vom Gesicht und sah Schmidt an.

»Kannst du bitte einfach mal ruhig sein?«

22

Falck hatte keine Ahnung, wie er an seinem Schreibtisch sitzen sollte, sein Rücken schmerzte in jeder Position. Steffi Bach hatte sich nur wenige Stunden nach ihrer Einlieferung selbst wieder aus dem Krankenhaus entlassen und war umgehend ins Büro gekommen. Seitdem hatten sie kein Wort miteinander gewechselt. Das allgemeine Schweigen wurde von Frau Zille unterbrochen, die plötzlich hereinkam, um Schmidt einen Zettel zu übergeben.

Schmidt las stumm. »Hört zu«, sagte er dann und lehnte sich in seinem Stuhl zurück.

»Man nimmt an, dass dieser Harald Spoon den echten Joachim Heilmann vor zwei Wochen umbrachte und seine Leiche in dem Autowrack verbrannte. Unter Heilmanns Identität ist er dann von der BRD in die DDR gereist. Heilmann lebte in der Nähe von Hannover, war alleinstehend, Mitte fünfzig, ohne Kinder und keine sonstigen Verwandten. Die westdeutsche Polizei will diese Theorie jetzt anhand der Zähne abgleichen. Ansonsten halten die sich noch sehr bedeckt. Ich vermute, die wollen auch nicht gern zugeben, dass ihnen möglicherweise etwas durch die Lappen gegangen ist. Es stellt sich nur die Frage, was dieser Spoon hier wollte und warum er Kallbusch umbrachte. Und warum die Suderberg hier auf eigene Faust ermittelt hat.«

»Es gab einen Konflikt zwischen einem Rotlichtbaron in Frankfurt am Main, namens Brandner und diesem Kallbusch aus Hamburg«, erklärte Bach mit rauer Stimme. »Beide hatten in den frühen Siebzigern gemeinsam angefangen, zuerst als Rausschmeißer, dann als Zuhälter, haben sich gemeinsam hochgearbeitet. Irgendwann haben sie sich jedoch zerstritten. Kallbusch ging nach Hamburg, hat aber immer wieder versucht, nach Frankfurt zurückzukehren. Vor ein paar Wochen artete diese Rivalität in einen Kleinkrieg aus.«

»Hat dir das die Suderberg erzählt?«, fragte Schmidt und ließ die Hand mit dem Zettel sinken.

Bach nickte. »Sie klingelte gestern Nacht bei mir. Sie war uns gefolgt, mit einem geklauten Wartburg, sie brauchte meine Hilfe. Sie hatte diesen Heilmann schon im Visier, wusste aber nicht, wie sie an ihn herankommen sollte. Heilmann muss ihren BMW vom Hof gestohlen haben, er wollte den Verdacht weiter auf sie lenken. Offenbar wollte er nicht von hier verschwinden. Sybille glaubt, Spoon ist eigentlich nur in die DDR geflüchtet, weil ihm das Pflaster in der BRD zu heiß wurde. Außerdem hatte er schon einiges an Geld investiert. Anscheinend hat er hier unter dem Namen Heilmann mehrere Konten eröffnet und eine große Geldsumme eingezahlt. Es ist anzunehmen, dass er hier sesshaft werden wollte. Es ist gut möglich, dass Spoon nur zufällig auf Kallbusch traf. Kallbusch hatte wohl Verwandtschaft in Dresden oder seine Familie stammte ursprünglich sogar von hier. Offenbar wollte er sehen, was aus den ehemaligen Besitztümern geworden ist.«

»Und was solltest du tun?«, fragte Schmidt weiter.

»Ich sollte Schmiere stehen. Sybille wollte in Heilmanns Laube einbrechen. Das war so gegen fünf Uhr morgens. Ich sollte am Fenster oben Wache halten.«

»Aha, und wie hättest du sie im Ernstfall warnen wollen?«

»Sie hatte zwei Funkgeräte.« Bach hatte Mühe, konzentriert zu bleiben. Es war offensichtlich, dass Schmidt sie mit seinen Zwischenfragen aus dem Konzept brachte.

»Und wie seid ihr in seinen Kofferraum gekommen?«

»Kann ich mal eins nach dem anderen erzählen?«, fuhr Bach ihren Chef an. »Dieser Mann ist mit allen Wassern gewaschen. Er hat mir im Haus aufgelauert, und kaum war ich im Zimmer, griff er mich an. Hat mir mit der Handkante an die Kehle geschlagen. Da kannst du nichts mehr machen, dir bleibt einfach die Luft weg. Ich bekam richtige Panik. Das ist ein furchtbares Gefühl, plötzlich nicht mehr atmen zu können. Dann wurde mir schwarz vor Augen.« Bach hatte rote Flecken am Hals, so regte sie sich auf.

»Warum hat er dich nicht auf der Stelle umgebracht?«, fragte Schmidt unbeeindruckt weiter.

Bach starrte ihn fassungslos an. »Wäre es dir denn lieber, er hätte es getan?«

Schmidt stöhnte genervt auf. »So war das doch nicht gemeint. Ich frage doch nur nach der Logik. Wenn er sonst jeden umlegt, der ihm in die Quere kommt, warum nicht dich?«

Bach hob die Schultern. »Vielleicht dachte er ja auch, ich bin tot. Oder er hatte Wichtigeres zu tun. Er musste sich ja um Sybille kümmern.«

»Und was hat nun die Suderberg mit dem ganzen Mist zu tun?«

Bach stieß Luft aus. »Das kann ich dir gerne sagen, wenn du nicht immer reinquatschen würdest. Es gab doch in Frankfurt eine Schießerei, bei der eine Frau ums Leben kam, eine Prostituierte. Das war ihre Schwester, Heidrun Mahler, die Suderberg hieß mit Mädchennamen auch Mahler. Deshalb hatte sie auch deren Ausweis dabei.«

»Sie ist verheiratet?«, fragte Schmidt erstaunt.

»Als ob das jetzt wichtig ist! Wenn du's genau wissen willst: Sie ist geschieden, hat den Namen ihres Exmannes aber behalten. Zufrieden?«

»Eine Schwester Polizistin und die andere eine Prostituierte?«, fragte Schmidt ungläubig.

»Da kannst du mal sehen. Das ist Freiheit. Jeder macht, was er kann oder will!« Bach verschränkte die Arme vor der Brust. »Aber es ist auch egal, was sie war und was sie gemacht hat. Es war ihre Schwester. Und offenbar war man in Frankfurt nicht bereit, sie bei ihren Ermittlungen zu unterstützen, oder man schenkte ihr keinen Glauben. Deshalb hat sie sich auf eigene Faust auf den Weg gemacht. Und dann kommt sie hierher und trifft nur auf Misstrauen und Skepsis.«

Das wollte Schmidt nicht auf sich sitzen lassen. »Na, na, na, du hast ihr doch auch nicht geglaubt. Wäre sie mal gleich mit der Geschichte von ihrer Schwester rausgerückt.«

»Es war ihre Schwester. Verstehst du! Ihre Schwester! Die gerade vor zwei Wochen umgebracht wurde! Und außerdem wusste sie gar nicht, was hier läuft. Sie dachte wirklich, wir wären alle von der Stasi. Sie wusste es einfach nicht besser.«

Schmidt wollte etwas erwidern, doch das Telefon klingelte. »Schmidt KDD«, meldete er sich und notierte sich dann etwas. »Geht klar.« Er legte auf. »Einbruchdiebstahl«, verkündete er und sah zuerst zu Bach, dann zu Falck. »Ich mach das mal alleine«, brummte er dann, erhob sich und nahm seine Jacke.

»So ein blöder Arsch«, murmelte Bach, als Schmidt draußen war. »Ich beantrage Versetzung. Das tu ich mir nicht länger an.«

»Nee, mach das nicht«, sagte Falck schnell.

Bach hob den Kopf »Und wieso nicht?«

Falck schüttelte den Kopf. »Vielleicht weil es besser ist, in dieser Zeit nicht allzu sehr auf sich aufmerksam zu machen.«

Bach sah ihn einige Sekunden unverwandt an. »Wir waren bei dir in der Nacht. Wir wollten dich dazuholen, aber du warst nicht da. Inzwischen weiß ich ja, warum. Hast auch Schwein gehabt, oder?«

Über den Sturz ins Eiswasser wollte Falck jetzt nicht nachdenken. »Wo ist eigentlich die Suderberg?«

»Weißt du das nicht? Sie wurde festgenommen. Sie muss sich wegen mehrerer Gesetzesverstöße verantworten. Unerlaubter Waffenbesitz, Amtsanmaßung, Einbruch, unerlaubter Grenzübertritt, Landfriedensbruch, was weiß ich noch alles. Sie meint, sie wird bestimmt vom Dienst dispensiert oder ganz rausgeworfen.«

Plötzlich stand Bach auf. Sie schnappte sich ihren Stuhl und zog ihn zu Falcks Tisch heran, um sich davor niederzulassen. Mit aufgestützten Ellbogen saß sie da und rieb sich das Gesicht.

»Tobi, ich bin dir was schuldig, echt!«

Falck wiegelte mit einer Handbewegung ab.

»Ernsthaft«, sagte Bach leise. »Ich meine, wer weiß, was der mit uns vorhatte.«

Falck nickte und schluckte. Sie musste aufhören. Sein Gewissen kam wie die Übelkeit, immer schubweise. Jedes Mal, wenn er glaubte, mit der Sache umgehen zu können, kam die nächste Welle und drohte ihn zu überrollen. Sein Blick verschwamm.

»Geht es dir nicht gut?«, fragte Steffi.

Falck schüttelte langsam den Kopf. »Ich habe den Mann erschossen«, brachte er heraus.

Steffi erhob sich, trat an seine Seite, kauerte neben ihm und lehnte ihre Stirn an seine Schulter. »Ich weiß«, flüsterte sie.

Und das war besser als alles andere.

23

Als Falck abends nach Hause kam, fühlte er sich wie durch die Mühle gedreht. Zu seinem Glück hatten die Schurigs Bier im Haus. Sie waren zwar etwas verwundert, denn Falck hatte noch nie nach so etwas gefragt. Doch Herr Schurig zögerte nicht lange, sondern holte zwei Flaschen aus dem Keller hoch.

Falck hatte noch nicht einmal eine halbe Flasche getrunken, als das Telefon klingelte. Zuerst wollte er es ignorieren, da fiel ihm ein, dass seine Mutter anrufen wollte. Er stand auf und ging in den Flur.

»Falck.«

»Ich bin's, Mutti.« Wie immer schwang in der Stimme seiner Mutter eine gewisse Sorge mit. Das war vom ersten Tag an seines Polizeidienstes so gewesen.

»Hallo, Mutti, wie geht's dir?«

»Gut, mein Junge, wie immer. Die Burdas wollen kommen. Weißt du noch? Die Familie aus Meppen, die wir sechsundachtzig am Plattensee getroffen haben!«

»Mutti, ich kenn die doch nicht. Da wart ihr alleine im Urlaub.«

»Ach ja, stimmt, jedenfalls die wollen kommen, sich mal *die Zone* angucken, wie sie gesagt haben.« Seine Mutter kicherte, anscheinend fand sie das amüsant. »Sie haben gefragt, ob sie was zu essen mitbringen sollen, stell dir das mal vor.«

Falck verdrehte die Augen. »Na ja, die wissen es halt nicht besser.«

»Ja, das stimmt. Ach, und im Kino waren wir, in der Schauburg. Da haben sie *Spur der Steine* gezeigt, mit Manne Krug. Der war ja verboten bei uns. Das war wirklich ein guter Film. Klar, dass sie den verbieten mussten. Da wurde das ganze Dilemma aufgezeigt. Der Krug hat ja viel gutes Zeug gemacht, als er noch hier war. Wenn man bedenkt, was der für einen Mist im Westen spielen musste.«

»Woher weißt du denn, was er spielen musste?« Falck schwirrte der Kopf, vom Bier und von dem vielen Reden seiner Mutter, trotzdem war es tröstlich, sie so plaudern zu hören.

Seine Mutter zögerte kurz. »Na ja, wir haben schon auch Westfernsehen geguckt, wenn wir konnten. Wir haben es nur nicht so an die große Glocke gehängt, damit du nicht in Schwierigkeiten gerätst.«

Falck schwieg. Sonst hätte ihn dieser kleine Verrat sicherlich verletzt, jetzt aber hatte er keinen Raum dafür.

»So, nun erzähl aber mal«, setzte seine Mutter neu an, »wie war denn deine erste Woche als Kriminalpolizist? Ist was passiert?«

Falck atmete durch. »Nee, war eigentlich ganz ruhig.«

24

»Was hat er gesagt?«, fragte Bach. »Hab nur die Hälfte verstanden.« Sie hatte ihre Hände tief in die Manteltaschen gesteckt und die Schultern hochgezogen. Aber selbst der dicke Schal um den Hals konnte nicht verhindern, dass sie zitterte vor Kälte. Man hörte ihre Zähne klappern.

»Er will uns nicht im Stich lassen«, grunzte Schmidt. Was er davon hielt, war deutlich herauszuhören. »Gemeinsam werden wir diesen Weg in die deutsche Zukunft meistern«, fuhr er fort. »Ich kotz gleich!«

Kurz vor Weihnachten hatte sich der westdeutsche Bundeskanzler angekündigt, um auf dem Platz vor der Ruine der Frauenkirche zu reden. Eine riesige Menschenmenge hatte sich versammelt, um Kohl zu hören. Langsam löste sich die Menge jetzt auf, und zusammen mit vielen anderen ließen sich Schmidt, Falck und Bach über die Brühlsche Terrasse in Richtung Carolabrücke treiben.

»Aber die Leute waren offenbar zufrieden, sonst hätten sie ihm nicht so zugejubelt«, sagte Bach. Die Aufregung der Menschen war förmlich mit den Händen zu greifen gewesen. Eine besondere Schwingung hatte in der Luft vibriert, eine Stimmung, die Aufbruch und ein neues Leben versprach.

Schmidt, der einen Schritt vorausging, winkte mürrisch ab. »Die denken nur an die vielen Dinge, die sie kaufen wollen. Dass sie nichts geschenkt bekommen, das wollen sie nicht hören. Läuft doch alles auf Wiedervereinigung und Westgeld hinaus. Warum denkt hier keiner über andere Möglichkeiten nach?«

»Die wollen nur richtiges Geld für ihre Arbeit«, antwortete Bach.

Falck hielt sich raus aus der Diskussion. Er wusste eigentlich gar nicht, was er denken sollte. Sich zu entscheiden, musste man erst einmal lernen. *Kommt die D-Mark, bleiben wir,* hatten die Leute skandiert, *kommt sie nicht, gehen wir zu ihr!* Helmut Kohl hatten sie wie einen Heilsbringer empfangen, als ob er es gewesen wäre, der die Mauer zu Fall gebracht hatte. Somit hatte das Ganze schon seine eigene Dynamik bekommen und hatte nicht mehr viel mit dem zu tun, was die Menschen einst gefordert hatten, damals, im Oktober, in Plauen, Leipzig oder anderswo. Meinungsfreiheit war das Ziel gewesen, Reisefreiheit. Freiheit eben. Von einem vereinten Deutschland, von der D-Mark war da noch keine Rede gewesen.

Schmidt schüttelte nur den Kopf. »Wenn ich das schon höre: *Mein Ziel bleibt die Einheit unserer Nation.* Könnten wir nicht erst mal versuchen, ob wir es so hinkriegen? Als eigener Staat.«

»*Wenn es die geschichtliche Stunde zulässt!*«, ergänzte Bach den Satz von Kohl. »So hat es sich zumindest angehört!«

Aber Schmidt war jetzt richtig in Fahrt. »Und dann noch: *Gott segne unser deutsches Vaterland!* Vor der Ruine einer Kirche!« Schmidt knallte sich den Zeigefinger gegen die Stirn. »Das ist doch blanke Ironie!«

Bach schloss jetzt zu Schmidt auf und hakte sich vertraulich bei ihm ein. »Beruhig dich mal, Chef! Vielleicht wird alles gar nicht so schlimm. Denk nur mal an die Möglichkeiten, die wir alle haben werden.«

Falck folgte den Kollegen mit ein paar Meter Abstand. Knapp zwei Wochen waren seit dem dramatischen Einsatz und seinem tödlichen Schuss vergangen. Das waren Tage gewesen, die ihm noch einmal alles abverlangt hatten. Körperlich und emotional. Er hatte Protokolle schreiben müssen, den Hergang der Ereignisse schildern, sich erklären und rechtfertigen und verhörähnliche Befragungen über sich ergehen lassen müssen. Letztlich war dann doch alles im Sand verlaufen. Andere Fälle drängten sich vor und mussten bearbeitet werden. Außerdem musste im Fall Rühle-Burghardt für die Staatsanwaltschaft nachermittelt werden, damit sie Anklage erheben konnte.

Falck tat wieder seinen normalen Dienst, ohne Vorbehalt, ohne Rückenschmerzen und doch als ein anderer Mensch. Er war nicht mehr derselbe. Spätestens seit dem Moment, als er den Abzug betätigt hatte.

»Und ist dir noch was aufgefallen, Chef?«, fragte Bach, die sich nach Falck umgesehen hatte, und hielt Schmidt auf.

»Was?«, fragte Schmidt misstrauisch.

»Unser Tobi hier, der ist ein Genie!« Bach wartete, bis Falck herangekommen war. Sie war fröhlich und aufgedreht.

»Ein Genie? Warum?«, fragte Schmidt nach und wusste es vermutlich schon.

»Der hat's im Blut, der hatte immer recht. Mit dem Leichen-Typen, mit dem Burghardt und mit der Suderberg.«

Schmidt nickte. »Stimmt. Und das ist ätzend, wenn du mich fragst. Aber wisst ihr was? Mir ist kalt, ich will ins Warme. Gehen wir in den *Meißner Weinkeller* oder ins *Töpp'l*! Ich geb auch einen aus! Obwohl du ja eigentlich dran wärst, Tobias, du hast noch nicht mal deinen Einstand gegeben!«

Bach unterbrach ihn. »Es ist sowieso zu spät, wir kriegen nirgendwo mehr einen Platz.«

»Vielleicht hilft ja Westgeld weiter?«, fragte plötzlich eine vertraute Stimme. Hauptkommissarin Suderberg stand hinter ihnen und lächelte in ihre verblüfften Gesichter.

»Man hat mir in der Zentrale gesagt, Sie wären hier irgendwo zu finden. Ich hatte eigentlich schon aufgegeben, nach Ihnen zu suchen.« Sie machte eine bedeutungsvolle Pause, aber als keiner reagierte, sprach sie gleich weiter.

»Na ja, ich … also, ich wollte mich entschuldigen bei Ihnen, bei Ihnen allen. Ich habe mir nicht anders zu helfen gewusst. Und hier war alles so ganz anders, als ich mir es vorgestellt hatte. Außerdem wollte ich mich bedanken. Vor allem bei Ihnen!« Sie streckte Falck die Hand entgegen, die dieser in seiner Verblüffung zaghaft annahm.

»Danke!«, sagte Suderberg. »Na, also dann …« Sie wollte sich angesichts der ausdruckslosen Mienen der drei Ost-Kollegen abwenden und gehen, da schnellte Bach vor und hielt sie am Arm fest.

»Nischt is, wir gehen jetzt einen heben und Sie kommen mit!«

25

Am Tag drauf stand Falck nachmittags im Haus in der Böhmischen Straße. Er atmete noch einmal durch, dann hob er die Hand, um zu klopfen. Die Haustür hatte offen gestanden, die Erdgeschosswohnung war leer. Es gab anscheinend keine weiteren Bewohner.

Er zögerte. So konnte es nicht bleiben. Sie mussten sich aussprechen, auch auf die Gefahr hin, dass … Dass, was eigentlich? Dass er eingestehen müsste, dumm und unverantwortlich gehandelt zu haben?

Er klopfte. Vorsichtig zuerst, dann etwas kräftiger. Schritte näherten sich der Tür. Claudias Stimme war zu hören.

»Wer ist da?«

»Tobias!«

Eine Weile blieb es still. Dann wurde die Sicherheitskette entfernt und der Schlüssel drehte sich im Schloss. Claudia öffnete die Tür einen Spaltbreit.

»Was willst du?«

Darüber hatte Falck noch gar nicht so wirklich nachgedacht.

»Ich wollte gern reden mit dir!«

»Ja und? Worüber?«

»Ich wollte mich entschuldigen. Und ich muss dir etwas gestehen. Ich bin gar kein Heizer. Ich bin Polizist. Also, ich war es schon letztes Jahr!«

Claudia sah ihn stumm an. Nachdenklich kaute sie auf ihrer Unterlippe. »Das ist gemein, weißt du das?«

Falck nickte mechanisch, fühlte sich aber nicht besser damit. Er könnte so viel erzählen, von seinem Auftrag damals, wie sehr Ulrike ihn verletzt hatte, dass er zum Lehrgang delegiert worden war, doch das hätte nichts entschuldigt.

»Also, falls du Hilfe brauchst ... Ich meine ... Ich will sagen ... Ich helfe dir natürlich. Auch finanziell.«

»Ich habe keine Kohlen mehr. Ich verheize schon die Möbel aus der Wohnung unten.«

»Wirklich?« Falck war entsetzt. Damit hatte er nicht gerechnet.

Claudia nickte düster. »Ich habe schon vor Monaten eine Wohnung mit Zentralheizung beantragt. Aber nichts passiert.«

»Pass auf, ich kümmere mich. Ich besorge dir Kohlen. Vielleicht kann ich auch ...« Er durfte ihr nicht zu viel versprechen. Er konnte ihr ja keine Wohnung besorgen.

Schweigend standen sie voreinander.

»Sag mal, darf ich sie mal sehen?«, fragte Falck dann leise.

Claudia nickte, ohne zu zögern, und öffnete die Tür für ihn. »Komm rein, sie schläft aber gerade.«

Falck folgte ihr durch den Flur ins Wohnzimmer, dem einzigen Raum, in dem es merklich wärmer war. Ein Kinderbett stand neben der Couch. Auf einmal fiel Falck auf, was ihm vor einem Jahr nicht bewusst gewesen war. Claudia hatte wirklich kein Geld. Sie lebte sehr spartanisch, alles hier war vermutlich aus zweiter Hand.

»Hast du niemanden? Deine Eltern?«

Claudia schüttelte den Kopf. »Die meinten, ich soll die Suppe mal schön alleine auslöffeln.« Sie kniff die Lippen zusammen und hob traurig die Schultern.

Im Kinderbettchen regte sich jetzt was. Die ungewohnte Stimme im Raum hatte das kleine Mädchen aufgeweckt, ein kleiner Arm kam unter der Decke hervor und fuchtelte herum.

Claudia beugte sich über das Bett, schlug die Decke zurück und nahm das Baby heraus. »Psst, meine Kleine, nicht weinen. Mami ist hier«, flüsterte sie und wiegte das Kind in ihren Armen.

Falck versuchte einen Blick auf das Gesicht zu erhaschen, als ob er etwas darin sehen könnte. Er erkannte nichts und er wagte auch nicht zu fragen. War es vielleicht doch Christians Kind? Oder hatte sie das nur im Zorn behauptet, weil sie ahnte, wie ihn das verletzen würde?

»Magst du sie mal halten?«, fragte Claudia, als ob sie seine Gedanken lesen könnte. Schon drückte sie ihm das Baby sanft gegen den Oberkörper und zeigte ihm, wie er das Baby halten sollte. »Keine Angst, sie geht nicht gleich kaputt.«

Falck hielt die Luft an. Das war ein kleiner Mensch, den er da in seinen Armen hielt, so leicht und warm und doch so schwer. Sein Herz zog sich zusammen und eine große warme Welle durchflutete seinen ganzen Körper.

Er sah auf, wollte etwas sagen, doch er brachte keinen Ton heraus.

»Siehst du, sie beschwert sich gar nicht«, flüsterte Claudia. »Magst du dich setzen? Ich kann Tee machen.«

Falck nickte und setzte sich vorsichtig hin.

26

Es war spät am Abend, als Falck wieder vor seiner Haustür stand. Bei den Schurigs im Wohnzimmer brannte noch Licht. Bestimmt sahen sie fern und würden sein Heimkommen bemerken. Frau Schurig kam immer gerne noch einmal in den Flur, wenn sie den Schlüssel im Türschloss hörte. Das war nett gemeint, aber auch ganz schön lästig. Er sollte sich wirklich bald um eine eigene Wohnung bemühen. Er brauchte Platz für ein neues Leben, für das, was kommen würde. Jetzt, gerade in diesem Moment, war er mit sich im Reinen.

Unter dem Licht der Gaslaterne entdeckte er auf einmal eine Gestalt. Fast wäre er erschrocken, doch dann stutzte er. Da stand eine Frau, die ihm nur zu vertraut war.

»Hallo, Tobias«, sagte sie.

»Ulrike!«

»Die Schurigs haben mir angeboten, oben zu warten, aber ich wollte nicht einfach so in deinem Zimmer sitzen.« Ulrike kam näher. Falck fiel auf, dass sie ihre Haare kürzer trug. Es stand ihr. Sie hatte einen langen Mantel an.

»Was machst du hier?«, fragte Falck.

»Ich wollte sehen, wie es dir geht. Ich wohne wieder in Dresden. Bin letzte Woche schon zurückgekommen.« Ulrike trat noch näher, näher als es ihm lieb war. »Ich habe einen furchtbaren Fehler gemacht. Ich möchte mich entschuldigen. Ich habe die ganze Zeit immer an dich denken müssen. Ich war so unfair zu dir! Ich weiß, es ist noch zu früh, aber ich wollte dich fragen, ob du mir irgendwann verzeihen kannst?«

Falck schob seine Hände in die Jackentaschen. »Schön, dass du wieder da bist.« Er meinte das ernst. Viele widersprüchliche Gefühle stiegen plötzlich in ihm auf. Er wollte laut lachen vor Freude und war trotzdem wütend. Ulrike hatte ihm sehr wehgetan, sie hatte ihre Beziehung zerstört. Wofür? Er wollte triumphieren und ihr um den Hals fallen, ihr sagen, wie sehr er sie vermisst hatte. Und dann war da Claudia. Und vor allem Julia. Die vielleicht oder sogar ziemlich sicher seine Tochter war.

»Ich denke darüber nach«, sagte er. »Aber nicht jetzt.«

Dieses verrückte Jahr hatte so kurz vor seinem Ende auch ihm eine persönliche Wende gebracht. Der Verlust aller Ordnung und Sicherheit hatte auch etwas Gutes bewirkt. Sein Leben war nicht mehr vorhersehbar. Plötzlich schien so viel möglich zu sein. An den Gedanken musste er sich noch gewöhnen.

»Also gut, ich verstehe«, sagte Ulrike mit hörbarer Enttäuschung in der Stimme. Sie hauchte ihm einen Kuss auf die Wange. Dann drehte sie sich um und ging in die Dunkelheit.

Falck hob die Hand und winkte ihr zu, aber sie drehte sich nicht noch einmal um. Plötzlich musste er sich an der Gaslaterne festhalten, denn er fürchtete, in diesem Moment den Bodenkontakt zu verlieren.